studio

Die Mittelstufe

Deutsch als Fremdsprache

Lösungen

C1

Cornelsen

1 Klangwelten

1.2

b)
1a – 2d – 3f – 4b – 5e – 6c

2.2

b)
Geschichte der Firma Muzak:
- seit 1934 in den USA, seit 1958 Marktführer in Deutschland
- gegründet als Wired Music von General George Owen Squier: er ließ 1922 die Technik patentieren, Musik über Telefonleitungen zu verbreiten
- 1934 Firmenname Muzak

Produkte von Muzak:
- verkaufsfördernde Musik: für jedermann einen passenden Klangteppich (Supermärkte, Fahrstühle, Hotels ...)
- das Unternehmen besitzt in Europa eine Musikbibliothek mit 400 000 Titeln, in den USA weitere 1,5 Mio Titel
- mehr als 200 verschiedene Programme für unterschiedliche Einsatzmöglichkeiten

Reaktionen auf das Angebot:
- falsche Musik verschreckt die Zielgruppe
- Erforschung der umsatzsteigernden Wirkung (wurde nicht bestätigt)
- Skepsis und Wut (Musiktherapeutin Beatrix Evers-Greve): „Versuch der Gleichschaltung", hindert Menschen daran, sich mit sich selbst zu beschäftigen oder andere Dinge aus der Umgebung zu hören
- „Wir wollen unsere Ruhe haben" sagt der Verein „Lautsprecher aus"
- die Mehrheit der Konsumenten lässt sich willenlos bedudeln

2.3

a)
positiv:
Jeder Arbeitsplatz wird [..] gedämpft beschallt (Z. 15–17)
musikalische Zerstreuung (Z. 42–43)
angenehme Musik (Z. 47)
den passenden Klangteppich (Z. 56–57)

negativ:
dieses allgegenwärtige akustische Rinnsal (Z. 44–45)
indem man einen Musikteppich darüberlegt (Z. 111–112)
das Gedudel (Z. 114), diese Berieselung (Z. 121)
von alltäglicher Rundumbeschallung (Z. 145)
die durch Dauerbeschallung zermürbten ... (Z. 150–151)

b)
Musik
Muzak – Hintergrundmusik – Hörer – Lautsprecherboxen – gedämpft beschallt – abspielen – hören – halblaut – Klassik – mit dem Fuß mitwippe – Musik läuft – musikalische Zerstreuung – allgegenwärtige akustische Rinnsal – musikalische Geschmäcker – zu leise – Atmosphäre schaffen – Musikbibliothek – Titel – Sammlung – Programme – populäre Hintergrundmusik – Gesang – dudelte – Klangteppich – Gedudel – Rundumbeschallung – Dauerbeschallung

Wirtschaft:
die Firma – der Firmenname – der Marktführer – die Geschäftsabonnenten – das Unternehmen – der größte Lieferant – verkaufsfördernd – Geschäftsführer – Tochtergesellschaft – Budgets, Zahlen, Daten, Fakten – die Zielgruppe – die umsatzsteigernde Wirkung – patentieren – Fabrikgebäude – Büroräume – Arbeitsproduktivität

Wissenschaft:
der klinische Suchtbefund – die Therapie – die Wissenschaft – der Musikpsychologe – die Hochschule (für Musik und Theater) – die einschlägigen Wirkungsstudien – die Studie – methodisch sehr sorgfältig gemacht – die Wirkung auf die menschliche Psyche – die Musiktherapeutin – die Psychatrie – die gesellschaftlichen Konsequenzen – das Seminar

c) *Vorschläge:*
Zeile 1–10:
Die Firma Muzak ist Marktführer in Sachen Hintergrundmusik (seit 1934 in den USA, seit 1958 in Deutschland).

Zeile 11–41:
Fritz Tiemann ist Geschäftsführer der deutschen Tochtergesellschaft. In den Büros hören die Mitarbeiter Musik aus dem Programm von Muzak. Fritz Tiemann selbst ist süchtig nach Musik. Er hört immer Musik / er verbannt jede Lautlosigkeit aus einem Alltag.

Zeile 42–52:
F. Tiemann kann sich nicht vorstellen, dass die ständige Musik andere nerven könnte. Aber er weiß, dass es die richtige Musik (in der richtigen Lautstärke) sein muss.

Zeile 53–62:
Die Firma Muzak verfügt über fast 2 Mio. Titel (in Europa 400 000, in den USA 1, 5 Mio.), um für jeden das passende Programm zusammenzustellen.

Zeile 63–74:
Die Wissenschaft hat eine umsatzsteigernde Wirkung von Musik nicht feststellen können. Studien haben dazu nichts gefunden.

Zeile 75–100:
Muzak wurde von George Owen Squier gegründet, der sich das Verfahren zur Überspielung von Musik 1922 patentieren ließ und Fabrikgebäude zur Steigerung der Arbeitsproduktivität mit Musik bespielte. Seine Musik sollte auch die ersten Benutzer von Fahrstühlen beruhigen. 1934 wurde *Wired Music* in *Muzak* umgetauft.

Zeile 101–123:
Die Musiktherapeutin Beatrix Evers-Grewe steht den Musikteppichen skeptisch gegenüber. Sie bezweifelt, dass es ethisch korrekt ist, Menschen daran zu hindern,

andere Dinge als die Musik zu hören. Der Plan, Musik auch in Arztpraxen und Krankenhäusern einzusetzen, macht sie wütend, weil gerade dort die Menschen nicht von sich selbst abgelenkt werden sollten.

Zeile 114–149:
Der Verein „Lautsprecher aus!", 1998 von Harald Fiedler gegründet hat nur 214 Mitglieder und ist keine Gefahr für Muzak. Die Mitglieder interessieren sich nicht für die gesellschaftlichen Konsequenzen der Beschallung, sie wollen einfach nur in Ruhe gelassen werden.

Zeile 150–156:
Menschen, die die Stille suchen, sind in der Minderheit. Die meisten Konsumenten lassen sich willenlos bedudeln.

2.4

nüchternes Büroambiente – klinischer Suchtbefund – musikalische Zerstreuung – jahrzehntelange Erfahrung – eine umsatzsteigernde Wirkung – ehemaliger Präsident – einschlägige Wirkungsstudien – von einem militärischen Geheimdienst – die menschliche Psyche – ein gefährlicher Gegner – die gesellschaftlichen Konsequenzen

2.6

Vorschläge
Diktatur der sanften Klänge: Die „beruhigende" Musik wird als Diktat/Bevormundung empfunden
akustische Rinnsal, ...überall Gedudel: wertet die Qualität der Musik ab

2.7

a)

-ant	Lieferant → liefern (Verb)
-e	die Stille → still (Adjektiv), die Ruhe → ruhen (Verb)
-er	der Marktführer, der Geschäftsführer → führen (Verb), der Hörer → hören (Verb), der Mitarbeiter → arbeiten (Verb), der Vorläufer → laufen (Verb), der Wolkenkratzer → kratzen (Verb), der Lautsprecher → sprechen (Verb)
ohne Endung (+ Stammvokalveränderung)	der Schwung → schwingen (Verb), der Suchtbefund → befinden (Verb), der Versuch → versuchen (Verb)
Ge-	der Geschmack → schmecken (Verb), der Gesang → singen (Verb), das Gedudel → dudeln (Verb)

b)
Regel
Infinitive als Nomen (joggen -> Joggen), sind immer ~~maskulin/feminin~~/neutrum. Nomen mit der Endung -(at)ion, -(at)ur, -e, -heit, -ität, -keit, -schaft und -ung, sind immer ~~maskulin/~~feminin/~~neutrum~~.
Nomen, die ohne Endung von einem Verb abgeleitet sind und eine Stammvokaländerung haben (schwingen → Schwung), sind maskulin~~/feminin/neutrum~~.

3.2

a)
Philipp: Klavier, klassische Gitarre und Klarinette
Katrin: Flöte und Geige

b)
1P – 2P – 3K – 4P – 5K – 6K – 7P – 8K

3.3

a)
1 – 2 – 4

3.5

1. die Sängerknaben
2. das Gesangsquartett
3. die Früherziehung
4. der Klavierunterricht
5. der Schulchor
6. die Stimmausbildung

3.6

a)
1. Die Internetseite ist von der Bundesagentur für Arbeit.
2. Tonmeister/in bzw. Toningenieur/in
3. Menschen, die sich für eine Ausbildung / ein Studium entscheiden müssen.

3.7

a)
richtig: 1, 3, 6
Korrekturen:
2. Goretzki war schon in der Schule in einer Musik-AG und Mitglied einer Band.
4. 80 Prozent seines Berufsalltags besteht aus Studioarbeit, 20 Prozent verbringt er mit Akquise, Buchführung und Kundengesprächen.
5. Richtig Spaß macht es ihm, wenn er mit seiner Tonarbeit den Spannungsbogen eines Films oder die Charaktere der Darsteller unterstützen kann.

b)
alle drei sprechen über:
ihre Musikbegeisterung seit der Schulzeit, die Wichtigkeit des Studiums bzw. des Beherrschens mindestens von einem Imstrument, die Schwierigkeit von der Musik zu leben, den Konkurrenzdruck

4.2

a)
1a – 2c – 3b – 4e – 5d

5.1

b)
Reihenfolge: 6 – 1 – 3 – 4 – 2 – 5

5.4

b)

Linksattribut	Nomen	Rechtsattribut
in einem alles vereinnahmenden (a)	Einheitssound	
mit sehr (c) viel geringerem (d)	Aufwand	
die große (d)	Zeit	der Musiksender (e)
mit der aufkommenden (a)	Technik	zur Aufzeichnung von Tönen (b)
	Hausmusik	mit allen Arten von Instrumenten (b)
die 100-jährige (d)	Geschichte	der Musikindustrie (c)
der junge neopolitanische (d)	Tenor	
	Shobiz-Größen	die in den dreißiger Jahren ihre Karrieren im Musikgeschäft machten und heute ... zählen (R)
	Musik	mit kommerziellen Potential (b)
wachsende (a)	Umsätze	
	Vorlieben	ihrer Zielgruppen (e)
die ehemals (c) wichtigste (d)	Zielgruppe	der Jugendlichen (e)
	Auf- und Ausbau	von großen Musikdatenbanken (b)
eine wichtige (d)	Einnahmequelle	für Künstler (b)

6.1

Vorschläge:

1. Hier sieht man die Wirkung von Musik im Wasser.
2. Die „Musikerin“ spielt keine echte Gitarre, sie tut nur so.
3. Die Instrumente sind aus Gemüse.

6.2

a)

Luftgitarre-Meistertitel geht nach Berlin: Foto 2 – Baden in Licht und Musik: Foto 1 –Mit Essen spielt man nicht – Foto 3 - Beatboxing Battle: kein Foto

2 Wer bin ich?

1.1

b)

Vorschläge

Stiller: Anatol Stiller, Bildhauer, verschwunden

Mr White: Jim Larkin White, Amerikaner, wird festgenommen, weil er Stiller sein soll

Welches Problem: ein Identitätsproblem

2.1

(literarische) Textinterpretation

2.3

a)

Einleitung: 4 – Textaufbau: 5 – Figuren und ihre Beziehungen: 1 – Sprache und Stil: 3 – Erzählperspektive: 7 – Erzählabsicht: 2 – Schluss: Wirkung und Fazit: 6

b)

nicht berücksichtigt wurden: Sprache und Stil, Erzählperspektive, Erzählabsicht

2.6

a)

Artikelwort im Singular mit Kasusendung	**Artikelwort ohne Kasusendung**	**Plural-Artieklwort mit Kasusendung**
in diesem interessanten Buch, mancher empfindsame Leser, irgendein neuer, geheimer Plan, mit etwas schiefem Lächeln, irgendwelche	manch trauriges Geheimnis	viele sprachliche Bilder, irgendwelche falschen Wahrheiten, jene dreisten Behauptungen, andere geneigte Leser, etliche alarmierende Hinweise

b)

Artikelwörter funktionieren wie Artikel/~~Adjektive~~. Sie tragen meistens/~~immer~~ die Kasus- endungen (-e, -er, -es, -en, -em). Adjektive nach dem AW tragen dann die unbestimmten Endungen -e oder -en. Bei AW ohne Endung hat das Adjektiv oder Partizip danach die bestimmte/~~unbestimmte~~ Endung. Nach den Plural-Artikelwörtern *andere, einige, etliche, manche* und *viele* trägt das Adjektiv die bestimmte/~~unbestimmte~~ Endung.

3.1

c)

Vorschlag: Wer bin ich?

3.2

a)

Abschnitt 1: 3 – Abschnitt 2: 4 – Abschnitt 3: 1 – Abschnitt 4: 5 – Abschnitt 5: 2

3.3

a)

1. ...wenn man konkret fragt → wenn man konkret **die Frage stellt**
2. Er versucht deshalb, alle jene Dinge ... → er **unternimmt** deshalb **den Versuch**, alle jene Dinge ...
3. ... müssen wir uns vorstellen → müssen wir **eine Vorstellung haben**

b)

Funktionsverbgefüge (FVG) sind feste/~~beliebige~~ Verbindungen aus von einem Verb abgeleiteten Nomen und einem Verb. Das Verb im FVG hat keine/~~eine~~ eigene Bedeutung. FVG haben meistens die gleiche Bedeutung wie das Verb/~~Nomen~~, von dem das Nomen abgeleitet ist (z. B. den Anfang machen = anfangen). Manchmal haben FVG Präpositionen/~~Pronomen~~ (z. B. *in Zweifel ziehen = (be)zweifeln).* FVG wirken ~~einfacher~~/offizieller als die einfachen Verben/~~Nomen~~. Sie werden oft in der ~~Jugend-~~, / Nachrichten-, /Verwaltungs-,/ ~~Umgangs-~~,/ Fach- und Wissenschaftssprache gebraucht. FVG müssen/~~müssen nicht~~ extra gelernt werden.

c)

FVG	Verb	Beispielsatz
eine Frage stellen	fragen	wenn man konkret die Frage stellt ...
von der Annahme ausgehen	annehmen	In der Psychologie geht man von der Annahme aus, dass
im Austausch stehen	sich austauschen	Erst wenn wir im Austausch mit anderen stehen, lernen wir ..
in Auflösung geraten	sich auflösen	Erst mit der Industrialisierung geriet die Klassen- oder Milieuzuordnung in Auflösung.
in Frage stellen	(hinter)fragen	wenn [...] die dort herrschenden kulturellen Lebensentwürfe die eigenen in Frage stellen
eine Forderung an ...stellen	fordern	Das Leben stellt an uns die Forderung, multiple ...
eine Antwort auf ... finden	(be)antworten	... um für sich eine Antwort auf die Frage zu finden:

3.4

b)

Der Begriff **Identität** ist je nach **Sichtweise** unterschiedlich. So definiert der **Brockhaus** Identität als „die **völlige** Übereinstimmung einer **Person** oder **Sache** mit **dem**, was sie **ist** oder als was sie bezeichnet wird". Die **Juristen** verstehen darunter **lediglich** die Übereinstimmung personenbezogener **Daten** (Name, Geburtsdatum, Adresse etc.) mit einer natürlichen, **also** realen Person. Die **Soziologen** sehen darin die **Summe** der Merkmale, mit denen sich ein Individuum von anderen unterscheiden lässt.

4.1

b)

Satz 1

4.2

a)

1. Mittelalter- und Fantasy-Geschichten **sind in.**
2. ... tagtäglich tauchen vor allem Jugendliche und junge Erwachsene **in geheimnisvolle Welten** ein.
3. **Ohne Atem zu holen** verfolgen sie blutige **Gemetzel,** ...
4. ... sie **werden** von grausamen Orks **gejagt,**
5. ... oder sie **treiben** friedlich Handel mit Waren.
6. **„Nur in der Phantasie oder online in einen anderen Charakter zu schlüpfen, ist für viele Fans nicht mehr ausreichend"**, sagt Psychologe Hans Brandl.
7. Als Teilnehmer an Cosplay-Treffen **sind sie lieber selbst Darsteller** „ihrer" Figur.
8. Oder sie tragen als Ritter, Hexen oder Magier **Sorge für den Erfolg** von Mittelaltermärkten.

b)

Satz 1: a – Satz 2: g – Satz 3: a –Satz 4: d – Satz 5: c – Satz 6: e – Satz 7: c – Satz 8: c

4.3

b)

bewerten: In die Bewertung fließen ... ein
sich qualifizieren: die Qualifikation erreichen

5.1

c)

richtig: 1, 3, 4, 5 – falsch: 2

3 Farbrausch

1.3

a)

rotsehen: sehr wütend werden,
etw. liegt im grünen Bereich: etw. ist (noch) akzeptabel, etw. ist in Ordnung
etw. ist nicht das Gelbe vom Ei: etw. ist nicht das Beste

2.2

b)

1: Ohne Licht keine Farben – 2: Grau ist grau nur in der Früh – 3: Schon die Kleinsten sehen Rot – 4: Das Erbgut zählt

c)
zu Abschnitt 1

2.3

a)
zentrale Aussagen: Farben sehen erfordert Licht. – Gegenstände reflektieren Licht. – Farben entstehen im Kopf
Fakten/Abläufe: Licht breitet sich in Wellen aus. – Farben haben unterschiedliche Wellenlängen. – Es fällt durch die Pupille auf die Netzhaut, danach werden die Zapfen unterschiedlich stark angeregt. – Farbrezeptoren, genannt Zapfen, werden angeregt. – elektrischer Impuls wird ans Gehirn weitergeleitet
Erläuterungen / Beispiele: Blau: langwellig / Rot: kurzwellig – Rot – Grün – Blau – Beispiel Orange: die rotempfindlichen Zapfen werden stärker, die grünempfindlichen weniger stark angeregt.

2.4

b)
1. Die Lederhaut – 2. Der Sehnerv – 3. Die Netzhaut –
4. Die Iris 5. Die Linse – 6. Die Pupille

2.5

1a – 2a – 3c – 4b – 5b – 6a

2.6

a)
1. eine Korrektur erfolgt, 2. eine Entdeckung machen,
3. Schwierigkeiten bereiten, 4. die Arbeit aufnehmen,
5. eine Erklärung liefern

b)
1. Während des Schlafs wird das aber korrigiert und ...
2. Kanadische Forscher haben entdeckt, dass ...
3. Blau war für die Kleinen am schwierigsten.
4. Im Alter von drei Monaten haben dann alle drei Zapfentypen in der kindlichen Netzhaut zu arbeiten begonnen und ...
5. Dies könnte erklären, warum Menschen Farben zum Teil sehr unterschiedlich sehen.

3.1

b)
Z. 5–8: Erst durch die Reflektion des Lichts von den Gegenständen nehmen Lebewesen Farben als visuelle (Licht-)Reize wahr.
Z. 18–21: Die individuelle Wahrnehmung gleicher oder gleich benannter Farben kann jedoch unterschiedlich sein, ...

d)
1: Z. 1–2 – 2: Z. 3–4 – 3: Z. 5–8

3.2

a)
2. Die individuelle Wahrnehmung gleicher Farben kann unterschiedlich sein.
   Gleiche Farben können individuell unterschiedlich wahrgenommen werden.
3. Die Werbung nutzt die emotionale Wirkung von Farbnamen aus.
   Die Werbung nutzt aus, dass Farbnamen emotional wirken.

b)
Sachverhalte lassen sich oft sowohl im **Nominalstil** wie auch im **Verbalstil** formulieren. So kann man z. B. einen Text wiedergeben und Wiederholungen im Satzbau vermeiden. Der **Nominalstil** ist typisch für bestimmte schriftliche Textsorten wie z. B. Fachtexte oder Verwaltungssprache. Der **Verbalstil** wirkt lebendiger und wird oft in der Erzähl- und Alltagssprache verwendet.

3.3

a)
- Farben erzeugen beim Empfänger Gefühle und Assoziationen.
- Rot strahlt für mich Wärme aus.

d)
Aussage 4

4.2

a)
pro:
- Leute sind froh, wenn Stadt schöner ist / bunte Farbtupfer heben die Laune
- man ist der Natur ein Stückchen näher
- ungenutzte Flächen werden von Müll und Bauschutt befreit
- Umwelt wird verschönert › Kunst im öffentlichen Raum
- Stadt spart Geld
- jeder kann mitmachen, weltweite Bewegung
- Ausdruck des Protests gegen verdrängte Natur und Spekulanten
- zeigen, dass auch die Stadt ein schöner Lebensraum sein kann
- Pflanzen sind gut für das Klima in der Stadt

kontra:
- Guerilla-Gärtner gehen zu weit: illegale Sachbeschädigung
- auch Leute, die keine Ahnung vom Gärtnern haben, machen mit
- unkontrolliertes Aussäen und Bepflanzen kann zu Umweltproblemen führen: einheimische Arten werden verdrängt
- Brachflächen sind als Lebensraum wichtig
- einfach Samen auszuwerfen macht keinen Sinn, Pflanzen müssen sachkundig gepflegt werden

4.3

a)
1. Martin M. sagt, unkontrolliertes Bepflanzen könne zu Umweltproblemen führen.
2. Er sagt, Brachflächen sähen zwar nicht schön aus, seien aber manchmal sogar wichtig.

3. Soraya B. sagt, Guerilla Gardening würde niemandem etwas wegnehmen – im Gegenteil!
4. Sie sagt, die Umwelt werde/würde verschönert und die Stadt spare Geld.

b)
Vorschläge:
Gemäß ihrer Aussage heben bunte Farbtupfer die Laune und man hat das Gefühl, der Natur ein bisschen näher zu sein.
Ihrer Aussage zufolge werden ungenutzte Flächen von Müll und Bauschutt befreit.
Ihrer Meinung nach sind die Aktionen eine Art Kunst im öffentlichen Raum.
Wie Soraya Bergemann sagt, ist das Guerilla-Gardening eine weltweite Bewegung, die gegen die Verdrängung der Natur und gegen Spekulanten protestiert.
Wie sie berichtet, will die Bewegung zeigen, dass auch die Stadt ein schöner Lebensraum sein kann.
Wie Martin Mackowski meint, nutzen sie fremde Grundstücke und das ist illegale Sachbeschädigung.
Seiner Aussage zufolge machen auch Leute mit, die vom Gärtnern keine Ahnung haben.
Das kann seiner Meinung nach gefährlich sein: einheimische Pflanzen können verdrängt werden.
Wie er berichtet, sind Brachflächen ökologisch wichtig und bieten Lebensraum für z. B. Eidechsen.
Seiner Aussage zufolge unternimmt die Polizei erst etwas, wenn das Grundstück geräumt werden muss, weil es bebaut werden soll.

5.2

c)
allen

4 Arbeiswelt(en)

1.2B

a)
c – d – b – e – a

c)
1c – 2d – 3b – 4e – 5a

2.2

a)
Vorschläge:
1. Die Entwicklungen auf dem Gebiet der Informations- und Kommunikationstechnologie (IT).
2. Die Kreativität der Einzelnen als auch die Bildung von Teams sowie Arbeitsprozesse und -abläufe sollen unterstützt werden.
3. Die neuen Bürolandschaften stellen unterschiedliche Plätze zur Begegnung und Kommunikation bereit.
4. Der Druck steigt und es gibt keine Grenze mehr zwischen Arbeits- und Freizeit.
5. Die Mitarbeiter können zwischen unterschiedlichen Arbeitszonen mit Einzel- und Gruppentischen wechseln.

2.4

a)
isolierte Arbeitsweise - jeder arbeitet für sich allein
die isolierte Arbeitsweise ... soll ... abgelöst werden - durch eine Bürolandschaft ersetzt werden
mit unterschiedlichen Begenungsmöglichkeiten - ... Mitarbeiter miteinander in Kontakt kommen

2.5

1b – 2c – 3a – 4e – 5d

2.8

a)
Es gelte, so die Befürworter, ... (Z. 44 ff)
Solche grundlegenden Veränderungen brächen jedoch mit manchen liegewonnen Traditionen, meinen die Kritike. (Z. 53 ff)
Demzufolge wäre es Geldverschwendung gewesen, ... (Z. 79 ff)
... obwohl Gespräche mit allen vorausgegangen seien. (Z. 86 ff)
Der Mitarbeiter könne ... (Z. 133 ff)
Dass moderne Bürogestaltung die Menschen kreativer mache ... (Z. 169 ff)

c)
5 – 4 – 2 – 3

2.9

c)
Der Interviewer fragt, wie die Arbeit im Coworking-Space sei.
Simon antowortet, sie sei ganz normal.
Der Interviewer möchte wissen, warum Simon kein eigenes Büro habe.
Er sagt, das brauche er nicht.
Der Interviewer fragt, ob ein Telearbeitsplatz zu Hause nicht viel besser sei.
Simon meint, das sei nicht der Fall.
Der Interviewer will in Erfahrung bringen, wann Simon wieder beabsichtige, in einer normalen Firma zu arbeiten.
Simon sagt, dass er sich das auch frage.
Der Interviewer fragt, ob Simon die Arbeit am gemieteten Schreibtisch empfehlen könne.
Simon sagt, das könne er auf jeden Fall.

3.3

1: Z. 2–3, 2: Z. 4–6, 3: Z. 17–18, 4: 23–24, 5: Z. 14–16, 6: Z. 33–34

3.4

Vorschläge:
Weil ich Probleme kreativ löse, bin ich den Kollegen sofort aufgefallen.
Um die Theorie zu verdeutlichen, haben wir ...

4.5

a)
bis zur Änderung des Gesetzes (Z. 16), erst seit der ersten Anmeldung (Z. 18), Kurz vor Ausbruch des ersten Weltkriegs (Z. 23), während der gemeinsamen Arbeit (Z. 28), beim Wiederaufbau (Z. 29)

b)
Vorschläge:
Bevor das Gesetz geändert wurde, war ...
Erst nachdem ein Patent durch eine Frau im Jahre 1809 angemeldet wurde,
Kurz bevor der erste Weltkrieg 1914 ausbrach, hat ...
Nachdem sie jahrelang geforscht hatte, hat ...
Während die Schott-Glaswerke nach 1945 wieder aufgebaut wurden, spielte ...

5.1

b)
1. – d, 2. – e, 3. – c, 4. – a, 5. – b

5 Momentaufnahmen

1.2

b)

Foto	Jahr	Aufnahmeort	Hintergrund
1. Titelbild „National Geographic“	1985	pakistanisches Flüchtlingslager	Steve McCurry: Kriegsfotograf
2. Mauerspringer	Aug. 1961	Berlin	Volksarmist Conrad Schumann
3. sozialistische Bruderkuss	1979	Berlin	Leonid Breschnew und Erich Honnecker / Dmitri Vrubel – Gemälde East Side-Gallery
4. Wirbelsturm Haiyan	2013	Philippinen	viele Opfer / 10 000 Tote

c)
Marilyn Monroe, „Time-Magazin“, 1953

2.3

b)
begehbar, haltbar, quecksilberhaltig, alterungsbeständig
Bedeutung: *-bar* = Möglichkeit, können, *-haltig* = mit, beinhalten, *-beständig* = widerstandsfähig, dauerhaft

2.4

Z. 12–15: wird projiziert – Präsens – Vorgang
Z. 16–17: wurde eingesetzt – Präteritum – Vorgang
Z. 37–42: wurden entwickelt / unterzogen – Präteritum – Vorgang
Z. 44–46: konnten verfielfältigt werden – Präteritum – Vorgang – mit Modalverb
Z. 50–51: wurde eingeführt – Präteritum – Vorgang
Z. 54: entwickelt werden konnten - Präteritum – Vorgang – mit Modalverb
Z. 55–56: war gelegt worden – Plusquamperfekt – Vorgang
Z. 75–76: wurden gefertigt - Präteritum – Vorgang
Z. 84–86: werden gesteckt – Präsens - Vorgang
Z. 96–97: wird hergestellt – Präsens – Vorgang
Z. 99–100: werden gesteckt – Präsens – Vorgang
Z. 108–110: wurde entwickelt – Präteritum – Vorgang
Z. 118–121: ist eingeführt worden – Perfekt – Zustand
Z. 125–127: wird vorgestellt – Präsens – Vorgang
Z. 128–129: konnten gespeichert werden – Präteritim – Vorgang – mit Modalverb

3.2

c)
Vorschläge:

Auge		Kamera
über Hornhaut und vordere Augenkammer	grobe Fokussierung	vordere Fokussierungslinse
wird von der Linse übernommen	feine Fokussierung	Abstand zwischen Objektiv und Sensor wird verändert
Zusammenziehen der Iris	Lichteinfall	die Blende
wird von der Retina übernommen	Signalverarbeitung	Sensor wandelt Licht in elektrische Signale um
Nervenimpulse werden über den Sehnerv weitergeleitet	Informationsweitergabe	USB-Ausgang
die Sclera und der Glaskörper sorgen dafür	Sicherheit	das Gehäuse übernimmt diese Aufgabe

3.3

a)
1. der Augeninnendruck
2. der Sehnerv
3. der Lichteinfall
4. die Muskelentspannung
5. die Lichtsignale
6. der Ringmuskel
7. der Glaskörper

3.5

b)
3

c)
Verbstellung im Passiv-Nebensatz: Partizip II + *werden* + konjugiertes Modalverb

3.6

sich lassen + Infinitiv	sein + Adjektivendung *-bar*	*sein* + *zu* + Infinitiv
ließ sich ... festhalten (S. 58, Z. 24) lässt sich ... entwickeln (S. 59, Z. 107) lässt sich in eine gekrümmte Form bringen (S. 59, Z. 107)	waren ... begehbar (S. 58, Z. 21) sind ... realisierbar (S. 59, Z. 83) ist schwer realiserbar (S. 61, Z. 15)	war nicht mehr aufzuhalten (S. 58, Z. 58), ist ... zuzuschreiben (S. 59, Z. 81), war ... zu etablieren (S. 59, Z. 132), sind ... abzubringen (S. 59, Z. 139)

4.1

b)
1. lehren, 2. ausbreiten, 3. wirken, 4. zusammenhängen, 5. abbilden

4.2

b)
a – 4, b – 2, c – 1, d – 3

c)
Vorschläge:
1. ... den Einsatz von optischen Technologien.
2. ... die Photonik zehn Jahre lang mit insgesamt 1 Milliarde Euro untertsützt werden.
3. ...wird jährlich auf 8% geschätzt.
4. ... sie Mess- und Analysetechnik in vielen Bereichen möglich macht.
5. ... lässt sich schon heute sehen.
6. ... werden zur energiesparenden Bearbeitung von Materialien eingesetzt.

4.6

b)
1. – e, 2. – d, 3. – a, 4. – b

c)
Firmenprofil: asphericon ist eine Ausgründung aus der Uni Jena. Seit 10 Jahren am Markt. 1000 Mitarbeiter.
Ausbildung: Es gibt 5 Auszubildende als Feinoptiker. Es werden auch Studierende bei Praktika, Bachelor- und Masterarbeiten betreut.

4.7

Geschäftsführung
Vertrieb, Verwaltung, Produktion, F & E
Kundenbetreuung, Marketing, Fertigung, Versand

Kompetenztraining 1

1.2

b)
1. ja, 2. nein, 3. nein, 4. ja, 5. ja, 6. nein

2.1

a)
Vorschläge:
1. Im Motivationsbrief hat man die Chance, sich selbst, seine Studien- und späteren Berufsziele und die Motivation für den Studienplatz darzustellen.
2. Es gibt keine formalen Kriterien. Man kann also alles frei gestalten und hat damit die Möglichkeit, sich von anderen abzuheben.
3. Es wird neben der Motivation die Argumentationsfähigkeit, der schriftliche Ausdruck und die Rechtschreibung überprüft.
   Weitere Tipps: Man sollte auf jeden Fall darstellen, warum man sich z. B. für den Master entschieden hat und welche Studieninhalte man interessant findet. Außerdem auch, welche Fähigkeiten und praktischen Erfahrungen man bisher erworben hat, beispielsweise in Praktika. Wichtig ist auch, welche beruflichen Ziele man mit dem Studium verfolgt. Schön ist es auch, wenn man persönliche Interessen einfließen lässt.

b)
Schreibtutorinnen- und tutoren. Geboten wird eine Tutorenausbildung.

2.3

b)
4. – Ich habe folgendes Anliegen ..., 5. – Ich bitte um ..., 4. – Im Anhang finden Sie ..., 4. - Anbei/im Anhang ..., 3. – Ich heiße ..., 5. –Ich möchte einen Termin ..., 3. – Wie besprochen ..., 4. – Ich möchte anfragen ..., 3. – Momentan bin ich ...

3.2

a)
1b, 2e, 3a, 4f, 5c, 6d

6 Global handeln

1.1

b)
a – 4, b – 3, c – 1, d – 2, e – 5, f – 6

1.4

b)
a – 2, b – 4, c – 5

1.5

a)
sich beschränken auf, sich bemühen um, profitieren von, sorgen für, abhängig sein von, angewiesen sein auf

b)
1. – N, 2 – V

d)
1. Die Fugger bemühten sich, das europäische Kupfermonopol zu erhalten.
2. Jakob Fugger sorgte dafür, die Lebensbedingungen armer Menschen zu verbessern.
3. Die Habsburger waren darauf angewiesen, mit den Fuggern zusammenzuarbeiten.

2.1

a)
1. – Z. 11 – 14, 2 – Z. 17 ff., 3 – Z. 33 ff., 4 – Z 55–56, 5 – Z. 66 ff.

2.2

a)
1. die Medici, 2. Bronzezeit, 3. Konzern, 4. das Römische Reich, 5. Handelsgesellschaft, 6. Boom, 7. Schwellenländer

2.3

a)
Kontakt unterhalten, an Einfluss gewinnen, Einfluss nehmen, Rechtsprechung ausüben, mit Privilegien ausgestattet werden, Handel treiben

2.4

a)

Dauer	Zeitpunkt	Gleichzeitigkeit	Nach- und Vorzeitigkeit
seit, im Laufe, zeitweilig	im, zu Beginn, bis dahin, ab, nach, zu Anfang, schließlich zurzeit	während-(dessen)	danach, zunächst, (be) vor, zuerst, damals

kommt nicht vor: zurzeit

3.2

a)
2, 4

4.5

1d – 2c – 3a – 4b

4.7

b)
hätte (Position 2) + Partizip II + werden + Modalverb

5.1

a)
1. Doku-Soap, 2. zuerst: Bauern (Landwirte) suchen eine Frau, ab 2009 auch: Bäuerinnen suchen einen Mann,
3. Die Sendung würde dümmliche und falsche Klischees über Bauern verbreiten.

7 Das richtige Maß?

1.2

a)
Vorschläge:
1: Das Einschlafverhalten: die Herz- und Atemfrequenz und die Herz- und Muskelaktivität werden gemessen
2: Ein Bett, das sich bewegt.
3: Den Zusammenhang von Schlaf und Bewegung aufzeigen und die Entwicklung eines Bettes, das Schlaftabletten unnötig macht.
4: Die Bewegungswissenschaftlerin Ximena Omlin von der Technischen Hochschule in Zürich.

2.2

b)
Vorschlag:
Self-Tracking ist der Versuch, das Wissen über den eigenen Körper und die Gesundheit mithilfe neuer Technologien zu demokratisieren.

2.3

b)
Man kann ohne ärztliche Hilfe messen: Sehstärke, Blutdruck, Stimmung, Gewicht, Bewegung, Herzfrequenz, Schlafzyklen, Kalorienverbrauch, Blut-Sauerstoffgehalt, Temperatur, Stress, Ruhezeiten
weitere Punkte: Körperfettanteil, Hirnströme, Pulsschlag, Mundgeruch, Unterzuckerung, verschiedene Allergene und andere krankmachende Substanzen

2.6

a)
Auswirkungen haben: sich auswirken auf (rechts, Z. 24), Interesse haben: sich interessieren für (links, Z. 4), sich Sorgen machen: sich sorgen (rechts, Z. 10), Zweifel haben: bezweifeln (rechts, Z. 3), sich Hoffnung machen: sich erhoffen (rechts, Z. 15), Hinweis geben: auf etwas hinweisen (links, Z. 12), Unterstützung sein: jdn. unterstützen (links, Z. 15), Diagnose stellen: diagnostizieren (links, Z. 14), Therapie machen: therapieren (links, Z. 14/15), Möglichkeiten bieten: ermöglichen (links, Z. 6), Mitteilung machen: mitteilen (links, Z. 21)

2.7

b)
Zutreffend: 1, 3 und 6

2.9

b)
Vorschläge:
2. Wenn die Technik sich auch weiterentwickelt, Gesundheit bleibt Privatangelegenheit.
3. Auch wenn die neue Technik viele Möglichkeiten eröffnet, der Mensch solte nicht alle nutzen.
4. Man darf die Augen nicht vor Innovationen verschließen, wenngleich Datenschutz- und Ethikfragen aufgeworfen werden.

2.10

a)
*sagen, dass man sprechen will:*1, 4, 9, 14
Rückmeldung einfordern: 2, 5, 6, 12
darum bitten, ausreden zu dürfen: 3, 11
Verständnis sichern: 7, 8, 10, 13

3.1

a)
Ziel(e): Verwirklichung des bestmöglichen Gesundheitsniveaus für alle Menschen
Gründungsjahr: 1948; *Mitglieder:* 194 Staaten – *Sitz:* Genf

3.3

a)
Seite 92: b, Seite 93: d – f – a – c – e

3.4

Geschäfte wahrnehmen – Präsenz verstärken – produktives Leben führen – ordentliche Beiträge belaufen sich auf – ausgewählte Tätigkeitsbereiche – Programme festlegen, laufende Programme – Alarm auslösen – die Einnahmen/Ausnahmen betragen – geschlossener Vertrag zwischen – eine Wirkung erzielen, die größte Wirkung

3.5

a)
Nominalstil

b)
Nominalstil – Verbalstil

Vorschläge:
Die WHO führt globale Impfprogramme durch, auch um Pandemien vorzubeugen.
Sie erhebt und analysiert regelmäßig weltweite Gesundheits- und Krankheitsdaten.
Sie unterstützt den Aufbau von Gesundheitssystemen in Entwicklungsländern.
Sie erstellt eine Modellliste von unentbehrlichen Arzneimitteln.
Sie veröffentlicht jährlich einen Weltgesundheitsbericht.

3.6

a)
2. Absatz auf S. 93

b)
1, 2, 3, 4 und 5

c)
a – 3, b – 4, c – 5, d – 1, e – 2, f - 6

3.7

1a – 2b – 3c – 4e

3.9

1. Das M-Eco-System zielt darauf, Daten in sozialen Netzwerken zu erfassen.
2. Kritiker solcher Systeme fordern, dass die Datenschutzrichtlinien eingehalten werden.
3. Innerhalb der nächsten fünf Jahre ist nicht zu erwarten, dass die Feinstaubbelastung reduziert wird.

4.2

b)
Satz 2 und 4

8 Diversity – Vielfalt im Wandel

1.1

a)
Vorschläge:
Vielfalt: In der Bevölkerung gibt es alle Altersgruppen, junge und alte Menschen, Menschen mit und ohne Behinderung (Inklusion), Männer und Frauen (Geschlecht) usw. Es gibt in der Gesellschaft soziale Unterschiede, Menschen verschiedener Ethnien mit verschiedenen kulturellen Hintergründen.
Die Natur zeichnet sich durch Artenvielfalt aus.
Einheitlichkeit: Die Mode führt zu einer gewissen Einheitlichkeit. Die Menschen sind „uniformiert". Der Prozess der Integration führt dazu, dass kulturelle Unterschiede weniger bedeutsam sind.

1.3

b)
Vorschlag:
Viele Unternehmen haben erkannt, dass die in der Vielfalt steckende Potentiale ein Wettbewerbsvorteil sein können.

2.1

a)
Sachbezogen, aktuell, kurz: Kurznachricht
Erläutert, wertet, kritisiert: Kommentar
Wirbt für etwas, kurz, stichwortartig, gibt Kontaktdaten: Online-Katalog
Ausführlich, vor Ort recherchiert, unmittelbar, Leser soll ins Geschehen eintauchen: Reportage
Kurze Produktinformation, notwendige Bestelldaten: Online-Katalog

b)
A – Online-Katalog,
B – Kommentar
C – Kurznachricht
D – Reportage

2.3

2.4

Die 6 a ist eine Inklusionsklasse. Sie wird fast in allen Fächern von zwei Lehrern unterrichtet, einer Sonderpädagogin und einem Regelschullehrer, doch wer wer ist, wissen die Kinder nicht so genau: Sie haben einfach zwei Klassenlehrer. Wenn möglich, unterrichten sie die Kinder gemeinsam in einem Zimmer; in Fächern wie Mathe gibt es manchmal zwei Lerngruppen mit unterschiedlichem Tempo. Hierfür hat die Klasse ein zweites Zimmer, einen sogenannten Differenzierungsraum.

2.5

a)
1 – 3

b)
richtig: 2, 6

3.1

a)
Vorschlag:
Vielfalt ist für Wirtschaft und Gesellschaft ein Erfolgsfaktor. Die Charta leistet einen wichtigen Beitrag für den Zusammenhalt der Gesellschaft. Die Unterzeichner der Charte verpflichten sich, ein Arbeitsumfeld zu schaffen, in dem Vielfalt praktiziert wird.

3.2

b)
Alle Mitarbeiterinnen und Mitarbeiter sollen Wertschätzung erfahren – unabhängig von Geschlecht, Nationalität, ethnischer Herkunft, Religion oder Weltanschauung, Behinderung, Alter, sexueller Orientierung und Identität. Die Unternehmen erhoffen sich wirtschaftliche Vorteile.

3.3

a)
1. Immer mehr Unternehmen unterzeichnen die Charta.
2. Ja – jährliche Veröffentlichung über Aktivitäten
3. innerhalb und außerhalb
4. Es gibt jährliche Veröffentlichung über Aktivitäten und über den Fortschritt bei der Förderung von Vielfalt.

3.4

Vorschläge:
Wir fördern die Vielfalt, indem wir die Personalprozesse überprüfen und somit sicherstellen, dass diese den vielfältigen Fähigkeiten und Talenten aller Mitarbeiterinnen und Mitarbeiter sowie ihrem Leistungsanspruch gerecht werden.
Wir fördern die Vielfalt dadurch, dass wir die Vielfalt der Gesellschaft innerhalb und außerhalb der Organisation anerkennen; die darin liegenden Potenziale wertschätzen und sie gewinnbringend für das Unternehmen oder die Institution einsetzen.
Wir fördern die Vielfalt, indem wir die Umsetzung der Charta im internen und externen Dialog thematisieren.
Wir fördern die Vielfalt dadurch, dass wir jährlich die Aktivitäten und den Fortschritt bei der Förderung der Vielfalt veröffentlichen.
Wir fördern die Vielfalt, indem wir die Mitarbeiter über Inhalte und Maßnahmen zur Umsetzung der Charta informieren und sie einbeziehen.

4.1

a)
1 – a, 2 – a, b, d, e, 3 – b, 4 – b, 5 – c, 6 – e

d)
2 – 2 f, 3 – 5 r, 4 – 1 r, 5 – 3 r

4.2

b)
1. nicht-passendes Wort: Personen
2. nicht-passendes Wort: die Auseinandersetzungen
3. nicht-passendes Wort: kranke
4. nicht-passendes Wort: Unternehmen
5. nicht-passendes Wort: besser

4.3

a)
Verbalstil

b)
1. Unterzeichnung, 2. Wachstum, 3. Integration,
4. Eine Einschätzung ohne Prüfung, 5. Verpflichtung

d)
in 2b) : Sätze 2 und 5.
Vorschlag: Der konditionale Nebensatz wird durch eine Nominalisierung des Verbs aufgelöst.

4.4

a)
1. – richtig (Z. 16 ff.), 2. – nicht im Text, 3. – falsch (Z. 51 ff.)

4.5

a)
Beispiele:
1. Absicht / Versprechen / Verpflichtung: Die Unternehmen werden die Frauenquote bis 2020 definitiv umgesetzt haben. (Futur II)
2. Prognose / Trend: ... der Anteil an Frauen in Führungspositionen wird bis 2020 signifikant gestiegen sein. (Futur II)
3. Vermutung (Gegenwartsbezug): Mit der Frauenquote wird Frauenförderung kein leeres Versprechen mehr sein. (Futur I)

b)
objektiv Futur I: b
objektiv Futur II: c
subjektiv Futur I: a
subjektiv Futur II: d

5.1

a)
Sie ist Fernsehmoderatorin / Nachrichtensprecherin und fällt mit ihrem Kurzhaarschnitt aus dem üblichen Frauenbild vor der Kamera. Sie hat den Deutschen Fernsehpreis verliehen bekommen.
Sie hat große Tätowierungen.

b)
Vorschlag:
Mit dem Kurzhaarschnitt entspricht sie nicht den gängigen Erwartungen. Sie hat einen „Migrationshintergrund". Sie ist tätowiert.

9 Umwelt und Technik

1.5

b)
f: Kohle, Erdöl, Erdgas
n: Uran, Plutonium
e: Wind-, Wasser und Sonnenenergie

c)

Energieträger	Vorteile	Nachteile
Sonnenenrgie	unbegrenzt vorhanden, keine direkte Freisetuzung von Schadstoffen	Abhängigkeit von Witterungsbedingungen, Zwischenspeicherung
Wasserenergie	Anreicherung von Flüssen mit Sauerstoff	Wasservorräte werden immer knapper, Konsequenzen für Pflanzen und Tiere
Windenergie	billig und reichlich vorhanden	keine zuverlässige Energiequelle, nicht immer am richtigen Ort vorhanden, Wind lässt sich nicht speichern, Lautstärke

2.1

Erdöl ist in allen Produkten enthalten.

2.3

b)
1. damit: 80 Millionen Fass Rohöl, 2. davon: Rohöl, 3. der: fossiler Brennstoff, 4. welches: Produkt, 5. dessen: Produkt, 6. dadurch: den gesamten Wirtschaftskreislauf, 7. du: dem schwarzen Gold

3.1

b)
Vorschläge:
Generationenproblem: gute Lebensbedingungen für zukünftige Generationen schaffen
ökologischer Fußabdruck: Der ökologische Fußabdruck stellt die Summe der Flächen dar, die wir für die Produktion und Entsorgung aller Rohstoffe und Güter (pro Person oder bezogen auf die Bevölkerung eines Landes) beanspruchen.
Nachhaltigkeit/Gerechtigkeit: rationell mit Gütern und Rohstoffen umgehen und einen gerechten Ausgleich herstellen

3.2

Grundbedürfnisse sichern, Lebensbedingungen schaffen, zukünftige Generationen, Lebensgrundlagen erhalten, Beürfnisse gegenwärtiger und künftiger Generationen, pro Person, für den Lebensunterhalt benötigen, etwas ist um ein Vielfaches höher, die Ansprüche schwanken, über den Verhältnissen leben, über Handlungsspielräume verfügen, in der Verantwortung sein, einen gerechten Ausgleich herstellen

4.2

a)
Artikel 1: Günstige Stromquelle: Urin soll ...
Artikel 2: Es funktioniert! Sprit aus Sonne und Wasser
Artikel 3: Jetzt heizen Algen ...

4.3

a)
1. Forscher ..., 2. Der Wasserstoff ..., 3. Die „Urin-Elektrolyse" ... 4. Alegnol Biofuels und Dow Chemical ..., 5. Die Firmen ..., 6. Das Verfahren ...

b)
1a – 2s – 3s – 4a – 5a – 6s

4.4

b)
Modalverb (Infinitiv): können, Modalverb gebeugt: soll, Partizip II: produziert, gewonnen, hergestellt, werden (Passiv Hilfsverb): werden

4.5

a)
Artikel 2

b)
Vorschläge:
Artikel 1: Fachpublikation für an Umweltfragen interessierte
Artikel 2: Zeitungsleser/innen

4.6

a)
Artikel 1 und 2

4.7

a)
1. Es handelt sich um das erste Gebäude mit einer Bioreaktor-Fassade.
2. Biomasse und Wärme.
3. Weil „Smart Materials" verwendet wurden.
4. Es werden Baustoffe benutzt, die sich dynamisch verhalten – nicht statisch.
5. Die Einzeller wandeln CO_2 und Nährsalze in Biomasse um.
6. Biomasse kann zu Biogas umgewandelt werden, das dann entweder ins öffentliche Erdgasnetz eingespeist, zur Betankung von Erdgas-Autos oder in Heizkraftwerken genutzt werden kann.

c)
diesen – Algenhaus, die – Mikroalgen, diese – Biomasse, damit – in Reihe geschaltet, dabei – beim Wachstum, welches – Biogas

5.1

c)
Er ist ein befürworter des kollektiven Konsums.
Vorschläge:
Sprache: die Tage des Turbokäufers sind gezählt (= negativ), kollektiver Konsum spart Geld und vermeidet Verschwendung (= positiv), im Grunde genommen ist kollektiver Konsum so einfach wie genial (= positiv)

10 Kommunikation

1.3

a)
Kommunikation durch Tanz

b)
Frau Pfahl würde den Aussagen 2 und 3 zustimmen.

2.2

a)
1c – 2b – 3b – 4b – 5a – 6a – 7b – 8a

2.4

als Präposition mit Genitiv: Weil die Lautstärke anstelle des äußeren Eindrucks wichtig ist. Quasi Stimme statt Klamotte. Ja, die Idee der Stimmanalyse statt vieler verschiedener Tests geht in die richtige Richtung.
als Infinitivkonstruktion: Anstatt sich immer nur auf äußere Eindrücke wie Aussehen, Kleidung oder die Frisur zu verlassen, sollten wir stärker auf die Lautsignale unseres Kommunikationspartners achten.
mit Nebensatz: Anstatt dass wir einen Menschen sofort nach einem visuellen Eindruck beurteilen, sollten wir ruhig öfter mal die Augen schließen und die Stimme auf uns wirken lassen. Statt dass wir dem Computer Befehle erteilen, soll er an der Stimme erkennen, was wir wollen oder brauchen.

3.2

b)
Adam Thirlwell vertritt Position 1.

3.4

b)
Nur eine absolut wortgetreue Übertragung ist eine <u>ernstzunehmende</u> Übersetzung.
Übersetzertätigkeiten beruhen größtenteils auf <u>intuitiv zu treffenden</u> Entscheidungen.
Eine <u>besonders kritisch zu diskutierende</u> Frage betrifft die Tonalität des Textes.
Die <u>am schwersten zu lösenden</u> Probleme bei Übersetzungen betreffen Wortschatzfragen.
Die <u>anzufertigende</u> Kopie wird niemals die Qualität des Originals erreichen.

c)
Vorschläge:
a. Idiome und Methaper sind Konzepte, die man nur schwer übersetzen kann.
b. Die Tonalität eines Textes ist eine Komponente, die nur schwer zu greifen ist.
c. Übersetzungen sind Herausforderungen, die unterschätzt werden.

3.6

b)
Sätze 1–5

c)
3, 5 und 6

4.3

1 – f, 2 – c, 3 – d, 4 – a, 5 – b, 6 – e

Kompetenztraining 2

1.3

a)
1, 2, 6

2.1

b)
1. Einstieg (B/R)
2. Ausgangslage darstellen (R)
3. Probleme beschreiben (R)
4. Rückfragen stellen / Missverständnissen vorbeugen (B/R)
5. Lösungen entwickeln (B/R)
6. Strategie zur Umsetzung planen (B/R)
7. Ausstieg (B/R)

studio
Die Mittelstufe

Deutsch als Fremdsprache **C1**
Kursbuch

von
Christina Kuhn
Britta Winzer-Kiontke
Ulrike Würz
Sabira Levin
sowie
Christel Bettermann
Regina Werner

Cornelsen

studio Die Mittelstufe C1
Deutsch als Fremdsprache

Im Auftrag des Verlages erarbeitet von:
Christina Kuhn, Britta Winzer-Kiontke, Ulrike Würz,
Sabira Levin sowie Christel Bettermann und Regina Werner

In Zusammenarbeit mit der Redaktion:
Gertrud Deutz (Projektleitung), Andrea Finster und
Gunther Weimann

Redaktionelle Mitarbeit: Anna Koltermann (Bildredaktion)

Beratende Mitwirkung:
Ralf Erlebach (Jena), Beate Lex (Jena), Jens Roesler (Hongkong),
Eva Juziuk (Warschau) und Andrea Rohde (Stuttgart)

Illustrationen: Maja Bohn und Josef Fraško
Technische Umsetzung: Klein und Halm, Berlin
Umschlaggestaltung: hawemannundmosch,
bureau für gestaltung, Berlin

Weitere Kursmaterialien:
Übungsbuch mit Audio-CD ISBN 978-3-06-020524-0
Audio-CDs ISBN 978-3-06-020428-1
Handreichungen für den Unterricht als Download ISBN 978-3-06-020961-3

www.cornelsen.de

1. Auflage, 1. Druck 2015

Alle Drucke dieser Auflage sind inhaltlich unverändert und können im Unterricht nebeneinander verwendet werden.

Druck: Firmengruppe APPL, aprinta Druck, Wemding

ISBN 978-3-06-020096-2

PEFC zertifiziert
Dieses Produkt stammt aus nachhaltig bewirtschafteten Wäldern und kontrollierten Quellen
PEFC/04-32-0928
www.pefc.de

Symbole

Fokus auf Form (Grammatik auf einen Blick im Übungsbuch)

Übung zur Automatisierung

Schreiben

P_{GI} Prüfungsvorbereitung Goethe-Zertifikat C1

P_{telc} Prüfungsvorbereitung telc Deutsch C1

Kursraum-CD:

1.14 Hörverstehensübung, CD 1, Track 14

2.15 Ausspracheübung, CD 2, Track 15

studio C1 Die Mittelstufe – Hinweise zu Ihrem Deutschlehrwerk

Liebe Deutschlernende, liebe Deutschlehrende,

das Kurs- und Übungsbuch **studio C1 Die Mittelstufe** erscheinen in zwei getrennten Bänden. Sie blättern gerade im Kursbuch. Das Lehrwerk orientiert sich eng an der Niveaustufe C1 des Gemeinsamen europäischen Referenzrahmens und bereitet Sie auf die Prüfungen Goethe-Zertifikat C1, telc Deutsch C1, TestDaF und DSH sowie auf die Verwendung des Deutschen in weiteren beruflichen und akademischen Kontexten vor. **studio C1** wird Sie intensiv beim Deutschlernen im Kurs und zu Hause begleiten.

Das Kursbuch studio C1 Die Mittelstufe
Das Kursbuch gliedert sich in zehn Einheiten mit thematischer und grammatischer Progression. Die Kursbucheinheiten schließen jeweils mit einer Seite zur Selbstevaluation ab. **studio C1** arbeitet aufgabenorientiert. Ineinander greifende Lernsequenzen bieten Ihnen Aufgaben und Übungen für alle Fertigkeiten (Hören, Lesen, Sprechen, Schreiben) und führen Sie sicher zur Bewältigung komplexer Lernaufgaben. Die Lernsequenzen helfen, neue sprachliche Strukturen zu erkennen, zu verstehen und adäquat anzuwenden. Interessante Themen und Texte aus ganz unterschiedlichen Lebensbereichen machen Sie vertraut mit dem Alltag der Menschen in den deutschsprachigen Ländern und regen Sie zum Vergleich mit Ihren eigenen Erfahrungen an. Sie lernen entsprechend der Niveau-Stufe C1, die deutsche Sprache in alltäglichen privaten, öffentlichen, berufs- und bildungsbezogenen Situationen zu verstehen sowie mündlich und schriftlich anzuwenden. Außerdem lernen Sie eine Vielzahl neuer kultureller, landeskundlicher und literarischer Aspekte der deutschsprachigen Länder kennen und erweitern Ihre bisherigen Kenntnisse und Erfahrungen. Die Erarbeitung grammatischer Strukturen ist an Themen und Sprachhandlungen gebunden, die Ihren kommunikativen Bedürfnissen entsprechen und vorhandene Kenntnisse ausbauen, vertiefen und niveaugerecht erweitern. Die Unterrichtsaktivitäten trainieren die flüssige Kommunikation, fördern die Sprachbewusstheit und bereiten optimal auf die Interaktion in authentischen Kommunikationskontexten vor. Lerntipps und Minimemos unterstützen Sie bei der Entwicklung individueller Lernstrategien und fördern das Selbstlernen, um persönliche Lernzugänge zu schaffen. Mit den beiden Kompetenztrainings bietet Ihnen **studio C1** zusätzliche fertigkeitsbezogene Materialien zur gezielten Entwicklung der Kompetenzen Schreiben und Sprechen in unterschiedlichen beruflichen und akademischen Kontexten.

Das Übungsbuch studio C1 Die Mittelstufe
mit integrierter Audio-CD begleitet Sie intensiv bei der Arbeit mit dem Kursbuch. Hier finden Sie die passenden Übungen zum Training und zur Wiederholung, Vertiefung und thematischen Erweiterung der Kursbuchinhalte. Auf den „Wortverbindungen intensiv"-Seiten wird Ihre Aufmerksamkeit noch einmal besonders auf häufig in Texten vorkommende Verbindungen gelenkt. Sie trainieren gezielt, diese zu erkennen und zu verwenden. Passende Lernstrategien helfen Ihnen außerdem bei der Verarbeitung. Bereits während der Arbeit an und mit der Sprache lernen Sie im Übungsbuch unterschiedliche Prüfungsformate in einzelnen Übungen kennen. Die beiden Prüfungstrainings bereiten Sie dann gezielt auf die C1-Prüfungsanforderungen vor.

Die Audio-CDs
Die separat erhältlichen Audio-CDs enthalten alle Hörmaterialien zum Kursbuch. Die motivierenden Hörsequenzen tragen dazu bei, in authentischen Gesprächsabläufen Deutsch zu verstehen und anzuwenden.

Wir wünschen Ihnen viel Spaß und Erfolg beim Deutschlernen mit **studio C1**!

Inhalt

Seite	Kapitel	Themen	Textsorten
8	1 Klangwelten	Musik Musik machen Hörgewohnheiten Die Musikindustrie Ist das Musik?	Magazinartikel Interview Internetseite Grafik/Statistik Fachmagazinartikel Zeitungsmeldung
20	2 Wer bin ich?	Roman (M. Frisch: *Stiller*) Literaturinterpretationen Sprache in literarischen Texten Identität – ein vielschichtiger Begriff Spiel mit Identitäten Spleens, Macken und Marotten	Romanauszug literarische Textinterpretation Artikel aus einer Philosophie-Zeitschrift Zeitungsartikel Radiointerview Magazinbeitrag
32	3 Farbrausch	Das Auge Farbwahrnehmungen und -wirkungen Guerilla-Gardening Ein wissenschaftliches Experiment	Wortwolke Fachtexte Pro- und Kontra-Text Interview Radiofeature Textgrafik Magazinartikel
44	4 Arbeitswelt(en)	Der Schreibtisch als Produkt seiner Zeit Bürokonzepte Motivationsbrief MINT – Zukunftsberufe für Frauen ungewöhnliche Karrieren	Zeitschriftenartikel Interview Motivationsbrief Broschüre Magazinartikel
56	5 Momentaufnahmen	Bilder, die bewegen Geschichte der Fotografie Kamera und Auge technische Optik Unternehmensstruktur *Camera obscura*	Radiointerview Fachartikel Internet-Beitrag Wikipedia-Eintrag Magazinartikel Flyer Organigramm Bauanleitung
68	Kompetenztraining 1	Schreiberfahrung und Schreibberatung	

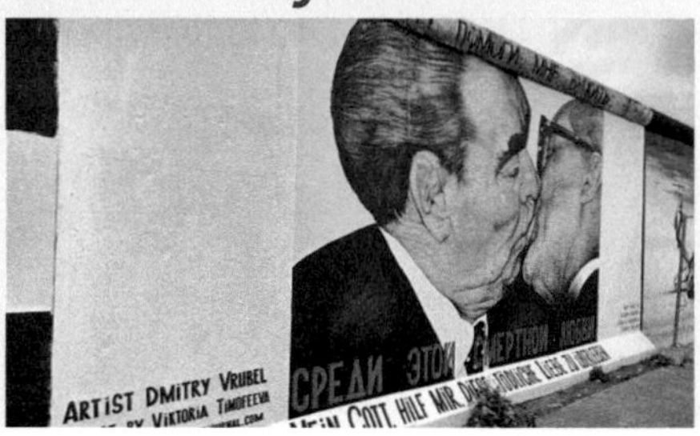

Sprachhandlungen	Grammatik und Aussprache	Strategien
über die Rolle von Musik im Alltag sprechen einen Text zusammenfassen und die Autorenmeinung erkennen Informationen aus Hörtexten vergleichen eine Grafik beschreiben und kommentieren	Nomen aus Adjektiven und Verben Links- und Rechtsattribute Wortakzent bei Komposita	Wörter aus dem Kontext verstehen mit Zwischenüberschriften Hypothesen vor dem Lesen bilden zu einem Thema recherchieren ein Plakat gestalten
über Identität sprechen einen Begriff definieren einen literarischen Text interpretieren Inhalte anders ausdrücken über Spleens, Marotten und Macken sprechen	Artikelwörter vor Adjektiven Funktionsverbgefüge Betonung: Bedeutung hervorheben	literarische Texte knacken Inhalte einfacher ausdrücken Strategien zur Umformulierung nutzen im Internet zu einem Thema recherchieren
Wirkungen (von Farben) beschreiben Eigenschaften und Funktionen (des Auges) beschreiben über Farben und Gefühle sprechen Text mithilfe einer Textgrafik zusammenfassen Vermutungen über Textinhalte äußern Pro- und Kontra-Argumente kommentieren einen Versuch beschreiben	Nominalstil vs. Verbalstil Redewiedergabe mit Präpositionen und Nebensätzen mit *wie* untrennbare Präfixe erkennen	gezielt Informationen in einem Text suchen eine Textgrafik erstellen eine Mindmap anlegen
über Vorlieben und Präferenzen sprechen eine Gewichtung darstellen und begründen einen Motivationsbrief analysieren und Feedback geben Textinhalte mit eigenen Worten wiedergeben	Sätze und Satzteile verbinden – Verbindungsadverbien Nominalisierung – Verbalisierung: kausal, final, temporal Aussagen wiedergeben (indirekte Rede) Anglizismen	mit Überschriften und Fotos Hypothesen vor dem Lesen bilden ein Akronym (MINT) aus dem Kontext erklären mit einer Grafik arbeiten Wortverbindungen im Text finden und verstehen
über Fotos und Optik sprechen Nähe und Distanz ausdrücken einen Leserbrief schreiben etwas miteinander vergleichen Grafiken auswerten ein Unternehmen vorstellen schriftlich Stellung nehmen Textinhalte wiedergeben	komplexe Verbstellung in Nebensätzen Passiversatzformen Wdh.: Passiv Wortakzent in Fremd- und Fachwörtern	Textinformationen in einem Zeitstrahl anlegen Wortfamilien sammeln mit dem Wörterbuch arbeiten Fachwortschatz in einem Text markieren eine Mindmap anlegen Texte überfliegen

Motivationsbrief • Schreibtypen und Schreibstrategien • Mitschriften

Inhalt | Themen | Textsorten

74 **6 Global handeln**

Die Fugger und Karl V.

Themen: Die Fugger; Globalisierung; Jugend debattiert; Werbung global; Fernsehformat „Bauer sucht Frau“; Auswirkungen der digitalen Vernetzung

Textsorten: Ausstellungstafeln; Ausstellungsfaltblatt; Interview; Debatte; Flyer; Internetartikel; Wikipedia-Artikel; Werbeanzeige

86 **7 Das richtige Maß?**

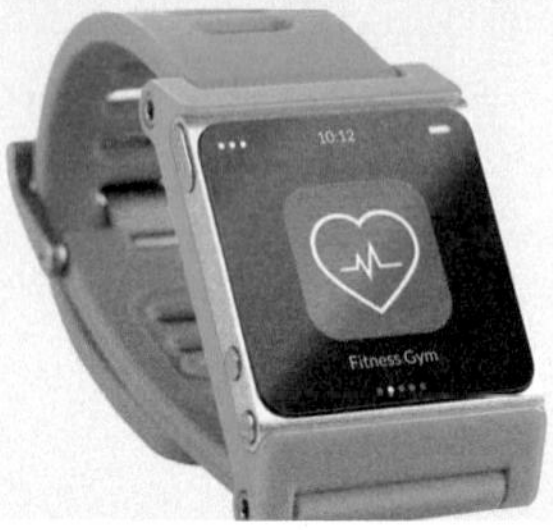

Themen: Gesundheit im Alltag; Self-Tracking; Weltgesundheitsorganisation (WHO); Gesundheitsfaktor Lernen

Textsorten: Fachartikel; Radiobeitrag; Pro- und Kontra-Text; Wikipedia-Artikel; Zeitungsartikel; Magazinbeitrag

98 **8 Vielfalt im Wandel**

Themen: Gesellschaftliche Vielfalt; Charta der Vielfalt; Vielfalt/Diversity (Frauenquote, Alter, Behinderung, Migration)

Textsorten: Poster; Kommentar; Kurznachricht; Online-Katalog; Reportage; Vortrag; Charta; Statistiken/Diagramme; Interview

110 **9 UmWelt und Technik**

Themen: Energieträger; Wirtschaftsfaktor Erdöl; Ökologischer Fußabdruck; Kraftstoffe der Zukunft; Algen, Biosprit und Bakterien; Konsum alternativ

Textsorten: Infotexte; Radiobeitrag; Magazinartikel; Diagramm; Broschüre; Internetbeitrag; Skizze

122 **10 Kommunikation**

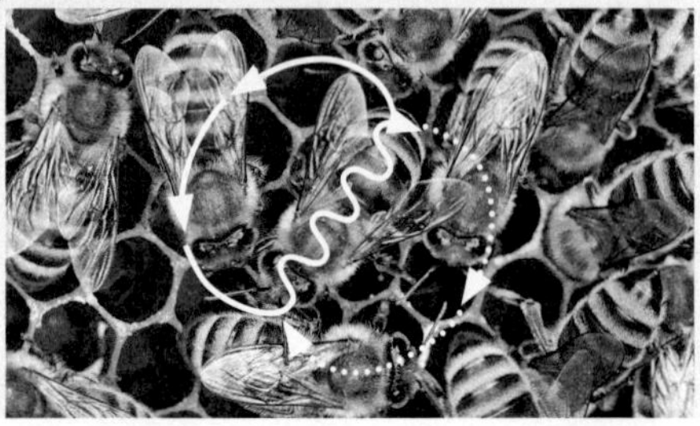

Themen: Sprache und Kommunikation; Stimme und Stimmung; Übersetzung; Lied (EINSHOCH6: *Lass uns reden*); Kurioses

Textsorten: Radiointerview; Zeitungsinterview; Forumsbeiträge; Lied; Online-Auftritt; konkrete Poesie

134 **Kompetenztraining 2** — Über Vorträge

140 **Anhang** — Hörtexte

Sprachhandlungen	Grammatik und Aussprache	Strategien
inhaltliche und zeitliche Bezüge ausdrücken einen Kurzvortrag halten eine Debatte einleiten und führen über Werbung sprechen (schriftlich) Stellung nehmen	Verben mit Präpositionalergänzungen Funktionsverbgefüge Mittel zur Angabe von Zeit Präpositionen mit Genitiv Konjunktiv Perfekt Passiv	mit Bildern Hypothesen vor dem Lesen bilden geschichtliche Informationen in einem Zeitstrahl anlegen Wörter aus dem Kontext verstehen mit einer Checkliste arbeiten
über Gesundheitsthemen diskutieren Informationen zusammenführen Argumente gewichten, vergleichen und abwägen über Self-Tracking diskutieren Texte zusammenfassen	Funktionsverbgefüge Modalpartikeln relative Widersprüche ausdrücken *(wenn ... auch/auch wenn ... / wenngleich ...)* Subjektsatz und Objektsatz Nomen und ihr Umfeld	eine Kursstatistik anfertigen mit Bildern Hypothesen vor dem Hören bilden Hypothesen vor dem Lesen bilden
über ein komplexes gesellschaftliches Thema sprechen Auswahl eines Zitats/Textes begründen Textsorten erkennen und beschreiben Feedback zu einem Kurzvortrag geben Statistiken/Diagramme auswerten und vorstellen über Vielfalt/Diversity sprechen Begriffe erklären	Textkohärenz erkennen Nominal- und Verbalstil Futur I und Futur II	Begriffe und Schlüsselwörter erklären und eine Wörtergalerie gestalten eine Mindmap anlegen Hypothesen vor dem Lesen bilden
über Vor- und Nachteile sprechen etwas vergleichen und abwägen einen Bericht schreiben den Verlauf von Daten darstellen etwas annehmen bzw. in Frage stellen komplexe Abläufe darstellen einen Vortrag halten über eigene Ansprüche sprechen	feste Partizipialgruppen Textzusammenhänge herstellen (Demonstrativpronomen und -artikel) Modalität und Verbstellung im Satz Wdh.: subjektiver Gebrauch der Modalverben (*sollen/wollen*)	Fachwörter definieren Vermutungen überprüfen Inhalt mit Textgrafik zusammenfassen Texte überfliegen Informationen visualisieren schwierige Wörter erklären
über Sprache und Kommunikation sprechen Wirkungen beschreiben etwas hervorheben bzw. für bedeutungslos erklären über Anforderungen an Übersetzungen diskutieren einen Forumsbeitrag schreiben ein Lied interpretieren	Alternativen ausdrücken: *(an)statt (dass), anstatt zu, anstelle (von)* modales Partizip Wdh.: Partizipialgruppen Stimmungen ausdrücken	Wendungen aus dem Kontext verstehen Positionen in einem Text markieren Selbstversuche (Mimik, Gestik, Körpersprache, Stimme)

Feedback zum Vortrag geben • einen Vortrag halten • Beratungsgespräche • Recherchen

1 Klangwelten

1 Musik – eine ständige Begleitung?

1 Im Park. **Sehen Sie sich die Bilder an. Wo wären Sie am liebsten dabei? Warum?**

2 Eine Musik-Collage

Ü1 1.2

a) Hören Sie die Musik-Collage. Welche Stilrichtungen erkennen Sie? Kreuzen Sie an und sammeln Sie weitere.

❑ Popmusik ❑ Jazz ❑ Orgelmusik ❑ Heavy Metal ❑ Klassik ❑ Filmmusik

b) Ordnen Sie die Aussagen den Bildern zu. Überlegen Sie, um welche Musikrichtung aus a) es gehen könnte.

1 ❑ „Laufen und dabei Musik hören – nur so kann ich richtig abschalten!"
2 ❑ „Mich nervt Hintergrundmusik. Da kann ich mich gar nicht mehr auf das konzentrieren, was ich eigentlich brauche!"
3 ❑ „Die Akustik im Konzertsaal ist fast genauso wichtig, wie das Konzert!"
4 ❑ „Wenn auf einem Konzert alle zur gleichen Musik abgehen, ist das wie Fliegen!"
5 ❑ „Wenn die Musik zu laut ist, kann man sich nicht mehr unterhalten. Aber wenn keine läuft, fehlt auch etwas."
6 ❑ „Die Titelmelodie aus dem Film geht ins Ohr – die wird sicher der nächste Sommer-Hit."

c) Welchen Aussagen stimmen Sie (nicht) zu?

Hier lernen Sie

- über die Rolle von Musik im Alltag sprechen
- einen Text zusammenfassen und die Autorenmeinung erkennen
- Hörtexte vergleichen
- eine Grafik beschreiben und kommentieren
- Nomen aus Adjektiven und Verben
- Links- und Rechtsattribute
- Wortakzent bei Komposita

3 Bewusst oder unbewusst?
Ü2

a) Wann nehmen Sie Musik bewusst (b) wahr, wann eher unbewusst (u)? Vergleichen und begründen Sie.

❑ beim Joggen	❑ beim Tanzen	❑ im Kino
❑ im Gottesdienst	❑ beim Yoga	❑ beim Einkaufen
❑ beim Entspannen	❑ in der Kneipe	❑ auf der Straße
❑ im Auto	❑ im Restaurant	❑ ...

b) Wo und wann hören Sie noch Musik? Bewusst oder unbewusst? Sammeln und vergleichen Sie.

★★★ **4** Musik im Alltag. **Welche Rolle spielt Musik in Ihrem Alltag? Schreiben Sie einen Ich-Text.**
Ü3

Ich-Texte schreiben
Musik bedeutet für mich ... / In meinem Leben spielt Musik (k)eine (große) Rolle.
Es gibt bestimmte Situationen, in denen ich gern/bevorzugt Musik höre: ...
Wenn ich ..., / Beim ... höre ich eher/vornehmlich ...
Mich stört (gar nicht), wenn Musik ...
Es gibt Stilrichtungen, die ich (eher/weniger) höre/mag: ...
Ohne/Mit Musik würde ich (nie) ...

2 Hintergrundmusik – Zerstreuung oder Zumutung?

1 Morgens Hardrock, abends Klassik … ? **Wann passt Musik (nicht)? Diskutieren Sie.**

Früh am Morgen könnte ich keine klassische Musik ertragen.

Beim Staubsaugen brauche ich die Stones.

2 „Die Diktatur der sanften Klänge" …
Ü4–5

a) … ist die Überschrift zu einem Magazinartikel. Worum könnte es gehen? Formulieren Sie Hypothesen.

b) Lesen Sie den Artikel, vergleichen Sie mit Ihren Hypothesen aus a). Sammeln Sie Informationen zu den folgenden Punkten:

Geschichte der Firma Muzak – Produkte von Muzak – Reaktionen auf das Angebot der Firma

MODERNES LEBEN

Die Diktatur der sanften Klänge

Im Supermarkt, im Fahrstuhl, im Hotel: Überall Gedudel
Ein Besuch bei der Firma Muzak *von Holger Fuß*

Muzak – nie gehört? Den Firmennamen vielleicht nicht, aber Muzaks Musik ist in aller Ohren. Muzak ist Marktführer in Sachen Hintergrundmusik. Seit 1934 in den USA, seit 1958 auch in Deutschland. An die 250 000 Geschäftsabonnenten und mehr als 80 Millionen Hörer pro Tag machen das Unternehmen aus Fort Mill in South Carolina zum größten Lieferanten für verkaufsfördernde Musik in den Vereinigten Staaten und elf weiteren Ländern.

Einkaufszentrum – Betätigungsfeld für Muzak

Ihr eigenes nüchternes Büroambiente garnieren Fritz Tiemann, Geschäftsführer der deutschen Tochtergesellschaft, und seine Mitarbeiter auf Muzak-Art. Jeder Arbeitsplatz wird aus kleinen Lautsprecherboxen an der Decke gedämpft beschallt. „Die Mitarbeiter können abspielen, was sie gerne hören wollen. Einer hört sich sogar Klassik an." In Tiemanns Büro läuft gerade Cher. Halblaut, aus dem Muzak-Programm „Middle Of The Road". „Das höre ich tagsüber am liebsten. […] Die Musik sollte nicht stören und ablenken, sondern unbewussten Schwung und Wohlbefinden verschaffen."

Nach diesem Wohlbefinden ist Tiemann regelrecht süchtig. „Ich kann mich hier in supertrockene Budgets, Zahlen, Daten und Fakten reinknien und höre die Musik schon gar nicht mehr. Trotzdem merke ich, dass ich mit dem Fuß mitwippe. Also nehme ich es irgendwie doch wahr." Und wehe, wenn die Musik nicht läuft. „Dann fehlt etwas. Ohne Musik müsste ich mich selber mehr motivieren." Klingt wie ein klinischer Suchtbefund. „Ja, wahrscheinlich", lacht Tiemann. „Trotzdem gehe ich nicht zur Therapie." Lieber verbannt er jegliche Lautlosigkeit aus seinem Lebensalltag. „Die Stille stört richtig." Ob beim Autofahren, im Sportstudio, beim Joggen oder daheim: „Eigentlich läuft immer irgendetwas im Hintergrund."

Einer, der so konsequent die musikalische Zerstreuung sucht, kann sich gar nicht mehr vorstellen, dass dieses allgegenwärtige akustische Rinnsal andere Menschen einfach nur nervt. „Es ist doch für jeden schön, irgendwo hinzukommen und angenehme Musik zu hören." Doch natürlich weiß auch Tiemann, dass die musikalischen Geschmäcker verschieden sind. „Die Musik darf nicht zu laut sein, das ist fürchterlich. Aber wenn die Musik zu leise ist, kann sie keine Atmosphäre schaffen."

Und wenn es die falsche Musik ist, verschreckt sie die Zielgruppe. Deshalb hat Muzak durch jahrzehntelange Erfahrung ein System entwickelt, um für jedermann den passenden Klangteppich zu weben. In Europa besitzt das Unternehmen eine Musikbibliothek mit 400 000 Titeln, in den USA weitere 1,5 Millionen. Aus dieser Sammlung werden mehr als 200 verschiedene Programme für unterschiedlichste Einsatzmöglichkeiten zusammengebastelt.

Doch eine umsatzsteigernde Wirkung der Musikprogramme wird von der Wissenschaft nicht bestätigt. Dies räumt selbst Tiemann ein. Der Musikpsychologe Klaus-Ernst Behne, 65, ehemaliger Präsident der Hochschule für Musik und Theater in Hannover, hat rund 150 einschlägige Wirkungsstudien überprüft: „Vor allem Studien in den letzten zehn Jahren, die methodisch sehr sorgfältig gemacht sind und zum Beispiel in einem Supermarkt durchgeführt wurden, haben de facto nichts in dieser Richtung gefunden."

Gegründet wurde Muzak von General George Owen Squier, Chef des U. S. Army Signal Corps, einer Art frühem militärischen Geheimdienst. 1922 ließ sich Squier die Technik, Musik über Telefonleitungen zu verbreiten, patentieren und gründete den Muzak-Vorläufer Wired Music. Er überspielte populäre, speziell arrangierte Hintergrundmusik ohne Gesang in Fabrikgebäude und Büroräume, um die Arbeitsproduktivität zu steigern. Als die ersten Wolkenkratzer entstanden und die Menschen Angst vor den Fahrstühlen hatten, dudelte Squiers Musik zur Beruhigung in den Liftkabinen. 1934 wurde Wired Music schließlich umgetauft in Muzak, einer Kombination aus Music und Kodak - einem ebenfalls erfundenen Firmennamen, von dem Squier schlicht fasziniert war. [...]

Musik im Fahrstuhl beruhigt

Menschen, die sich beruflich mit der Wirkung von Musik auf die menschliche Psyche beschäftigen, stehen den Klangteppichen skeptisch gegenüber. „Für mich ist so was ein Versuch der Gleichschaltung", sagt die Musiktherapeutin Beatrix Evers-Grewe, die in der Psychiatrie des Landeskrankenhauses in Hildesheim arbeitet. „Ich frage mich, ob das überhaupt ethisch vertretbar ist, wenn man mich daran hindert, bestimmte Dinge in meinem Lebensumfeld zu hören, indem man einen Musikteppich darüberlegt. Unsere Ohren sind ja nicht nur für Musik da." Und wenn sie von den Plänen des Muzak-Geschäftsführers Tiemann hört, das Gedudel auch in Krankenhäusern und Arztpraxen einzusetzen, wird sie richtig wütend. „Arztpraxen sollten Orte sein, wo man sich um die eigene Gesundheit Gedanken macht", sagt sie. „Und gerade Menschen, die sich nicht für sich und ihre wirklichen Bedürfnisse interessieren, bekommen es durch diese Berieselung noch erträglicher gemacht, nicht über sich selbst nachzudenken und das, was gut für sie wäre."

Fragt sich nur, warum die Bereitschaft, sich gegen Muzak zu wehren, so gering ist. Es gibt in Deutschland zwar den Verein „Lautsprecher aus!", den der pensionierte Oberstudienrat Harald Fiedler nach englischem Vorbild 1998 gegründet hat. Aber das ist kein gefährlicher Gegner für Muzak. Fiedler hat bislang 214 Mitglieder geworben und musikalische Prominente wie Justus Frantz, Kurt Masur und Gidon Kremer als Schirmherren gewinnen können. Sein Anliegen: „Wir wollen unsere Ruhe haben. Wir wollen nicht dauernd mit irgendwelcher unbestellter und unerwünschter Musik belästigt werden." Die gesellschaftlichen Konsequenzen von alltäglicher Rundumbeschallung interessieren Fiedler weniger. „Wir sind keine Weltverbesserer. Was andere machen, ist uns egal."

Noch sind die durch Dauerbeschallung zermürbten Zeitgenossen, die dem Lärm und der Hektik entfliehen und in Meditationsworkshops, Schweigeseminaren oder Klosterklausuren nach Stille suchen, in der Minderheit. Die Mehrheit der Konsumenten, Hotel- und Fahrgäste lässt sich willenlos bedudeln.

gekürzte Fassung aus ZEIT WISSEN Magazin, Heft 4/2005

3 Was ist denn das für ein Gedudel?

Ü6

a) Sammeln Sie Begriffe und Zuschreibungen für Musik aus dem Artikel. Welche sind eher negativ, welche positiv?

sanfte Klänge

b) Notieren Sie Wörter zu den Wortfeldern *Musik, Wirtschaft* und *Wissenschaft*.

c) Notieren Sie wichtige Informationen (Zahlen und Schlüsselbegriffe) zu jedem Abschnitt.

4 Ü7 Gebräuchliche Wortpaare. **Suchen Sie die Nomen aus dem Schüttelkasten im Magazinartikel auf S. 10/11 und markieren Sie das dazugehörige Adjektiv bzw. Partizip.**

Büroambiente Suchtbefund Zerstreuung Erfahrung Wirkung
Präsident Wirkungsstudien Geheimdienst Psyche Gegner Konsequenzen

5 Einen Text zusammenfassen. **Fassen Sie den Magazinartikel mit Hilfe der Leitfragen im Textbausteinkasten und Ihren Notizen aus 3 c) schriftlich zusammen.**

Textbausteine

einen Text zusammenfassen

Worum geht es in dem Artikel?	Der Artikel beschäftigt sich mit der Frage / behandelt das Thema ...
Welche Meinungen werden vertreten?	Im Beitrag finden sich unterschiedliche Positionen (von) ... Auf der einen Seite meint/vertritt/steht ... Auf der anderen Seite ... / Dahingegen/Indessen/Dabei ... / Entgegen der Meinung von ... / In Abgrenzung zu ...
Was ist das Fazit?	Der Artikel schließt mit ... / Fazit/Bilanz des Beitrages ist (u. a.) ...

6 Die Autorenmeinung erkennen

Autoren und Autorinnen signalisieren ihre Meinung auch über ihre Wortwahl. Analysieren Sie die Überschrift und die Zeilen 11–50 im Magazinartikel auf S. 10. Welche Wörter sagen etwas über die Einstellung des Autors aus?

Diktatur der sanften Klänge
Im Supermarkt, im Fahrstuhl im Hotel: Überall Gedudel

7 Ü8–9 Nominalisierung: von *schwingen* zu *Schwung*

a) Sammeln Sie Nomen aus Verben und Adjektiven im Magazin und ergänzen Sie die Artikel.

	Nomen abgeleitet von ...
-ant	*der Lieferant → liefern (Verb)*
-e	*die Stille → still (Adjektiv)*
-er	
ohne Endung (+ Stammvokaländerung)	
Ge-	

b) Erarbeiten Sie die Regel. Streichen Sie die Wörter, die nicht passen, und überprüfen Sie mit weiteren Wörtern aus dem Wörterbuch.

Regel Infinitive als Nomen (joggen -> Joggen), sind immer ~~maskulin~~/~~feminin~~/neutrum.
Nomen mit der Endung *-(at)ion*, *-(at)ur*, *-e*, *-heit*, *-ität*, *-keit*, *-schaft* und *-ung*, sind immer maskulin/feminin/neutrum.
Nomen, die ohne Endung von einem Verb abgeleitet sind und eine Stammvokaländerung haben (schwingen -> Schwung), sind maskulin/feminin/neutrum.

die Klarinette

die Gitarre

die Querflöte

die Geige

3 Musik machen

1 Üben, üben, üben

a) Beschreiben Sie die Zeichnung. Was denkt die Person?

b) Kennen Sie ähnliche Situationen? Was mussten Sie früher üben? Wie fanden Sie das? Erzählen Sie im Kurs.

> *Nach der Schule bin ich regelmäßig zum Training. Das hat mir immer ...*

> *Ich musste jede Woche zum Klavierunterricht. Das fand ich ...*

2 Wie bist du eigentlich zur Musik gekommen?

Ü10

1.3

a) Hören Sie den ersten Teil des Gesprächs zwischen Philipp Ziegler und Katrin Lehmann. Welche Instrumente aus der Bildleiste beherrschen sie?

Lehmann und Ziegler im Café

b) Ordnen Sie die Stichwörter Katrin (K) und Philipp (P) zu und sammeln Sie weitere Informationen zu den Punkten. Berichten Sie über eine der beiden Personen.

1 P Klavierunterricht 2 ❑ Chor 3 K musikalische Früherziehung 4 ❑ Musiktheorie
5 P Musikschule 6 K Leistungskurs Musik 7 P Gesangsausbildung 8 ❑ Geige

3 Ohne Musik geht es nicht, aber ... → 140

1.4

a) Was spricht gegen eine Profikarriere? Hören Sie den zweiten Teil des Gesprächs. Kreuzen Sie die Punkte an, die die beiden ansprechen.

1 ☒ Unfreiheit ? 4 ☒ wenig Kreativität 7 ☒ zu spät begonnen
2 ☒ Konkurrenzdruck 5 ❑ Lampenfieber 8 ❑ schlechte Bezahlung
3 ❑ ständiges Reisen 6 ☒ Monotonie 9 ❑ Arbeitszeiten

b) Welchen Aussagen stimmen Sie (nicht) zu? Begründen Sie Ihre Meinung.

> *Katrin behauptet, dass man ein gesundes Selbstvertrauen haben müsse. Stimmt! Ich würde sehr mit Lampenfieber kämpfen.*

> *Philipp sagt, dass das Profimusikerdasein eintönig und anstrengend ist. So ein Quatsch. Das ist und bleibt ein Kreativjob!*

> *Philipp meint, dass er sich freue, wenn er Leute treffe, die Musik zum Ausgleich machen können. Sehr nachvollziehbar. Musik muss in erster Linie Spaß machen!*

> *Die beiden sagen, dass man für eine Profikarriere zu viel aufgeben muss. Stimmt! Für mich wäre das auch kein Leben.*

direkte.

4 Konjunktiv I muss nicht immer sein!

Ü11

Lesen Sie das Minimemo. Welche Aussagen in den Sprechblasen aus 3 b) sind umgangssprachlicher formuliert? Begründen Sie.

Minimemo
In der Umgangssprache wird oft der Indikativ bei der Redewiedergabe verwendet. In Nachrichten in Zeitung, Radio oder Fernsehen: immer Konjunktiv I!

der E-Bass

das Schlagzeug

das Klavier

das Saxophon

5 Phonetik. Markieren Sie den Wortakzent. Hören und vergleichen Sie.

1.5

1 die Sängerknaben
2 das Gesangsquartett
3 die Früherziehung
4 der Klavierunterricht
5 der Schulchor
6 die Stimmausbildung

6 Professionell mit Musik arbeiten: Wie wird man eigentlich ...?

Ü12

a) Überfliegen Sie die Internetseite und beantworten Sie die Fragen.

1 Wer bietet die Internetseite an?
2 Welches Berufsbild wird vorgestellt?
3 Wer braucht diese Angaben?

http://www.berufenet.arbeitsagentur.de/berufe

Bundesagentur für Arbeit

BERUFENET | Berufsinformationen einfach finden

Tonmeister/in / Toningenieur/in

Die Tätigkeit im Überblick

Tonmeister/innen bzw. Toningenieure und -ingenieurinnen begleiten bei akustischen und audiovisuellen Medienproduktionen den gesamten Herstellungsprozess von der Planung über die Ausführung bis zur Nachbearbeitung.

Tonmeister/innen bzw. Toningenieure und -ingenieurinnen arbeiten vorwiegend in Tonstudios, bei Rundfunkveranstaltern oder bei Filmproduktionsgesellschaften. Auch beschallungstechnische Dienstleister, die für die Tontechnik in Konzerthallen, Opern- und Schauspielhäusern oder bei Open-Air-Konzerten sorgen, bieten Beschäftigungsmöglichkeiten. Darüber hinaus können sie bei Verlagen für audio-visuelle Medien bzw. bei Herstellern von Computerspielen arbeiten oder an Universitäten bzw. Fachhochschulen lehren.

Zugang

Für die Tätigkeit als Tonmeister/in bzw. Toningenieur/in wird üblicherweise ein abgeschlossenes Studium im Bereich Ton- / Bildtechnik erwartet. Führungspositionen, spezialisierte Aufgabenstellungen oder Tätigkeiten in Wissenschaft und Forschung erfordern meist im Anschluss an den Bachelorstudiengang ein Masterstudium.

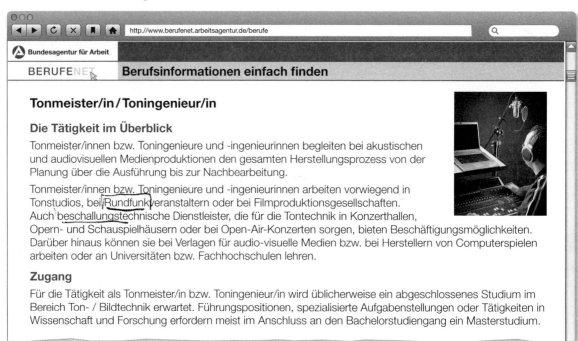

b) Sammeln Sie Informationen zum Beruf und stellen Sie ihn vor.

c) Recherchieren Sie einen weiteren Beruf im Musikbereich. Stellen Sie ihn im Kurs vor.

7 Der professionelle Blick auf Musik

1.6 Ü13

a) Hören Sie das Interview. Kreuzen Sie die richtigen Aussagen an und korrigieren Sie die falschen.

1 ☐ Christian Goretzki ist ein Musiker, der die Arbeit im Tonstudio liebt.
2 ☐ Er kam verhältnismäßig spät zur Musik.
3 ☐ Goretzki nimmt Film- und Fernsehaufträge an, erarbeitet zum Beispiel das Sounddesign oder ist für Musikkomposition und -produktion verantwortlich.
4 ☐ Er verbringt fast die Hälfte seiner Zeit mit Akquise, Buchführung und Kundengesprächen.
5 ☐ Das Größte ist für ihn, mit seiner Band monatelang im Studio abzutauchen.
6 ☐ In seinem Berufsfeld muss man nicht nur verschiedene Kompositions- und Spieltechniken beherrschen, sondern möglichst auch ein Instrument spielen und technisches Verständnis haben.

b) Hören Sie das Interview noch einmal. Welche Punkte spricht Christian Goretzki an, die Katrin Lehmann und Philipp Ziegler auch thematisieren? Sammeln und vergleichen Sie.

c) „Wer macht nicht schon gerne seine Leidenschaft zum Beruf?" Welchen Traumberuf hatten Sie früher, und wie sehen Sie ihn aus heutiger Sicht? Berichten Sie.

4 Hörgewohnheiten

1 Ü14

Musikhören. Wie hören Sie an einem durchschnittlichen Tag Musik? Machen Sie eine Kursraumstatistik.

Radio *卌*
MP3Player/IPod *II*

Radio MP3-Player Handy Internet
Computer/Laptop (offline) Fernseher CD-Player ...

2 Ü15

Eine Grafik beschreiben

a) Ordnen Sie die Kategorien den Redemitteln zu.

a Thema
b Erhebungszeitraum
c Quelle
d Beschreibung der Inhalte
e Datenbasis

Redemittel

Eine Grafik beschreiben

1 ❑ Das Schaubild gibt Auskunft über / zeigt ... / Der Grafik ist zu entnehmen ... /
2 ❑ Die Daten stammen aus ... / Die Grafik ist der Studie ... entnommen. / Die Zahlen legte das Statistische Bundesamt / das Institut für ... vor.
3 ❑ Die Daten wurden ... erhoben. / Die Umfrage war im Zeitraum von ... bis ...
4 ❑ Die Zahlen basieren auf einer Umfrage / einer Erhebung / polizeilichen Angaben ... / Die Daten wurden im Rahmen einer Studie / einer Befragung von ... erhoben.
5 ❑ Das Balken-/Torten-/Säulendiagramm veranschaulicht ... / Die Angaben sind in Prozent / Die Zahl der ... ist in Prozent / in Tausend angegeben. / Die Zahl der Hörer, die ..., beträgt ... / ... Prozent aller Befragten sagen, ... / Die Bedeutung von ... nimmt zu/ab.

b) Beschreiben Sie das Diagramm mithilfe der Redemittel aus a). Nutzen Sie alle fünf Kategorien.

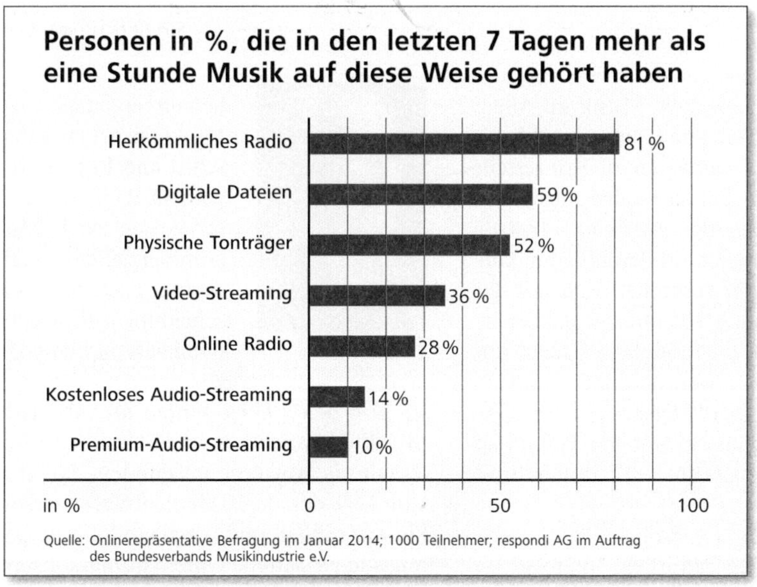

Dem Diagramm ist zu entnehmen, wie die Hörgewohnheiten der Deutschen ...

3 **Eine Grafik kommentieren. Sehen Sie sich die Grafik noch einmal an. Beantworten Sie die Fragen.**

1 Welche der genannten Formate und Tonträger kennen Sie (nicht)?
2 Welche Informationen überraschen Sie, welche hatten Sie erwartet?
3 Wie ist das Verhältnis „herkömmlicher" Medienangebote zu neuen internetbasierten?
4 Was glauben Sie, wie ein solches Diagramm bei einer Befragung im Jahr 2050 aussehen würde?

4 Ü16

Lang lebe die Platte! An welchen Formaten und Tonträgern hängen Sie (nicht)? Berichten Sie.

5 Musik – ein lohnendes Geschäft?

1 Die Musikindustrie

Ü17

a) Hypothesen vor dem Lesen. Ordnen Sie die Zwischenüberschriften. ☐☐☐☐☐☐

1 **Der erste Manager – Bindeglied zwischen Künstler und Firma**

2 **Ein riskantes Geschäft am Ende des 20. Jahrhunderts**

3 **Singles und Charts – der Markt wächst**

4 **Die Musik wird digital**

5 **Castingshows – neue Wege der Vermarktung**

6 **Die ersten „Musikmaschinen"**

b) Lesen Sie den Artikel aus einem Fachmagazin und ordnen Sie die Zwischenüberschriften zu. Vergleichen Sie die Lösung anschließend mit Ihrer Reihenfolge aus a).

Fakten und Trends

Vom Grammophon zur Casting-Show – über den Aufstieg einer Branche

Beim Thema Musikindustrie denkt jeder an etwas anderes: Für die heute 80-Jährigen sind das unter Umständen Showbiz-Größen wie Billie Holiday, Charlie Parker oder Quincy Jones, die in den dreißiger Jahren ihre Karrieren im Musikgeschäft machten und heute zu den wichtigsten Namen in der Geschichte des Jazz zählen. In den 1950er Jahren konnte sich kaum jemand dem Sog eines Elvis Presley und dem Rock 'n' Roll entziehen. Doch bevor diese Entwicklung in einen alles vereinnahmenden Einheitssound münden konnte, kam die Beatmusik der Rolling-Stones und der Beatles auf, die nicht nur den 60ern ihren Stempel aufdrückten, sondern die Musikindustrie wesentlich beeinflussten. Heutzutage assoziiert man mit Musikindustrie auch Casting-Shows wie „Pop Idol". Lassen Sie uns einen Blick auf die 100-jährige Geschichte der Musikindustrie werfen.

Ein Bericht von Senay Celik

☐ Bis in die 1920er Jahre war Musik im Alltag nicht omnipräsent: Um in den Genuss von Musik zu kommen, ging man entweder zu Konzerten, Volksfesten bzw. zum Tanztee oder musizierte selbst. Hausmusik mit allen Arten von Instrumenten war daher vor allem in den höheren Gesellschaftsschichten sehr verbreitet. Erst mit der um 1900 aufkommenden Technik zur Aufzeichnung von Tönen wurde es möglich, Musik mit sehr viel geringerem Aufwand und jederzeit verfügbar zu machen. Ein Meilenstein in der Geschichte der Musikindustrie war die Erfindung des Grammophons im Jahre 1887 durch Emil Berliner.

☐ Emil Berliner hatte natürlich Interesse an einer internationalen Vermarktung seiner Geräte und beauftragte seinen Mitarbeiter Fred Gaisberg, weltweit Material für die lokale Vermarktung zu sammeln. In Gaisbergs Sammlung landeten schließlich Pariser Chansons, russische Balalaikamusik, ja sogar Tempelmusik aus Indien. Der junge neapolitanische Tenor Enrico Caruso (1873–1921) – zum Beispiel – avancierte ab 1902 durch Gaisbergs Aufnahmen zum ersten Plattenstar. Emil Berliners Grammophone Company Ltd. machte enorme Gewinne. Man könnte behaupten, dass es sich bei Fred Gaisberg um den ersten Artist and Repertoire Manager (A&R) handelt, weil dieser gezielt nach Musik mit kommerziellem Potential suchte und auch die Entscheidung traf, was wert war, publiziert zu werden.

Emil Berliner

☐ Von den 1950er Jahren an verzeichnete die Musikindustrie wachsende Umsätze. Große Unterhaltungskonzerne entstanden. Mit der Single kam 1948 der ideale Medienträger auf den Markt. Sie war schnell und vor allem billig zu produzieren, sodass sich die Unterhaltungskonzerne flexibel auf die Vorlieben ihrer Zielgruppen einstellen konnten. Zu diesen zählten in den 50er und 60er Jahren vor allem Jugendliche.

☐ 1979 kam es in der Branche zu einem dramatischen Umsatzeinbruch von elf Prozent, der erst 1983 mit Einführung der CD abgebremst werden konnte. Die Musikindustrie machte mit der erneuten Vermarktung von bereits vorhandenen Titeln riesige Gewinne. In den 80er Jahren begann auch die große Zeit der Musiksender. MTV zeigte als erstes Spartenprogramm ausschließlich Musikvideos und erreichte nach eigenen Angaben ca. 481,5 Mio. Haushalte in 179 Ländern. So etablierte MTV eine globale Popkultur, verlor jedoch aufgrund des Aufkommens von Internet und Online-Videoplattformen wie YouTube schnell an Bedeutung.

❑ Die harten wirtschaftlichen Interessen, die hinter dem Musikgeschäft stehen, zwingen die Branche zur Marktforschung: Statistische Methoden und Analysen sollen das Hitgeschäft kalkulierbarer machen. Und es sind ebenso kalkulatorische Interessen, die hinter den zahlreichen Castingshow-Formaten stehen. Nicht mehr das fertige Produkt steht im Mittelpunkt des Interesses, sondern die Marktforschung selbst: Neben der Jury entscheiden v. a. die Zuschauer per Telefonvotum, welcher der Kandidaten am ehesten für eine gewinnträchtige Karriere geeignet ist.

Casting-Kandidatin Lina S

❑ Seit den 1990er Jahren haben sich die Bedingungen auf dem Musikmarkt weiter verschärft. Die ehemals wichtigste Zielgruppe der Jugendlichen ist zwar weiterhin an Musik interessiert. Sie gibt ihr Geld aber nicht mehr für CDs aus, sondern lädt sich gezielt einzelne Songs aus dem Netz – und das nicht immer legal. Deshalb wird gegenwärtig am Auf- und Ausbau von großen Musikdatenbanken gearbeitet, auf die man gegen einen kleinen Abo- oder Mitgliedsbeitrag leicht und vor allem legal zugreifen kann. Auch die Bedeutung der Konzerte hat sich geändert: Sie sind längst keine Promotion für die neuste CD mehr, sondern eine wichtige Einnahmequelle für Künstler und Produzenten.

c) Welche Informationen waren Ihnen bekannt, welche neu? Berichten Sie.

2 Wortschatz intensiv

Ü14

a) Erklären Sie die folgenden Wörter aus dem Kontext.

Showbiz-Größe   Einheitssound   Beatmusik
Plattenstar   Artist and Repertoire Manager   Medienträger
Online-Videoplattformen   Hitgeschäft   Castingshow ...

b) Was verstehen Sie darunter, wenn ...? Arbeiten Sie mit dem Artikel.

... man sich dem Sog einer Person nicht entziehen kann (Z. 4–5)   ... man den Blick auf etwas wirft (Z. 8–9)   ... man einer Sache seinen Stempel aufdrückt (Z. 6)   ... etwas ein Meilenstein ist (Z. 20)

3 Karteikarten-Rallye. **Notieren Sie für jeden Textabschnitt Stichwörter auf Karteikarten und verteilen Sie diese im Raum. Wandern Sie von Karte zu Karte und sprechen Sie über das Stichwort.**

4 Nomen schmücken – Attribute

Ü18–20

a) Sammeln Sie Rechts- und Linksattribute zu den Nomen im Artikel. Ergänzen Sie die Tabelle.

Technik (Z. 17)   Hausmusik (Z. 14)   Geschichte (Z. 8)
Tenor (Z. 31)   Showbiz-Größen (Z. 2)   Musik (Z. 40)
Umsätze (Z. 46)   Vorlieben (Z. 51)   Zielgruppe (Z. 85)
Auf- und Ausbau (Z. 91)   Einnahmequelle (Z. 97)

Linksattribut	Nomen	Rechtsattribut
in einen alles vereinnahmenden	*Einheitssound*	
mit sehr viel geringerem	*Aufwand*	
die große	*Zeit*	*der Musiksender*
...	*Technik*	...

b) Bestimmen Sie die Attribute in Ihrer Tabelle aus a).

a Partizip   b Präposition mit Nomen   c Adverb   d Adjektiv   e Nomen im Genitiv   f Relativsatz

5 Und bei Ihnen? **Welche Rolle spielen Musik und die Musikindustrie in Ihrem Land? Recherchieren Sie.**

6 Ist das Musik?

1 Musik mal anders. **Sehen Sie sich die Fotos an. Was ist hier ungewöhnlich? Beschreiben Sie.**
Ü 21

1

2

3

2 Zeitungsmeldungen
Ü 22–23

a) Ordnen Sie die Fotos den Zeitungsartikeln zu. Welches Foto fehlt?

Live/Aktuell *15*

❑ **Deutscher Luftgitarren-Meistertitel geht nach Bayern**

Das ist wahre Kunst: Ein Instrument spielen, ohne das Instrument überhaupt spielen zu können, weil kein Instrument da ist. Die neue deutsche Meisterin im Luftgitarrespielen, Sabine Schramm, kommt aus Obermenzing in Bayern. „Diese Frau hat eine unglaubliche Bühnenpräsenz. Sie gibt zur Zeit in Deutschland den Ton an", sagen Fans und Medien. Sie selbst bereitet sich intensiv auf jeden Auftritt vor, jeder Ton muss sitzen. Luftgitarrespielen ist inzwischen eine internationale Bewegung geworden. Die Konkurrenz der letzten Wettbewerbe in Finnland kam aus der ganzen Welt.

❑ Anzeige

Mit Essen spielt man nicht?
DOCH! am 20. + 21.06.2015 in Potsdam mit dem Wiener Gemüseorchester

Tickets unter www.vegetableorchestra.org/

Baden in Licht und Musik ❑

Liquid Sound® räumt mit dem Missverständnis auf, dass Wasser ein stummes Element ist. Wer mit den Ohren in ein unter Wasser beschalltes Bad taucht, spürt, dass der Klangraum Wasser vorzügliche akustische Eigenschaften hat. Von allen Elementen ist das Wasser der Imagination, dem Traum am nächsten. Baden in Licht und Musik in der Toskana-Therme. *Bad Orb am 15. Juli und 15. November.*

Beatboxing Battle geht in die vierte Runde

Der Stuttgarter Ausnahme-Beatboxer Robert Wolf, alias Robeat, das Renitenztheater und die Künstleragentur Jamvision veranstalteten am 19. Juli 2014 zum dritten Mal den Beatbox-Wettstreit auf der Stuttgarter Kleinkunstbühne. Im Juni 2012 wurde er zum ersten Mal in Stuttgart ausgerichtet. Beatboxen, das seine Wurzeln in der Hip-Hop-Kultur hat, ist eine rhythmische Klangerzeugung nur mit Mund, Nase und Rachen. Robeat war erneut Host der Veranstaltung und zugleich Jury-Vorsitzender. Wer Lust auf die „etwas anderen" Töne hat, der sollte sich schnell Tickets für den 05.05. sichern.

b) Recherchieren Sie das Wiener-Gemüseorchester und schreiben Sie eine Zeitungsmeldung wie in a).

3 Projekt. **Recherchieren Sie ein besonderes Musikereignis und präsentieren Sie es im Kurs.**

Fit für Einheit 2?

Das kann ich auf Deutsch

▶ **über die Rolle von Musik im Alltag sprechen (1.2–1.4, 2.1)**

Das ewige Gedudel im Supermarkt nervt!

Beim Laufen höre ich immer Musik. Nur so kann ich richtig abschalten.

....

Das kann ich ☺ ❑ ☹ ❑ ▶ Ü 1–3

▶ **einen Text zusammenfassen und die Autorenmeinung erkennen (2.5–2.6)**

Diktatur der sanften Klänge

Der Autor meint ...

Das kann ich ☺ ❑ ☹ ❑

▶ **Informationen aus Hörtexten vergleichen (3.2–3.3)**

Sowohl Katrin Lehmann als auch Philipp Ziegler thematisieren den Konkurrenzdruck.

Darüber spricht auch der Tontechniker. Aber wichtiger ist ihm, dass ...

Das kann ich ☺ ❑ ☹ ❑ ▶ Ü 10

▶ **eine Grafik beschreiben und kommentieren (4.2–4.3)**

Das Diagramm auf S. 15 gibt Auskunft über ...

Das kann ich ☺ ❑ ☹ ❑ ▶ Ü 15

Grammatik

▶ **Nomen aus Adjektiven und Verben (2.7)**

schwingen	gesund	still
der Schwung	....	....

Das kann ich ☺ ❑ ☹ ❑ ▶ Ü 8–9

▶ **Links- und Rechtsattribute (5.4)**

Linksattribut	*Nomen*	*Rechtsattribut*
die große	**Zeit**	der Musiksender
Adjektiv		....

Das kann ich ☺ ❑ ☹ ❑ ▶ Ü 18–20

Aussprache

▶ **Wortakzente bei Komposita üben (3.5)**

die Sängerknaben

das Gesangsquartett

Das kann ich ☺ ❑ ☹ ❑

2 Wer bin ich?

1 „Ich bin nicht Stiller!"

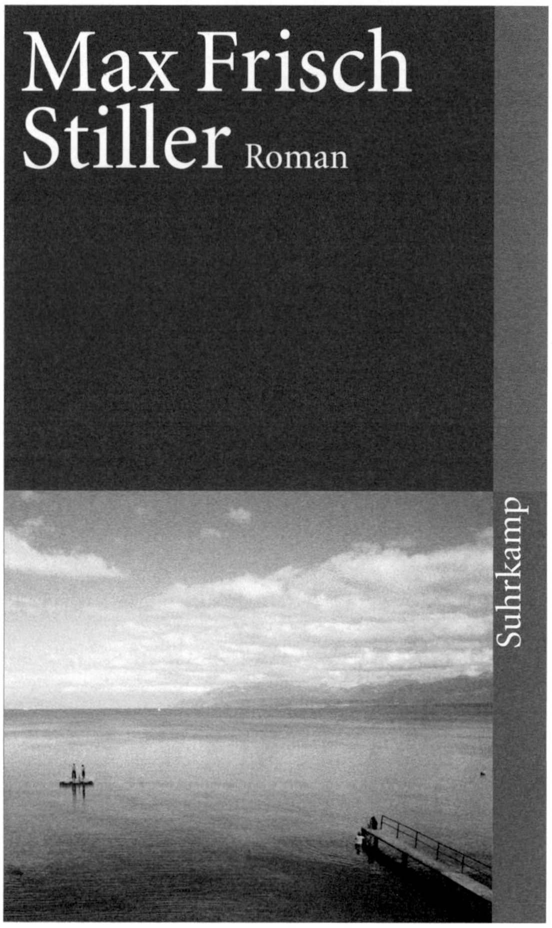

Inhaltsangabe

Ein Amerikaner namens Jim Larkin White wird an der Schweizer Grenze von der Polizei festgenommen. Er soll mit dem verschwundenen Bildhauer Anatol Stiller identisch sein. White bestreitet dies heftig. Durch tagebuchartige Aufzeichnungen, die White in der Untersuchungshaft macht, kommt der Leser der Wahrheit schrittweise näher: Als die Ehe kriselt und seine Frau, die Tänzerin Julika, schwer erkrankt, zerschlägt Stiller alle seine Kunstwerke und flieht nach Amerika. Nach einem Selbstmordversuch, will er ein neues Leben beginnen, doch es gelingt ihm letztlich nicht, seine alte Identität auszulöschen.
Max Frischs erster großer Roman handelt von einem Künstler auf der Suche nach sich selbst und auf der Flucht vor dem Bild, das andere sich von ihm machen. Der Konflikt, der daraus mit Stillers Frau, seinen Bekannten und den Behörden entsteht, wird von Frisch in einem humorvollen, aber auch sehr pessimistischen Buch erzählt, das prägend für die deutschsprachige Nachkriegsliteratur war.

Der Autor

Max Frisch *15. Mai 1911 in Zürich, †4. April 1991 in Zürich.
Studium Germanistik, Romanistik, Kunstgeschichte, Philosophie in Zürich.
Bis 1952 als Architekt und freier Schriftsteller tätig. „Stiller" war der erste große Erfolg von Max Frisch als Schriftsteller.

1 Stiller. Annäherung an einen Roman

Ü1-2

a) Beschreiben Sie das Foto. Worum könnte es in dem Roman gehen?

b) Lesen Sie die Inhaltsangabe. Wer ist Stiller? Wer ist Mr. White? Welches Problem hat die Hauptfigur?

c) Interessiert Sie die Figur White/Stiller? Würden Sie den Roman gerne lesen? Warum (nicht)?

2 Konflikte

Ü3-4

a) Lesen Sie die ersten beiden Textabschnitte. Was will Stiller? Was wollen die anderen Personen?

1 „Ich bin nicht Stiller! - Tag für Tag, seit meiner Einlieferung in dieses Gefängnis, das noch zu beschreiben sein wird, sage ich es, schwöre ich es und fordere Whisky, ansonst ich jede weitere Aussage verweigere. Denn ohne Whisky, ich hab's ja erfahren, bin ich nicht ich selbst, sondern neige dazu, allen möglichen guten Einflüssen zu erliegen und eine Rolle zu spielen, die ihnen so passen möchte, aber nichts mit mir zu tun hat, und da es jetzt in meiner unsinnigen Lage (sie halten mich für einen verschollenen Bürger ihres Städtchens!) einzig und allein darum geht, mich nicht beschwatzen zu lassen und auf der Hut zu sein gegenüber allen ihren freundlichen Versuchen, mich in eine fremde Haut zu stecken, unbestechlich zu sein bis zur Grobheit, ich sage: das jetzt einzig und allein darum geht, niemand anders zu sein als der Mensch,

Hier lernen Sie

- über Identität sprechen
- einen literarischen Text interpretieren
- Artikelwörter vor Adjektiven
- Funktionsverbgefüge
- Betonung: Bedeutungen hervorheben
- Inhalte anders ausdrücken
- über Spleens/Marotten/Macken sprechen

der ich in Wahrheit leider bin, so werde ich nicht aufhören, nach Whisky zu schreien, sooft sich jemand meiner Zelle nähert. Übrigens habe ich bereits vor Tagen melden lassen, es brauche nicht die allererste Marke zu sein, immerhin eine trinkbare, ansonst ich eben nüchtern bleibe, und dann können sie mich verhören, wie sie wollen, es wird nichts dabei herauskommen, zumindest nichts Wahres. Vergeblich! Heute bringen sie mir dieses Heft voll leerer Blätter: Ich soll mein Leben niederschreiben! wohl um zu beweisen, dass ich eines habe, ein anderes als das Leben ihres verschollenen Herrn Stiller. „Sie schreiben einfach die Wahrheit", sagt mein amtlicher Verteidiger, „nichts als die schlichte Wahrheit. Tinte können Sie jederzeit nachfüllen lassen!" [...]

– 9 –

2 Wo sollte die Wahrheit, wenn ich sie niederschreibe, denn hin? Und unter Tatsachen, glaube ich, versteht mein Verteidiger insbesondere Ortsnamen, Daten, die man nachprüfen kann, beispielsweise Angaben über Beruf oder sonstiges Einkommen, Dauer von Aufenthalten, Anzahl der Kinder, Anzahl der Scheidungen, Konfession usw.

– 18 –

b) Welche Bedeutung hat der Whisky im Leben der Hauptfigur?

c) Was ist „die Wahrheit" für den Verteidiger und die Hauptfigur? Welcher Konflikt ergibt sich daraus?

3 Bilder und Selbstbilder

Ü5–7

a) Lesen Sie den folgenden Textabschnitt. Wie beschreibt sich die Hauptfigur?

3 [...] Ich bin nicht ihr Stiller. Was wollen sie von mir! Ich bin ein unglücklicher, nichtiger, unwesentlicher Mensch, der kein Leben hinter sich hat, überhaupt keines. Wozu mein Geflunker? Nur damit sie mir meine Leere lassen, meine Nichtigkeit, meine Wirklichkeit denn es gibt keine Flucht, und was sie mir anbieten, ist Flucht, nicht Freiheit, Flucht in eine Rolle. Warum lassen sie nicht ab? [...]

– 49 –

b) Arbeiten Sie heraus, warum die Hauptfigur kein Geständnis ablegen will. Welche Folgen hätte es?

4 Ich liege auf meiner Pritsche, schlaflos von Stundenschlag zu Stundenschlag, versuche zu denken, was ich tun soll. Soll ich mich ergeben? Mit Lügen ist es ohne weiteres zu machen, ein einziges Wort, ein sogenanntes Geständnis, und ich bin »frei«, das heißt in meinem Fall: dazu verdammt, eine Rolle zu spielen, die nichts mit mir zu tun hat. Anderseits: wie soll einer denn beweisen können, wer er in Wirklichkeit ist? Ich kann's nicht. Weiß ich es denn selbst, wer ich bin? Das ist die erschreckende Erfahrung dieser Untersuchungshaft: ich habe keine Sprache für meine Wirklichkeit!

– 84 –

4 Auswahl. **Diskutieren Sie die beiden Fragen im Kurs.**

Passt das Cover-Foto zum Romaninhalt? „Weiß ich es denn selbst, wer ich bin?"

2 Literarische Texte knacken

1 Über literarische Texte schreiben. **Lesen Sie die drei Definitionen. Welche passt zu dem kommentierten Text unten?**

Ü8

Glosse, *die:* Der Begriff kommt aus dem Altgriechischen und bedeutet so viel wie ein kurzer Meinungsbeitrag. Die G. ist eine Art des Kommentars, die Stilmittel wie Ironie und Satire enthält.

Erörterung, *die:* Die E. ist eine beliebte Aufsatzform in der Schule. In einer E. wird ein eigener Standpunkt zu einer Fragestellung entwickelt und argumentativ dargelegt.

Eine (literarische) Textinterpretation, versucht die Wirkung und die Absicht des Textes zu erschließen. Sie ist keine reine Zusammenfassung oder Beschreibung, sondern schließt weitere Aspekte ein, z. B. Erzählstruktur, Perspektiven, Wirkung.

Word Datei Bearbeiten Ansicht Einfügen Format Schriftart Extras Tabelle Fenster Arbeit Hilfe

Stiller.docx

¶
„Stiller" von Max Frisch wurde 1954 veröffentlicht. Der Roman handelt von einem Mann, dem seine eigene Identität fremd geworden ist und die er gegenüber den Menschen, die ihm begegnen, [leugnet]. ❑ ¶

Ihr Benutzername 1.5.13 08:47
Kommentar: Ich finde die Einleitung zu kurz. Die solltest du überarbeiten.

¶
Der Roman ist in zwei große Teile gegliedert, wovon mir der zweite Teil besser [gefällt]. Im ersten Teil finden sich die Aufzeichnungen von Stiller, im zweiten Teil das Nachwort des Staatsanwaltes. Im Gefängnis füllt Stiller sieben Hefte mit Aufzeichnungen über seinen inneren Konflikt. Der erste Teil ist somit aus der Sicht des Ich-Erzählers geschrieben. ❑ ¶

Ihr Benutzername 1.5.13 08:47
Kommentar: Hier bitte noch keine persönliche Meinung.

¶
Die Hauptfigur ist Stiller, der von sich selbst sagt, er hieße White. Zu Beginn des Romans tritt neben Stiller vor allem sein Verteidiger auf. Das Verhältnis zwischen den beiden ist eher skeptisch: Stiller glaubt nicht, dass der Verteidiger zufrieden sein wird mit seinen Erklärungen: „Noch habe ich ihn nicht darin lesen lassen, und seine ernsthafte Hoffnung, [daß] er mit diesem Heft sozusagen mein Leben [in seine Aktentasche stecken] könnte, macht mir langsam Sorge." (S. 77) ❑ ¶

Ihr Benutzername 1.5.13 08:47
Kommentar: Alte Rechtschreibung im Primärtext oder Fehler?

Ihr Benutzername 1.5.13 08:47
Kommentar: „in seine Aktentasche stecken"? versteh ich nicht – was bedeutet es, etwas in die Aktentasche zu stecken? Das ist doch eine Metapher, oder? Bitte erklären.

¶
Wenn man die ersten Abschnitte des Romans liest, kann man Stiller folgendermaßen charakterisieren: Er scheint ... ❑ ¶

Ihr Benutzername 1.5.13 08:47
Kommentar: Hier fehlt doch ein Textabschnitt. Bitte ergänzen.

¶
„Das ist die erschreckende Erfahrung dieser Untersuchungshaft: ich habe keine Sprache für meine Wirklichkeit!" (S. 84) Dies ist eine zentrale Erkenntnis des Tagebuchschreibers, der in seinen Aufzeichnungen nach seiner Wirklichkeit und nach einer Sprache jenseits von Rollenzuweisungen und Klischeevorstellungen sucht. Frisch versucht mit dieser Darstellungsweise, den Leser zum Nachdenken über [Identität] anzuregen. ❑¶
¶

Ihr Benutzername 1.5.13 08:47
Kommentar: Und was ist mit Freiheit und Flucht?

2 Eine literarische Textinterpretation überarbeiten

a) Lesen Sie die Textinterpretation mit den Kommentaren. Was ist ihre Funktion? Nutzen Sie Kommentarfunktionen bei der Textüberarbeitung?

b) Bearbeiten Sie die Kommentare. Welchen stimmen Sie zu? Welche würden Sie ändern oder ignorieren?

3 Aufbau und Gliederung von Textinterpretationen

Ü 9–10

a) Ordnen Sie die Fragen den Textbausteinen zu.

1 Die literarischen Figuren. Wer ist Erzähler, Hauptfigur und welche Nebenfiguren gibt es? Wie können die Figuren charakterisiert werden? Wie stehen sie zueinander?
2 Was beabsichtigt der/die Autor/in? Wen spricht er/sie an? Wie ist die Wirkung?
3 Wie ist die Sprache und der Satzbau? Gibt es Monologe/Dialoge? Welche Stilmittel überwiegen?
4 Wer hat den Text geschrieben? Welche Textsorte ist es? Worum geht es (Zusammenfassung)?
5 Wie ist der Text gegliedert?
6 Was sagt mir der Text? Welche Wirkung hat er auf mich?
7 Aus welcher Perspektive wird erzählt? Wie ist das Verhältnis von Zeit, Ort und Handlung? Was für einen Erzähler gibt es?

Textbausteine

einen literarischen Text interpretieren

Einleitung: Inhalt, Autor/in, Textsorte ❑	Der Autor/die Autorin ist eine bedeutende Figur der deutschen Literatur (gewesen) / heute (leider) in Vergessenheit geraten. Der Roman / Die Erzählung / Die Kurzgeschichte / von ... ist ... erschienen und spielt in der Zeit des /der ... / im Jahre ... / ... handelt von ... / Es ist ein Brief- / Entwicklungs- / Zeit- / Kriminal- / Groschen- / ... roman.
Textaufbau ❑	Der Text hat eine klare Struktur. / ... ist in ... Teile gegliedert.
Figuren und ihre Beziehungen ❑	Hauptfigur ist der Erzähler / die Erzählerin selbst / ... die Person/en (Name/n). Geschildert wird die Beziehung zwischen ... / Die Hauptfigur kann man folgendermaßen charakterisieren: ...
Sprache und Stil ❑	Der Text ist im Präsens/Präteritum erzählt. Es gibt viele/kaum Dialoge. Häufiges Element ist der (innere) Monolog / Dialog / Brief / Es werden viele/kaum Adjektive / Fremdwörter / umgangssprachliche Ausdrücke benutzt. / Ein weiteres Stilmittel sind Metaphern/Symbole / ist Ironie / ... Erzählt wird (sehr) distanziert/nüchtern/bildhaft/... Diese sprachlichen Mittel bewirken, dass ...
Erzählperspektive ❑	Der Text ist aus der Sicht eines Ich- / eines auktorialen Erzählers geschrieben. Der Erzähler kommentiert und bewertet das Geschehen / verzichtet auf jegliche Wertung.
Erzählabsicht (Intention) ❑	Der/Die Autor/in erzeugt dadurch beim Lesen ein Gefühl der/des ... / Die genaue Schilderung der/des ... bewirkt, dass die Leser, ...
Schluss: Wirkung und Fazit ❑	Das Hauptthema des Romans wird interessant/ überraschend/ modern/konventionell/bieder gestaltet. / Der Text wirft die Frage auf, ob ... / Ich glaube, dass so ... erreicht wird. / Meiner Meinung nach kann man deshalb sagen, dass ... /

b) Analysieren Sie die Textinterpretation von S. 22 nach den Kriterien in a). Welche werden (nicht) berücksichtigt?

c) Schreiben Sie eine Interpretation zu einem Roman, den Sie gelesen haben. Berücksichtigen Sie die Gliederungspunkte in den Textbausteinen.

4 Zitate. **Bei einer Interpretation muss man seine Aussagen belegen. Suchen Sie zu folgenden Aussagen passende Zitate aus „Stiller".**

Im vorliegenden Textabschnitt handelt es sich um einen Monolog der Hauptfigur.

Stiller selbst weiß nicht, wer er ist.

Die Hauptfigur findet die Idee, ihr Leben niederzuschreiben, nutzlos.

5 Sprache in literarischen Texten

a) Was kennzeichnet Sprache in literarischen Texten? Diskutieren Sie.

Lange oder verschachtelte Sätze wie bei Thomas Mann.

Die Sprache ist in der Regel mehrdeutig.

Es werden oft besondere Stilmittel wie Metaphern oder Allegorien eingesetzt.

b) Literarische Texte sind oft reich an Adjektiven. Suchen Sie Beispiele in den Romanauszügen auf S. 20/21.

6 Artikelwörter vor Adjektiven

Ü11

a) Ordnen Sie zu.

in diesem interessanten Buch   mancher empfindsame Leser   irgendein neuer, geheimer Plan   manch ein trauriges Geheimnis   viele sprachliche Bilder   mit etwas schiefem Lächeln   irgendwelche falschen Wahrheiten   jene dreisten Behauptungen   andere geneigte Leser   etliche alarmierende Hinweise

Artikelwort im Singular mit Kasusendung	Artikelwort ohne Kasusendung	Plural-Artikelwort mit Kasusendung
in diesem interessanten Buch		

b) Analysieren Sie die Beispiele aus a) und ergänzen Sie die Regel.

Regel Artikelwörter funktionieren wie Artikel/~~Adjektive~~. Sie tragen meistens/immer die Kasusendungen *(-e, -er, -es, -en, -em)*. Adjektive nach dem Artikelwort tragen dann die unbestimmten Endungen *-e* oder *-en*. Bei Artikelwörtern ohne Endung hat das Adjektiv oder Partizip danach die bestimmte/unbestimmte Endung. Nach den Plural-Artikelwörtern *andere, einige, etliche, manche* und *viele* trägt das Adjektiv die bestimmte/unbestimmte Endung.

c) Warum benutzen Autorinnen und Autoren oft Artikelwörter und Adjektive?

Sie müssen eine ganze Welt für ihre Leser beschreiben.

Sicher, und dazu ...

7 Ein literarischer Selbstversuch

a) Setzen Sie die Geschichte mit folgenden Nomen fort: *Menschen, Baum, Fassade, Blick, Glück.* Was passiert?

Neulich seh ich aus dem Fenster. Sie werden nicht glauben, was da passierte: ...

b) Überarbeiten Sie Ihre erste Version. Fügen Sie Adjektive und Artikelwörter ein.

c) Dramatisch, verträumt, atemlos? Lesen Sie Ihren Text laut vor und erzeugen Sie Stimmung durch Betonung.

3 Identität

1 Die Frage aller Fragen. **Ein Kulturmagazin hat sich mit dem Thema *Identität* beschäftigt und an seine Leserinnen und Leser die Frage gestellt: Wer bin ich?**

Ü12

a) Lesen Sie vier der Antworten. Diskutieren Sie, wie und womit sich die Leute identifizieren und was die Antworten so unterschiedlich macht.

Da ist zum einen das Alter ...

Sie schreiben auf verschiedene Arten über sich, z.B. ...

Die Leute kommen aus ..., haben also unterschiedliche ...

35 | Kulturmagazin **IDENTITÄT**

ICH BIN ...

... Deutsche seit 2011, aber auch Iranerin. Ich bin ein Kriegskind und Lebensmittel sind für mich kostbar. Wenn meine Nachbarin (84) vom Krieg erzählt, kommt mir vieles bekannt vor. Angst, Stromausfall, kein Wasser – das kenne ich alles. Ich liebe Literatur, Musik und meinen Lebensgefährten. Ich liebe das Leben. Ich bin ... frei.
Aziza F., Regensburg

Ich bin Johanna –
fröhlich, traurig, zickig, klug,
zu abhängig von der Meinung anderer,
zu oft am Handy und im Netz,
zu wenig eigener Kopf.
Ich bin Johanna –
fröhlich, traurig, zickig ... klug?
Johanna, 13, Fulda

selten unfreundlich
oft zu kritisch manchmal stur
noch sehr sportlich manchmal wütend
manchmal nachdenklich oft mitleidend
viel zu jung für mein Alter meistens offen für Neues
oft aufgeregt oft zu schnell für mein Alter
ich bin ich
meistens liebevoll
manchmal enttäuscht
manchmal verrückt
manchmal kraftlos
immer ehrlich
manchmal klug
selten ratlos
sehr tolerant
oft zu nett
sehr kreativ
nicht sehr weise
manchmal faul

Bernhard S., 74, Lüneburg, Seniorenwerkstatt Web 2.0

Ich habe Soziologie studiert und weiß daher, dass meine Identität durch meine verschiedenen sozialen Rollen gebildet wird. Ich bin Ehemann, Vater, Mitarbeiter, Bürger, Freizeitsportler. Die Vielfalt der Rollen nimmt zu, die Anforderungen steigen und wechseln immer schneller. Trotzdem unternehme ich immer wieder den Versuch, von Zeit zu Zeit etwas ganz Eigenes, ein „Ich", zu sein, ohne das „Du" zu vergessen – das ist nicht so einfach.

Andreas T., 36, Tuttlingen

b) Kreatives Schreiben. Wählen Sie eine Darstellungsform und beschreiben Sie sich wie in a). Was war dabei schwer, was leicht?

c) Was ist mit „der Frage aller Fragen" gemeint?

2 Identität – ein vielschichtiger Begriff

Ü13–15

a) Lesen Sie den Artikel aus der Philosophie-Zeitschrift „ratio" und ordnen Sie die Überschriften den Abschnitten zu.

1 Identität geformt durch Kommunikation
2 „Wer bin ich – und wenn ja, wie viele?" (Precht)
3 Kein einfacher Begriff
4 Das „Ich" als unendliche Geschichte
5 Veränderungen erfordern Identitätsarbeit

87 ratio 3.2

Identität(en) – „Ich bin viele."

„Identität" ist einer jener Begriffe, die fast alle irgendwie zu kennen glauben. Doch wenn man konkret die Frage stellt, was „Identität" eigentlich bedeutet, merkt man schnell, dass man ihn nur schwer definieren kann.

☐ Der Begriff Identität ist je nach Sichtweise unterschiedlich. So definiert der Brockhaus (2006:94) Identität als „die völlige Übereinstimmung einer Person oder Sache mit dem, was sie ist oder als was sie bezeichnet wird". Die Juristen verstehen darunter lediglich die Übereinstimmung personenbezogener Daten (Name, Geburtsdatum, Adresse etc.) mit einer natürlichen, also realen Person. Die Soziologen sehen darin die Summe der Merkmale, mit denen sich ein Individuum von anderen unterscheiden lässt.

☐ Identität lässt sich vielleicht am besten als Antwort auf die Frage „Wer bin ich?" beschreiben. Was macht einen Menschen aus? Was macht ihn unverwechselbar? Welche Merkmale, Eigenschaften, Handlungen und Gefühle sind das? Identität ist eine treibende Kraft hinter vielen Handlungen. Was ein Mensch tut, wie er fühlt, was er hofft, wie er lebt – das alles sind Ausdrucksformen seiner Identität. Und weil ein Mensch immer neue prägende Erfahrungen macht, die ihn verändern, ist seine Identität stets im Fluss. Er unternimmt deshalb den Versuch, all jene Dinge, die er erlebt, in einen für ihn sinnvollen Zusammenhang zu bringen. Einige andere Philosophen betrachten die Identität heute als Geschichte, die wir anderen und uns selbst erzählen. Denn um zu wissen, wer wir sind, müssen wir eine Vorstellung haben, woher wir kommen und wohin wir gehen. Für eine eigene Identität reichen also Name und Herkunft längst nicht mehr aus, wir müssen z. B. wissen, was uns wichtig ist und wofür wir als Person stehen.

☐ In der Psychologie geht man von der Annahme aus, dass sich eine Person immer auch mit etwas identifiziert. Dazu gehört es, Merkmale einer bestehenden Gruppe als eigene anzunehmen und zugleich ganz persönliche Merkmale auszubilden. Um wir selbst zu sein, brauchen wir also die anderen. Erst wenn wir im Austausch mit anderen stehen, lernen wir, uns als Personen mit eigenen Ansichten und Überzeugungen darzustellen. Und durch die Anerkennung der anderen gewinnen wir ein Bild von uns selbst.

☐ Früher bestimmte die Herkunft ganz stark unsere Identität: ein Bauer war und blieb ein Bauer. Die Lebensperspektiven waren oft vorgegeben, relativ stabil und eingebettet in traditionelle Systeme mit festen Normen und Werten. Erst mit der Industrialisierung geriet die Milieuzuordnung in Auflösung. Ob in der Schule, im Beruf, in der Familie oder im Freundeskreis – immer schnellere Veränderungen in allen Lebensbereichen bewirken heute, dass immer mehr Menschen an ihrer Identität – oft unbewusst – arbeiten müssen, besonders dann, wenn sich ihre Lebenswirklichkeit verändert, sie also „Differenzerfahrungen" machen. Das geschieht z. B., wenn man in ein anderes Land fährt und die dort herrschenden kulturellen Lebensentwürfe die eigenen in Frage stellen, wenn man erfährt, wie die eigenen Vorstellungen von Richtig und Falsch relativiert werden oder auch, wenn wirtschaftliche oder politische Perspektiven unsicher werden. Oft müssen wir erst in einer Krise die Frage beantworten, wer wir sind und wofür wir stehen.

❑ Da sich die Lebenswelt heute immer stärker in Teilbereiche mit unterschiedlichen Anforderungen, Erwartungen und sozialen Bezügen gliedert, muss man flexibel reagieren. Das Leben stellt an uns die Forderung, multiple Identitäten aufzubauen: im Beruf habe ich eine andere Identität als in der Familie, in meiner vertrauten Umgebung eine andere als auf Reisen, bei meinen Eltern eine andere als im Sportverein. Wir sind Kollegin, Freundin, Kind und Mutter – eigentlich sind wir viele. Erscheint im Leben alles offen und möglich, dann nimmt der Wunsch nach Sicherheit und Selbsterkenntnis zu. Als Reaktion darauf suchen immer mehr Menschen bei sich selbst nach Halt. Die Beschäftigung mit sich selbst, mit seiner Identität, ist auch völlig in Ordnung. Der Mensch braucht sie heute, um für sich eine Antwort auf die Frage zu finden: Wer bin ich?

b) Juristen, Psychologen und ... Sammeln Sie in Abschnitt 1–3 die Identitätsdefinitionen und Sichtweisen. Diskutieren Sie, worin sie sich gleichen oder unterscheiden.

c) Erklären Sie die Begriffe *Differenzerfahrung, multiple Identitäten* und *Selbsterkenntnis*.

3 Nomen-Verb-Verbindungen: Funktionsverbgefüge (FVG)

Ü16

a) Lesen Sie die Sätze. Suchen Sie Entsprechungen im Magazin-Text (von Überschrift bis Z. 31). Was hat sich verändert?

1 Doch wenn man konkret fragt, was „Identität" eigentlich bedeutet, ...
2 Er versucht deshalb, all jene Dinge ...
3 ... müssen wir uns vorstellen, woher wir kommen ...

b) Streichen Sie die Wörter in der Erklärung, die nicht passen.

Funktionsverbgefüge (FVG) sind feste/~~beliebige~~ Verbindungen aus von einem Verb abgeleiteten Nomen und einem Verb. Das Verb im FVG hat keine/eine eigene Bedeutung. FVG haben meistens die gleiche Bedeutung wie das Verb/Nomen, von dem das Nomen abgeleitet ist (z. B. den Anfang machen = anfangen). Manchmal haben FVG Präpositionen/Pronomen (z. B. *in Zweifel ziehen = (be)zweifeln*). FVG wirken einfacher/offizieller als die einfachen Verben/Nomen. Sie werden oft in der Jugend-,/Nachrichten-,/Verwaltungs-,/Umgangs-,/ Fach- und Wissenschaftssprache gebraucht. FVG müssen/müssen nicht extra gelernt werden.

c) Sammeln Sie im Magazin-Text FVG zu den Verben *annehmen, (sich) austauschen, (sich) auflösen, (hinter)fragen, fordern, (be)antworten* und formulieren Sie die Sätze um.

FVG	Verb	Umformulierung
eine Frage stellen	*fragen*	*wenn man konkret fragt*
in Auflösung geraten	*(sich) ...*	...

4 Textstellen betonen, Bedeutung hervorheben

a) Lesen Sie Z. 1–12 halblaut. Markieren Sie Wort- und Satzakzente und tragen Sie Pausen ein.

1.7

b) Hören Sie nun einen Dozenten, der die Textstelle liest. Was betont er? Gibt es Unterschiede zu Ihrer Variante?

Minimemo

Durch Wort- und Satzakzent wird Bedeutung hervorgehoben und Aufmerksamkeit gelenkt.

5 Meine Definition von Identität.

Formulieren Sie eine eigene Definition und vergleichen Sie im Kurs. Inwieweit ist die Beschäftigung mit der „Frage aller Fragen" für Sie wichtig?

4 Das Spiel mit Identitäten

1 Von der Lust, jemand ganz anderes zu sein

Ü17–18

a) Sehen Sie sich die Fotos im Zeitungsartikel an. Was haben sie mit *Identität* zu tun?

b) Lesen Sie den Ausschnitt aus dem Artikel. Welcher Satz fasst den Inhalt am besten zusammen? Begründen Sie.

1 Echte Fans spielen gerne Fantasy- und Mittelalter-Geschichte(n) im realen Leben nach.
2 Die Darstellung von Comic- oder Mittelalterfiguren gehört für Fantasy-Fans zum Alltag.
3 Bücher, Filme und Spiele reichen den echten Fantasy-Fans nicht mehr.

Cosplay und Mittelalter

Verkleidung mit Charakter

Mittelalter- und Fantasy-Geschichten sind in. Ob als Buch, Film oder Online-Spiel - tagtäglich tauchen vor allem Jugendliche und junge Erwachsene in geheimnisvolle Welten ein. Ohne Atem zu holen verfolgen sie blutige Gemetzel, sie werden von grausamen Orks gejagt, oder sie treiben friedlich Handel mit Waren.

„Nur in der Phantasie oder online in einen anderen Charakter zu schlüpfen, ist für viele Fans nicht mehr ausreichend“, sagt Psychologe Hans Brandl. Als Teilnehmer an Cosplay-Treffen sind sie lieber selbst Darsteller „ihrer“ Figur. Oder sie tragen als Ritter, Hexen oder Magier Sorge für den Erfolg von Mittelaltermärkten.

2 Inhalt anders ausdrücken

Ü19

a) Vergleichen Sie die Sätze mit dem Artikel und markieren Sie, was umformuliert wurde.

1 Mittelalter- und Fantasy-Geschichten sind aktuell.
2 Vor allem Jugendliche und junge Erwachsene tauchen jeden Tag in Welten ein, die voller Geheimnisse sind.
3 Sie verfolgen atemlos blutige Schlachten.
4 Grausame Orks jagen sie.
5 Sie handeln friedlich mit Waren.
6 Der Psychologe Hans Brandl meint, es reiche vielen Fans nicht mehr, nur in der Phantasie oder online ein anderer Charakter zu sein.
7 Bei Cosplay-Treffen stellen sie lieber selbst „ihre“ Figur dar.
8 Oder sie sorgen als Ritter, Hexen oder Magier für erfolgreiche Mittelaltermärkte.

b) Welche Strategie wurde angewandt? Ordnen Sie a – g den Sätzen aus a) zu.

Strategien zur Umformulierung

a ☐ Synonyme verwenden
b ☐ Reihenfolge der Satzglieder umstellen
c ☐ FVG auflösen in einfache Verben
d ☐ Aktiv statt Passiv verwenden
e ☐ direkte Rede indirekt wiedergeben
f ☐ Nomen in Verben/Adjektive umwandeln
g ☐ Partizipien und Adjektive in Nebensätze umwandeln

Checkliste

1. *Was ist der Inhalt / die Grundidee?*
2. *Was kann ich anders sagen?*
3. *Wie formuliere ich es um?*

***Achtung:** Die Umformulierung sollte nicht länger als der Ausgangstext sein, und der Inhalt darf nicht verändert werden!*

3 Einen Text wiedergeben

Ü 20

a) Lesen Sie den Zeitungsartikel. Markieren Sie die zentralen Inhalte.

Buchmesse Frankfurt:

Wo Comicfiguren ganz real sind

Seit 2007 wird auf der Frankfurter Buchmesse die Deutsche Cosplay Meisterschaft (DCM) ausgerichtet. Beim Cosplay (engl. costume play, Kostümspiel) schlüpfen die Cosplayer in die Rollen ihrer Lieblingsfiguren aus japanischen Comics, Filmen oder Computerspielen. Im Unterschied zu den Verkleidungen beim Karneval geht es beim Cosplay um die Darstellung eines spezifischen Charakters. Bei Wettbewerben, den Conventions, treten die Cosplayer dann gegeneinander an. In die Bewertung fließen die Gestaltung der Kostüme, die Ähnlichkeit zur dargestellten Figur sowie die Präsentation auf der Bühne ein. Bei der letzten DMC erreichten 27 Finalisten die Qualifikation. Sie präsentierten auf der Bühne ihre Kostüme und ihr darstellerisches Können. Die Gewinner konnten sich über eine Reise nach Japan freuen.

b) Sammeln Sie die Funktionsverbgefüge zu den Verben *bewerten, sich qualifizieren*.

c) Geben Sie den Textinhalt wieder. Nutzen Sie die Strategien aus 2 b).

4 Die Lust, jemand ganz anderes zu sein

1.8

a) Radio „Kultur im Kreis" hat gefragt, „Was fasziniert Sie so am Mittelalter?" Hören Sie das Interview mit Ritter Ulrich zu Hohenstein, alias Julian Ott, vom Mittelalterverein Ars et Cultura. Sammeln Sie Informationen: zum Angebot auf Mittelaltermärkten – zur Sprache – zu Julian Otts Hobby – zur Faszination, die das Mittelalter auf ihn ausübt.

b) Ist die Faszination für Sie nachvollziehbar? Diskutieren Sie.

So zu tun, also ob man jemand anderes wäre, ist schon lustig!

Sich zu verkleiden ist doch Kinderkram!

Stellt euch mal vor, morgen kämen wir alle als Mr. Spock oder ...

c) Gibt es in Ihrem Land solche oder andere Anlässe bzw. Möglichkeiten, mit Identität zu spielen? Berichten Sie.

5 Ich hab' doch keinen Spleen!?

1 Macken können sympathisch sein

Ü 21

a) Lesen Sie den Magazinbeitrag. Markieren Sie Synonyme zum Wort *Spleen* und erklären Sie in eigenen Worten, was ein Spleen ist.

Ich hab 'ne Macke, na und?

Ein Blog sammelt Spleens und viele machen mit

Es gibt Leute, die rühren ihren Joghurt immer links herum, andere müssen unbedingt mit dem rechten Bein zuerst aus dem Bett aufstehen oder nehmen im Supermarkt immer die Produkte aus der hintersten Reihe. Wer glaubt, mit solchen Angewohnheiten allein zu sein, wird nun eines Besseren belehrt: Mehrere Internet-Blogs wie www.myspleen.de oder spleen24.tumblr.com sammeln die kleinen Marotten, die fast jeder hat. Ein Spleen ist eine leicht exzentrische Angewohnheit. Umgangssprachlich wird damit meist etwas abwertend eine kleine Verrücktheit oder fixe Idee bezeichnet. Der Ausdruck stammt aus dem Englischen für das Organ Milz, spleen (griech. splen), da leicht exzentrisches Verhalten früher in der Medizin auf eine Fehlfunktion der Milz zurückgeführt wurde.

„Ich muss bei Autonummern immer die Zahlen addieren und freue mich, wenn die Quersumme durch drei teilbar ist, z. B. 174, 1+7+4=12, 1+2=3 ☺"

ICH AUCH 3 Personen haben den gleichen Spleen.

Einen Spleen, eine Marotte oder Macke zu haben, bedeutet, dass man eine kleine Schwäche hat, die zwar rational nicht erklärbar, aber doch menschlich ist. Ein Spleen wiederholt sich, ist oft unbewusst und kann fast schon zwanghafte Züge annehmen, etwa wenn jemand mehrfach vor dem Verlassen der Wohnung kontrollieren muss, ob alle Elektrogeräte aus sind. Die meisten Spleens sind kleine harmlose Eigenarten, die eine Person ausmachen. Oft sind sie sogar sehr sympathisch und es scheint auch gar nicht mehr peinlich zu sein, seinen ganz persönlichen Spleen öffentlich preiszugeben, denn täglich finden sich in den Blogs viele neue Einträge zu allen möglichen Ticks und Marotten.

– 22 –

1.9

b) Hören Sie die Radioreportage. Mit welchem Foto würden Sie den Magazinbeitrag illustrieren? Recherchieren und begründen Sie.

1.9

c) Hören Sie noch einmal und entscheiden Sie, ob die Aussagen richtig oder falsch sind.

		richtig	falsch
1	Ein Spleen kann es sein, farbige Wäscheklammern zu benutzen.	❑	❑
2	Man fühlt sich gut, wenn man merkt, dass man der einzige mit einer Macke ist.	❑	❑
3	Da jeder irgendwelche Marotten hat, die er im Blog wiederfinden kann, verletzen die Blogeinträge auch niemanden.	❑	❑
4	Zur Unterscheidung von kleiner Macke und Zwangsstörung muss man sich die Frage stellen, ob der Alltag durch den Spleen Beeinträchtigung findet.	❑	❑
5	Es ist eine Marotte, immer zwei Gummibärchen einer Farbe zu essen.	❑	❑

2 Recherche im Internet.

Suchen Sie Blogs über kleine Marotten. Sammeln Sie mindestens drei, die Sie auch haben oder sympathisch finden. Vergleichen Sie im Kurs: Welche Marotte kommt am häufigsten vor?

Fit für Einheit 3?

Das kann ich auf Deutsch

▶ **einen literarischen Text interpretieren (2.1–2.3)**

Wer hat „Stiller" geschrieben und wann? ....

Worum geht es im Roman? ....

Aus welcher Erzählperspektive wird das Geschehen geschildert? ....

Das kann ich ☺ ❑ ☹ ❑ ▶ Ü 8–10

▶ **über Identität sprechen (3.1–3.2)**

Identität? Das ist doch die Frage, wer ich bin und was mich ausmacht, oder?

Ja, und Identität drückt sich aus in ...

Das kann ich ☺ ❑ ☹ ❑ ▶ Ü 12–15

▶ **Inhalte anders ausdrücken (4.2–4.3)**

Mittelalter liegt voll im Trend. ....

Das kann ich ☺ ❑ ☹ ❑ ▶ Ü 19–20

▶ **über Spleens/Marotten/Macken sprechen (5.1–5.2)**

Bei mir müssen Türen immer zu sein. Und bei dir?

...

Das kann ich ☺ ❑ ☹ ❑ ▶ Ü 21

Grammatik

▶ **Artikelwörter vor Adjektiven (2.6)**

Artikelwort im Singular mit Kasusendung	sonstig... Einkommen, manch... empfindsame Leser
Artikelwort ohne Kasusendung	manch... ein trauriges Geheimnis
Plural-Artikelwörter mit Kasusendung	ander... geneigte Leser, viel... sprachliche Bilder

Das kann ich ☺ ❑ ☹ ❑ ▶ Ü 11

▶ **Funktionsverbgefüge (3.3)**

Funktionsverbgefüge	**Verb**
eine Frage stellen	....
einen Versuch unternehmen	....
eine Vorstellung haben	....

Das kann ich ☺ ❑ ☹ ❑ ▶ Ü 16

Aussprache

▶ **Bedeutungen hervorheben (3.4)**

Der Begriff **Identität** ist je nach **Sichtweise** unterschiedlich. So definiert der **Brockhaus** Identität als „die **völlige** Übereinstimmung einer **Person** oder **Sache** mit **dem**, was sie ist oder als was sie bezeichnet wird".

Das kann ich ☺ ❑ ☹ ❑

3 Farbrausch

1 Bunte Wörter

1 Ein Selbsttest

Ü1

a) Sagen Sie die Farbe der Wörter laut, lesen Sie nicht die Wörter vor.

blau	gelb	grün	orange
violett	rot	schwarz	braun
weiß	grün	gelb	blau
schwarz	weiß	orange	rot

b) Was passiert? Erklären Sie, woran es liegen könnte.

c) Lesen Sie die Information. Hatten Sie recht?

Hätten Sie es gewusst?
Der sogenannte Stroop-Effekt ist ein Beispiel für den hohen Grad an Automatisierung beim Lesen. Die Benennung der Farbe eines Wortes fällt schwerer, wenn der Inhalt des Wortes der Farbe widerspricht. Die Schwierigkeit ergibt sich daraus, dass wir beim Lesen automatisch Buchstabenfolgen in sinnvolle Wörter bringen wollen und dabei in der Regel nicht auf die Farbe der Buchstaben achten.

2 Farben

Ü2–4

a) Welche Farben sprechen Sie sofort an? Was assoziieren Sie mit ihnen (Symbole, Gefühle etc.)?

Redemittel

Wirkungen beschreiben
Auf mich wirkt ... beruhigend, belebend, frisch, aggressiv ... /
... wirkt auf mich wie/als ob ... / Bei ... muss ich an ... denken / ... erinnert mich (stark) an ... / ... ruft bei mir Erinnerungen an ... hervor. / Mit ... verbinde/assoziiere ich ... / ... steht für ... / ... symbolisiert ... / ... spricht mich stark / überhaupt nicht an.

b) Wählen Sie ein farbiges Blatt Papier. Notieren Sie Ihre Assoziationen und Gefühle zu dieser Farbe in Stichworten. Vergleichen Sie im Kurs.

c) Markieren Sie Ihre Lieblingsfarbe. Stellen Sie sie vor.

Ich mag Kirschrot, aber nur als Nagellack.

Blautöne – die sind so beruhigend.

Gelbgrün ist toll, aber mein Auto muss bordeauxrot sein.

violett – dunkelblau – hellblau – türkis – grün – gelbgrün

kurzwellig

Hier lernen Sie

- Wirkungen (von Farben) beschreiben
- Eigenschaften und Funktionen (des Auges) beschreiben
- Nominalstil vs. Verbalstil
- Redewiedergabe mit Präpositionen und mit Nebensätzen mit *wie*
- untrennbare Präfixe erkennen

3 Wenn etwas *nicht das Gelbe vom Ei ist, sehen Sie dann rot*? Oder *ist alles* noch *im grünen Bereich*?

Ü5–6

a) Lesen Sie und recherchieren Sie die Bedeutung der drei Redewendungen. Erklären und vergleichen Sie sie im Kurs.

- Ich sehe rot, wenn ich mir diese Rechnung genauer ansehe!
- Warum, ich finde, 150 Euro liegen noch im grünen Bereich.
- Oh nein, denn diese Jacke ist nicht gerade das Gelbe vom Ei.

Linktipp
Recherchieren Sie:
www.redensarten.de

b) Gibt es diese Redewendungen auch in Ihrer Sprache? Übersetzen und vergleichen Sie.

c) Kennen Sie weitere Beispiele für deutsche Redewendungen mit Farben? Sammeln Sie.

4 Eine Wortwolke

Ü7

a) Eine Wortwolke enthält die zentralen Wörter eines Textes. Die am häufigsten vorkommen, sind am größten. Worum geht es vermutlich in dem Text, aus dem die Wörter stammen? Formulieren Sie das Thema.

b) Lesen Sie die Wörter und schlagen Sie unbekannte Wörter im Wörterbuch nach.

c) Was wissen Sie schon über das Thema? Wählen Sie drei Wörter aus der Wolke aus und berichten Sie.

gelb | orange | hellrot | rot | kirschrot | bordeauxrot

langwellig

2 Ist mein Rot auch dein Rot?

1 Seh-Test. **Welche Zahlen erkennen Sie?**

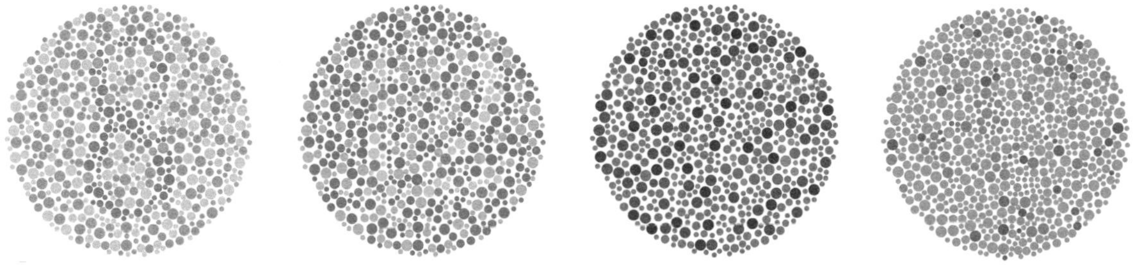

Lösung: 8, 12 und 13. Wer Probleme hat, die Zahlen zu erkennen, könnte farbenblind sein und sollte einen Test beim Augenarzt machen. Farbtafel 4 zeigt keine Zahl.

2 Neuere Forschungen zur Farbwahrnehmung

Ü 8–11

a) Lesen Sie die Überschriften und die Einleitung. Was denken Sie: Sehen alle Menschen die Farben gleich?

Grau ist grau nur in der Früh

Das Erbgut zählt

Ohne Licht keine Farben

Schon die Kleinsten sehen Rot

b) Lesen Sie den Artikel aus einem Biologie-Magazin. Ordnen Sie die Überschriften den Textabschnitten zu.

Gras ist grün, Sonnenblumen sind gelb und manche Kühe haben schwarz-weiße Flecken – ist doch klar, oder? Unsere Welt ist bunt und trotzdem existieren Farben in der Natur eigentlich gar nicht. Sie werden erst durch unsere Sinnesorgane oder genauer durch das Gehirn als Farbeindruck erzeugt. Die Frage ist: Sehen alle Menschen Farben gleich?

Alles so schön bunt hier, oder?

DEM FARBSEHEN AUF DER SPUR

1 ....

Um Farben sehen zu können, brauchen wir Licht. Es breitet sich in Lichtwellen unterschiedlicher Wellenlänge aus. Jede Farbe ist einer bestimmten Wellenlänge zuzuordnen: So ist z. B. Blau sehr kurzwelliges, Rot ziemlich langwelliges Licht. Das Licht wird dabei von den Gegenständen reflektiert und fällt durch die Pupille auf die Netzhaut.

Hier befinden sich drei verschiedene Sorten von Farbrezeptoren, die sogenannten Zapfen. Jeder dieser Zapfentypen ist besonders empfindlich für je einen Bereich, um die Primärfarben des Auges wahrzunehmen: Rot, Grün und Blau. Die Zapfen in der Netzhaut werden je nach Wellenlänge des ins Auge fallenden Lichts unterschiedlich stark angeregt. Aus der Kombination dieser Anregungen entsteht in unserem Kopf die Wahrnehmung des gesamten sichtbaren Farbspektrums. Mit anderen Worten: Eine Zitrone ist für uns gelb, weil sowohl die rotempfindlichen als auch die grünempfindlichen Zapfen durch das ins Auge einfallende Licht angeregt werden. Handelt es sich um ein Orange, d. h. um ein eher rötliches Gelb, werden die rotempfindlichen Zapfen stärker und die grünempfindlichen weniger stark angeregt. Dabei entsteht durch eine chemische Reaktion ein elektrischer Impuls, der an das Gehirn weitergeleitet wird. Die Farben entstehen also erst in unseren Köpfen und die Gegenstände werden von unterschiedlichen Menschen auch durchaus unterschiedlich wahrgenommen.

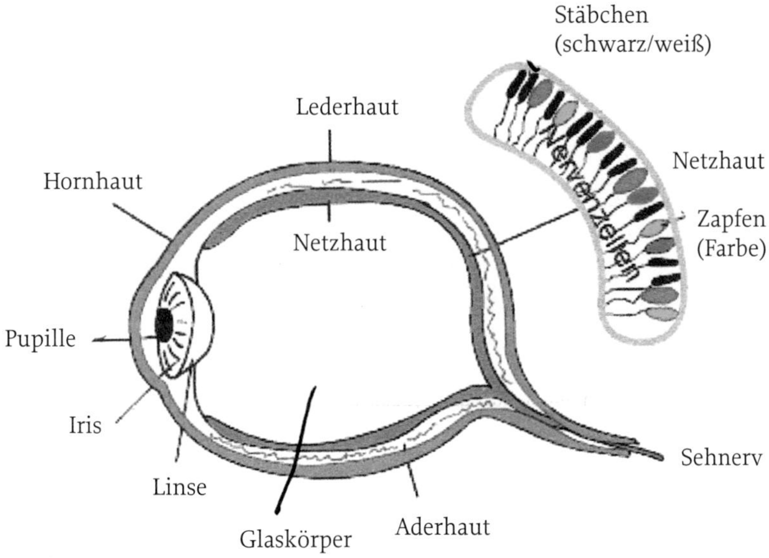

2

Vieles im Bereich des Farbsehens wird noch erforscht. In einer Studie erbrachten Forscher der Universität von Houston/Texas den Nachweis, dass Schlaf die Farbwahrnehmung mitbestimmt. Studienleiter Bhavin Sheth gab Untersuchungsteilnehmern Tafeln mit leicht grünlicher oder leicht rötlicher Einfärbung. Die Versuchspersonen sollten direkt vor dem Schlafengehen und beim Aufstehen bestimmen, ob die Farbe ihrer Ansicht nach grünlicher oder rötlicher als neutrales Grau war. Die Untersuchung ergab eine leichte, aber messbare Veränderung von Grau im Tagesverlauf. Die Versuchspersonen sahen es nämlich am Abend leicht grünstichig. Erst am Morgen ist grau wieder richtig grau, weil im Schlaf eine Korrektur erfolgt. Gründe dafür konnten noch nicht festgestellt werden.

3

Kanadische Forscher haben die Entdeckung gemacht, dass Neugeborene Rot am besten wahrnehmen können. In einer Studie folgten fast alle getesteten Babys einem roten Fleck mit den Augen, der auf einem grauen Hintergrund hin und her bewegt wurde. Grüne und gelbe Punkte wurden hingegen nur von einem Drittel bzw. Viertel bemerkt. Blau bereitete den Kleinen die größten Schwierigkeiten. Dies liegt daran, dass sich die sogenannten S-Zapfen, die für das Sehen von kurzwelligem Licht verantwortlich sind, als letzte der drei Zapfentypen entwickeln. Das Farbensehen der Kinder wird aber mit der Zeit immer besser. Im Alter von drei Monaten haben dann alle drei Zapfentypen in der kindlichen Netzhaut die Arbeit aufgenommen und die Kleinen können schon fast so viele Farben unterscheiden wie Erwachsene.

4

Dass außerdem bis zu zehn Gene verantwortlich für das Farbensehen sind, hat Jay Neitz von der medizinischen Hochschule von Wisconsin in Milwaukee in seinen Studien herausgefunden. Dies könnte eine Erklärung dafür liefern, warum Menschen Farben zum Teil sehr unterschiedlich sehen. Zur Farbfehlsichtigkeit kann es kommen, wenn eine Zapfenart defekt ist. Bekannt ist z. B. die Rot-Grün-Schwäche, bei der die betroffenen Personen Rot und Grün nicht auseinanderhalten können. Statistisch leiden mehr Männer als Frauen unter diesen Defekten.

c) Zu welchem Textabschnitt passt die Wortwolke auf S. 33?

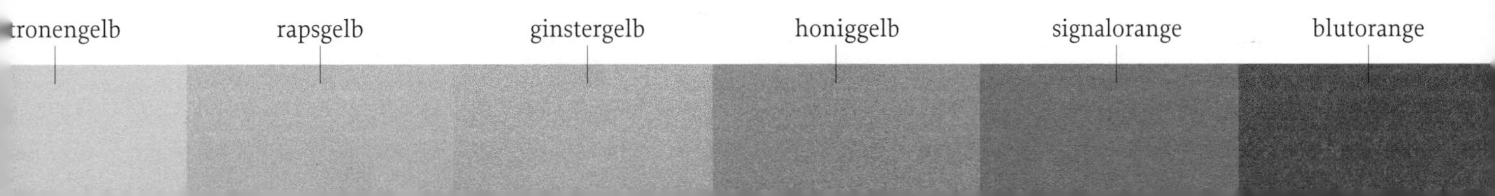

3 Eine Textgrafik

Ü 12–13

a) Lesen Sie den Textabschnitt 1 auf S. 34 noch einmal. Ergänzen Sie die Textgrafik mit Stichwörtern aus dem Text.

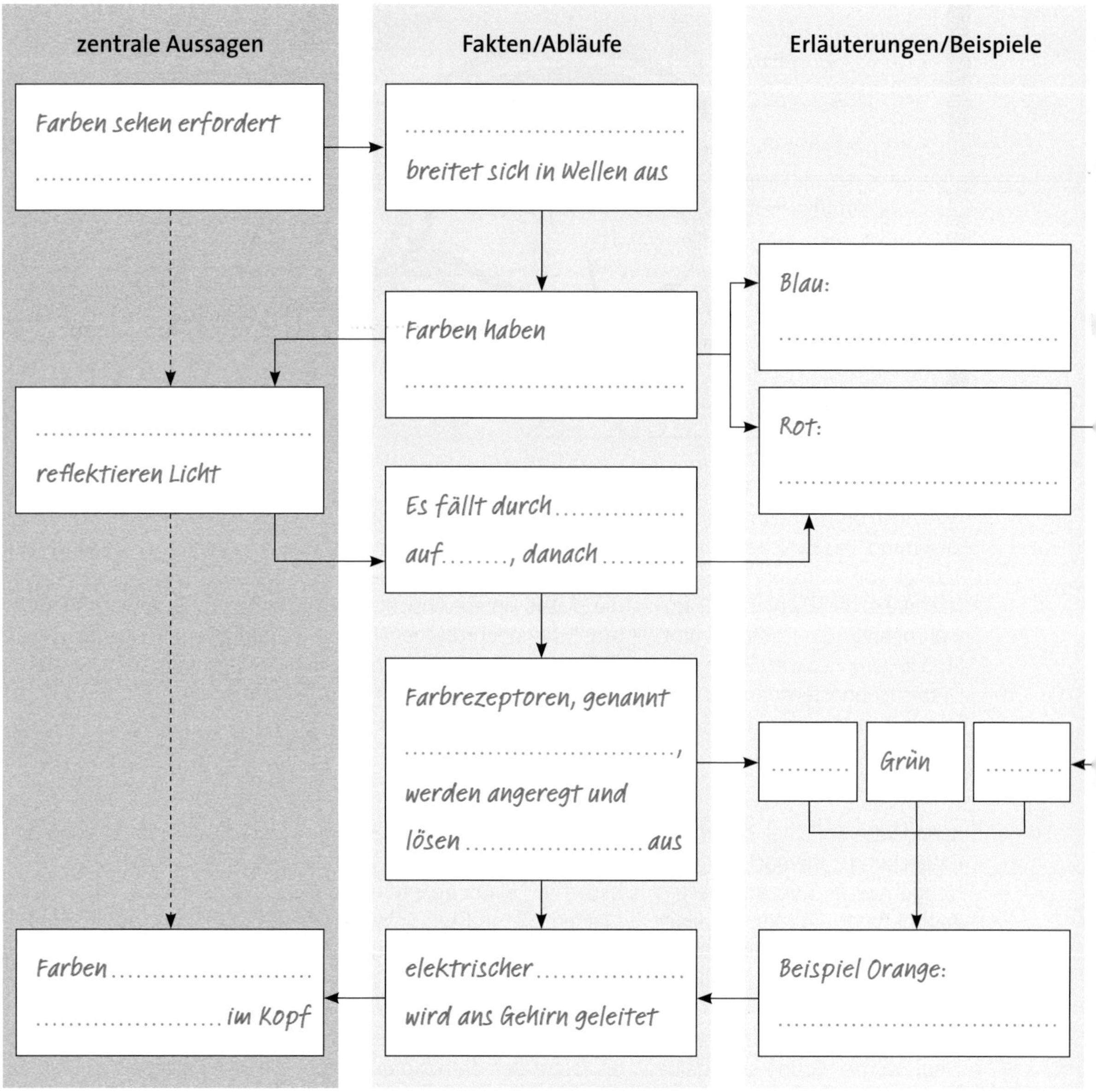

b) Fassen Sie den Textabschnitt mithilfe der Grafik kurz zusammen.

4 Über die Funktion des menschlichen Auges sprechen

Ü 14

a) Ergänzen Sie die Artikel in der Abbildung des menschlichen Auges auf S. 35. Bestimmen Sie die Eigenschaften und Funktionen von Sehnerv, Pupille, Lederhaut, Netzhaut, Iris und Linse. Recherchieren Sie dazu z. B. im Internet.

b) Alles klar? Ergänzen Sie die Sätze.

1 ... umschließt das Auge sowohl vorne wie auch hinten bis zum Sehnerv. Sie schützt und stabilisiert das Auge.
2 ... stellt die Verbindung zum Sehzentrum im Gehirn her.
3 ... ist der lichtempfindliche Teil des Auges. Hier befinden sich die Farbrezeptoren.
4 ... ist ein farbiger Muskelring, der die Größe der Pupille verändern kann.
5 ... liegt hinter der Pupille. Sie bündelt und bricht das durch die Pupille einfallende Licht.
6 ... wird von der Iris umgeben. Sie kann ihre Größe verändern und ist das Loch, durch das Licht ins Auge fällt.

c) Beschreiben Sie den Aufbau des menschlichen Auges. Beginnen Sie mit einem Einleitungssatz, beschreiben Sie dann Eigenschaften, Funktionen etc. Ergänzen Sie ggf. den Redemittelkasten.

Redemittel

Eigenschaften und Funktionen beschreiben

Eigenschaften:
... besteht aus ... / ... setzt sich aus ... zusammen. / ... sind wichtige Teile des/der ... /
... ist weiß/hellblau/farblos/licht(un)empfindlich ...

Funktion und Ort/Lage:
... kann ... / ... ist in der Lage, ... zu leiten/transportieren ... / ... verbindet ... mit ... / stellt eine Verbindung mit/zu ... her / ... liegt/befindet sich vor/zwischen/hinter ... / ...umgibt/umschließt ... /
... wird von ... umgeben/umschlossen / ... befindet sich rund/rings um ...

telc **5** **Genau lesen.** **Lesen Sie die Textabschnitte 2–4 und die Aussagen 1–6. Kreuzen Sie bei jeder Aussage an, ob sie ...**

a mit dem Text übereinstimmt
b nicht mit dem Text übereinstimmt
c oder ob zu dieser Aussage nichts im Text steht.

	a	b	c
1 Zurzeit laufen zahlreiche Studien zum Farbsehen.	❑	❑	❑
2 Es ist weiterhin offen, warum Grau vor dem Schlafengehen grünlich wirkt.	❑	❑	❑
3 Eine ausreichende Menge Schlaf fördert das Farbsehen.	❑	❑	❑
4 Kurzwelliges Licht können Neugeborene noch nicht wahrnehmen.	❑	❑	❑
5 Erst im Alter von drei Monaten nehmen die Zapfen in der kindlichen Netzhaut ihre Arbeit auf.	❑	❑	❑
6 Von Farbfehlsichtigkeit sind eher Männer als Frauen betroffen.	❑	❑	❑

6 **Verbindungen von Nomen und Verben: Funktionsverbgefüge**

a) In den Textabschnitten 2–4 finden Sie fünf Funktionsverbgefüge. Markieren und ordnen Sie sie ihren Bedeutungen zu. Achten Sie dabei auf die Artikel.

einen Nachweis erbringen = nachweisen
1 eine Korrektur erfolgen = korrigieren
2 die Entdeckung machen = entdecken
3 die Schwierigkeit bereiten = schwierig sein
4 die Arbeit aufnehmen = beginnen zu arbeiten
5 eine Erklärung liefern = erklären

b) Formulieren Sie die Sätze aus dem Text mit den Verben aus a). Wie wirken die Sätze? Vergleichen Sie.

In einer Studie haben Forscher nachgewiesen, dass ...

Tipp Legen Sie sich eine Liste mit Funktionsverbgefügen an.

7 **Erforschen, untersuchen, bestimmen - untrennbare Präfixe erkennen**

Ü 15–16
1.10

a) Hören Sie die Wörter und markieren Sie die Betonung. Formulieren Sie eine Regel.

unterscheiden – untergehen – bereiten – entstehen – verantworten – widerlegen – wiedersehen – erregen – anregen – befinden – abstimmen – bestimmen – verwechseln – abwechseln – umschließen – umsteigen.

b) Markieren Sie Verben mit untrennbaren Präfixen auf S. 35. Lesen Sie dazu die Sätze halblaut und achten Sie auf die Betonung.

3 Die Macht der Farben

1 Farben und Gefühle

Ü17–18

a) Was assoziieren Sie spontan mit den beiden Farben? Notieren Sie.

b) Lesen Sie den Beitrag aus einem Fachmagazin. Zwei Informationen zum Thema Farbe sind aus dem Text S. 34/35 bereits bekannt - welche? Markieren Sie.

35 | Fachmagazin **FARBWIRTSCHAFT**

GEFÜHLE DURCH FARBNAMEN FARBNAMEN DURCH GEFÜHLE

Farben sind geheime Kräfte. Vielen Menschen ist der Einfluss von Farben im Alltag nicht bewusst, obwohl Farben oft bestimmen, was wir kaufen und ob wir einen Raum als kalt oder warm empfinden. In ganz unterschiedlichen Disziplinen wie der Psychologie, der Kunst oder der Werbung findet die Erforschung der Farbwahrnehmung und -wirkung statt.

Erst durch die Reflexion des Lichts von den Gegenständen nehmen Lebewesen Farben als visuelle (Licht-)Reize wahr. Gras hat die Farbe Grün, Blut die Farbe Rot, eine Zitrone die Farbe Gelb. Die Benennung von Farbunterschieden trägt zu einer Verbesserung des Austausches über Farbwahrnehmungen bei, z. B. ist Blau dann nicht nur Blau, sondern Dunkelblau, Himmelblau oder Tiefblau. Die individuelle Wahrnehmung gleicher oder gleich benannter Farben kann jedoch unterschiedlich sein, wie die Genforschung herausgefunden hat. Die Wahrnehmung von Farben wirkt psychologisch auf zweierlei Art. Sie rufen Assoziationen hervor wie Rot gleich Feuer, Grün gleich Gras, Gelb gleich Zitrone. Farben können aber auch zur Aktivierung vergangener Erfahrungen beitragen und Gefühle hervorrufen. Diese kommen im Deutschen durch die Umwandlung von Substantiven in Adjektive zum Ausdruck, z. B. symbolisiert Rot Gefahr = gefährlich; mit Grün assoziiert man Gift = giftig, dagegen erzeugt Gelb den Eindruck von Frische und man erwartet z. B. einen frischen Geruch. So stellen Farbnamen das gemeinsame Verständnis von Menschen einer Sprachgruppe zu ihrer Umwelt sicher. Hinzukommen nonverbale Konventionen, wie der Umstand, dass das Rot bei einer Ampel immer oben ist.

Unsere Beziehungen zu den Farben beruhen also auf Erfahrungen, die wir mit ihnen machen. Das lässt die Farbpsychologie eine Unterscheidung zwischen warmen und kalten Farben treffen: Die warme Jahreszeit wird von den gelben und roten, den „warmen" Tönen bestimmt. Der Anblick von blauem Wasser, türkisen Eisbergen oder „giftigen" blaugrünen Gummibärchen lässt uns dagegen frösteln.

Die Werbung nutzt die emotionale Wirkung von Farbnamen aus. Es werden bewusst Verbindungen zu „ansprechenden", allgemein bekannten Gegenständen oder Situationen geschaffen. So steht die Bezeichnung Sahara als Autofarbe symbolisch für Sehnsucht. Die Wüste Sahara in Plakat- und Fernsehbildern symbolisiert endlose Weite und Freiheit. Die Farbe gleichen Namens soll werbewirksam ein „Will-das-Auto-haben"-Gefühl erzeugen.

c) Sammeln Sie die im Text genannten Farbassoziationen und emotionalen Wirkungen. Vergleichen Sie mit Ihren Farbassoziationen in 1 a).

d) Ordnen Sie die Aussagen passenden Stellen im Text Z. 1–18 zu. Vergleichen Sie Verständlichkeit, Länge und Gebrauch von Nomen und Verben.

1 Viele Menschen wissen nicht, dass Farben sie im Alltag beeinflussen. Z. ....

2 Die Farbwahrnehmung und -wirkung wird in unterschiedlichen wissenschaftlichen Fachgebieten erforscht. ....

3 Erst wenn das Licht von den Gegenständen reflektiert wird, nehmen Lebewesen Farben als visuelle (Licht-)Reize wahr. ....

2 Nominalstil – Verbalstil

Ü19

a) Vergleichen Sie die Sätze und markieren Sie wie in Satz 1. Was fällt Ihnen auf?

	Nominalstil	Verbalstil
1	Vielen Menschen ist der Einfluss von Farben im Alltag nicht bewusst.	Viele Menschen wissen nicht, dass Farben sie im Alltag beeinflussen.
2	Die individuelle Wahrnehmung gleicher Farben kann unterschiedlich sein.	Gleiche Farben können individuell unterschiedlich wahrgenommen werden.
3	Die Werbung nutzt die emotionale Wirkung von Farbnamen aus.	Die Werbung nutzt aus, dass Farbnamen emotional wirken.

b) Nominal- oder Verbalstil? Ergänzen Sie.

Regel Sachverhalte lassen sich oft sowohl im .... wie auch im .... formulieren. So kann man z. B. einen Text wiedergeben und Wiederholungen im Satzbau vermeiden. Der .... ist typisch für bestimmte schriftliche Textsorten wie z. B. Fachtexte oder Verwaltungssprache. Der .... wirkt lebendiger und wird oft in der Erzähl- und Alltagssprache verwendet.

3 Spiegeln Trendfarben den Zeitgeist wider oder bestimmt er die Farben?

1.11

a) Hören Sie das Interview mit der Farbforscherin Manuela Zell. Welche Argumente des Fachartikels greift auch sie auf? Markieren Sie im Text S. 38.

b) Hören Sie noch einmal und sammeln Sie Stichwörter.

Zeit	Farbe(n)	Diskussionen, Gefühle, Zeitgeist
1970er Jahre		

c) Klären Sie den Begriff Zeitgeist. Beantworten Sie die Frage in der Überschrift oben.

d) Welchen Aussagen würde Manuela Zell *nicht* zustimmen?

1 ❑ Farben sprechen alle Menschen auf die gleiche Art und Weise an.
2 ❑ Gesellschaftliche Diskussionen und Entwicklungen sind bei der farblichen Gestaltung von Industrieprodukten zu berücksichtigen.
3 ❑ Der Zeitgeist spiegelt sich in den Farbtrends wider und umgekehrt.
4 ❑ Je älter Menschen werden, umso dunklere Farben bevorzugen sie.

4 Farben und Gefühle. **Fassen Sie die zentralen Aussagen des Fachmagazins und des Interviews zusammen und kommentieren Sie sie. Treffen die Aussagen auf Sie/Ihr Land zu? Welche Beispiele können Sie ergänzen?**

4 Was macht Städte bunt?

1 Was kann eine Stadt bunter machen?
Sammeln Sie Ideen in einer Mindmap.

2 Guerilla-Gardening – die Gärtner-Piraten

Ü 20–21

a) Was machen die „Guerilla-Gärtner/innen“ und was sagen die Gegner und Befürworter der Bewegung dazu? Lesen Sie die Info und die Stellungnahmen und sammeln Sie Argumente.

pro	kontra

Info
Ohne Bäume und Pflanzen sind Städte oft trostlos und grau. Dies wollen die sogenannten „Guerilla-Gärtner“ ändern. Mit Schaufeln und Pflanzensamen „bewaffnet“, sorgen sie auf Verkehrsinseln und verlassenen Grundstücken für ein grüneres Stadtbild.

Soraya Bergemann (22), Studentin

„Viele Leute sind froh, wenn es in der Stadt schön ist. Farbtupfer in der Großstadt heben die Laune. Man hat das Gefühl, der Natur ein Stückchen näher zu sein. Die paar Parks reichen dazu nicht aus. Guerilla-Gardening nimmt niemandem etwas weg, im Gegenteil: Große Flächen, die niemand nutzt, werden von Müll und Bauschutt befreit und mit Gemüse, Kräutern, Sträuchern und Blumen bepflanzt. Klar sind die Pflanzaktionen oder auch schon das Werfen von Samenbomben illegal und müssen meistens nachts stattfinden. Aber wir verschönern die Umwelt, die Aktionen sind eine Art Kunst im öffentlichen Raum mit ökologischem Bezug - und das auf eigene Kosten. Die Stadt spart dadurch viel Geld für Samen und für Gärtner. Bei uns kann jeder mitmachen! Uns gibt es nicht nur in Berlin, sondern weltweit. Es ist auch eine Form des Protests. In den meisten grauen Städten wird alles Natürliche verdrängt durch immer mehr Häuser und Straßen. Viele freie Flächen sind im Besitz von Leuten, die damit spekulieren und viel Geld verdienen wollen. Für mich ist es wichtig, in einer modernen Großstadt zu leben und trotzdem noch einen Bezug zur Natur zu haben. Ich will zeigen, dass auch die Stadt ein schöner Lebensraum sein kann.“

Martin Machowski (38), Stadtgärtner

„Gegen eine grüne Stadt habe ich nichts. Im Gegenteil: Pflanzen sind gut für das Klima der Stadt. Aber was die Guerilla-Gärtner machen, geht zu weit. Sie nutzen fremde Grundstücke, das ist Sachbeschädigung und in Deutschland nicht erlaubt. Beim Guerilla-Gardening kann jeder mitmachen, auch ohne Ahnung vom Gärtnern zu haben. Unkontrolliertes Bepflanzen kann zu Umweltproblemen führen. Einige Insekten brauchen z. B. Wildpflanzen. Sommerblumen sind für sie nicht von Nutzen. Vor allem ist es problematisch, wenn man exotische Pflanzen sät, die eine Gefahr sein können, weil sie heimische Arten verdrängen. Brachflächen sehen zwar nicht schön aus, sind manchmal aber sogar wichtig, weil sie z. B. einen Lebensraum für Eidechsen und diverse Vogelarten bieten. Außerdem macht es keinen Sinn, einfach irgendwo Samen hinzuwerfen und sich dann nicht weiter darum zu kümmern. Zum einen ist nicht jeder Standort für die entsprechenden Pflanzen geeignet. Zum anderen benötigen die meisten Pflanzenarten Pflege und müssen bewässert werden. Gegen das wilde Gärtnern wird aber meistens nichts unternommen. Ärger mit der Polizei gibt es erst, wenn die Gärten geräumt werden müssen, weil das Grundstück bebaut werden soll.“

b) Welcher Text ist argumentativ, welcher emotional? Suchen Sie Belegstellen und vergleichen Sie.

3 Redewiedergabe in Nachrichten, Stellungnahmen und wissenschaftlichen Texten

Ü 22–23

a) Wer sagt was? Geben Sie die Sätze in der indirekten Rede wieder. Benutzen Sie die redeeinleitenden Verben *behaupten, betonen, erklären* oder *sagen*.

„Pflanzen sind gut für das Klima der Stadt."

Martin M. sagt, Pflanzen seien gut für das Klima der Stadt.

1 „Unkontrolliertes Bepflanzen kann zu Umweltproblemen führen."
2 „Brachflächen sehen zwar nicht schön aus, sind manchmal aber sogar wichtig."
3 „Guerilla Gardening nimmt niemandem etwas weg, im Gegenteil!"
4 „Die Stadt spart dadurch viel Geld für Samen und für Gärtner."

b) Lesen Sie die Tabelle und geben Sie die beiden Aussagen indirekt wieder. Nutzen Sie die Präpositionen *laut, entsprechend, nach, gemäß* und *zufolge*.

Soraya Bergemann: „Die Leute sind froh, wenn es in der Stadt schön ist."
Martin Machowski: „Guerilla-Gärtner gehen oft zu weit."

Redewiedergabe		
Präposition	**vorgestellt**	**nachgestellt**
laut + Gen./Dat.	Laut Meinung/eines Berichts ...	–
entsprechend + Dat.	Entsprechend seiner Meinung ...	Seiner M. entsprechend ...
nach + Dat.	Nach seiner Meinung ... Nach Ansicht von M. Machowski ...	Seiner Meinung nach ...
gemäß + Dat.	Gemäß ihrer Behauptung ...	Ihrer Behauptung gemäß ...
zufolge + Gen./Dat.	Zufolge ihrer Aussage ...	Ihrer Aussage zufolge ...
Nebensatz mit *wie*		
Wie Soraya Bergemann feststellt, ... / Wie der linke Text zeigt, ... / Wie er berichtet, ... Wie in der Stellungnahme von Martin Machowski beschrieben wird, ...		

Tipp

Redewiedergabe mit *laut, entsprechend, nach, gemäß, zufolge* + Dat. (Gen.) oder Nebensatz mit *wie* immer mit Indikativ! Achtung: kein Konjunktiv I!

Minimemo

Einige Präpositionen werden bei Voranstellung mit Genitiv oder Dativ benutzt, bei Nachstellung aber nur mit Dativ.

c) Redewiedergabe mit Nebensätzen mit *wie*. Achten Sie auf die Nominalisierungen. Analysieren Sie das Beispiel und geben Sie die Sätze in 3 a) mit Präpositionen und *wie*-Sätzen wieder. Die Tabelle hilft.

Beispiel:

Laut Meinung von Soraya heben Farbtupfer die Laune. → Wie Soraya meint, heben Farbtupfer die Laune.

Nach Aussage von Martin M. können exotische Pflanzen einheimische verdrängen. → Wie Martin M. sagt, können exotische Pflanzen einheimische verdrängen.

4 Guerilla-Gardening – Chance oder Gefahr?

Was meinen Sie? Argumentieren Sie.

Meiner Meinung nach ist Guerilla-Gardening ...

5 Schwarz gewinnt?

1 Farben und Vorsicht. **Welchen der beiden Hunde würden Sie lieber streicheln? Welcher Eishockeyspieler sieht für Sie aggressiver aus? Begründen Sie.**

2 Farbwirkungen erforschen – Hypothesen und Forschungsfragen erkennen

Ü24
1.12

a) Hören Sie den ersten Teil des Radiofeatures zum Thema „Wie Trikotfarben das Spielerverhalten beeinflussen". Sammeln Sie Stichpunkte zu Mark Franks Beobachtungen und notieren Sie seine zentrale These. Entsprechen seine Beobachtungen Ihren Antworten in 1?

1.13

b) Bilden Sie zu jedem der vier folgenden Versuche eine Expertengruppe. Hören Sie den zweiten Teil des Beitrags. Die Gruppe notiert jeweils Ausgangsfragen/Probleme, Versuchsablauf, Ergebnisse, neue Fragen. Berichten Sie dann im Kurs.

Versuch 1
Spielszenen bewerten
aggre sieter
Frage:
Ablauf: wie werden Hockey
Ergebnisse:
?: frecher werden

Versuch 2
Verteilung von Strafpunkten
Frage:
Ablauf:
Ergebnisse:
?:

Versuch 3
ident. Spielsszenen nachstellen
Frage:
Ablauf:
Ergebnisse:
?:

Versuch 4
Trikot anziehen und Spiel
Frage:
Ablauf:
Ergebnisse:
?:

1.14

c) Hören Sie den gesamten Beitrag noch einmal. Welchen Aussagen würde Mark Frank nach seinen Beobachtungen und Versuchen zustimmen? Kreuzen Sie an.

1 ❑ Mannschaften in schwarzen Trikots begehen mehr Fouls und bekommen mehr Strafen als Mannschaften in anderen Trikotfarben.
2 ❑ Die Angst der Leute nimmt zu, je aggressiver oder frecher sich ihr Gegner verhält – egal ob Hund oder Gegenspieler.
3 ❑ Schiedsrichter glauben, dass Mannschaften in schwarzen Trikots aggressiver spielen und bestrafen diese härter.
4 ❑ Die Trikotfarbe beeinflusst das Verhalten tatsächlich, sagt aber nichts über die Gewinnchancen aus.

3 Schwarz = aggressiv, Grün = ? **Recherchieren Sie im Netz weitere Interviews oder Artikel zur Wirkung von Farben und tauschen Sie die Ergebnisse im Kurs aus.**

Fit für Einheit 4?

Das kann ich auf Deutsch

▶ **Wirkungen (von Farben) beschreiben (1.2, 3.1–3.3)**

Rot wirkt auf mich ....
Bei Grün muss ich immer an .... denken.

Viele Menschen wissen nicht, dass Farben
..

..

Das kann ich ☺ ❑ ☹ ❑ ▶ Ü 2–4, 17–18

▶ **eine Textgrafik erstellen (2.3)**

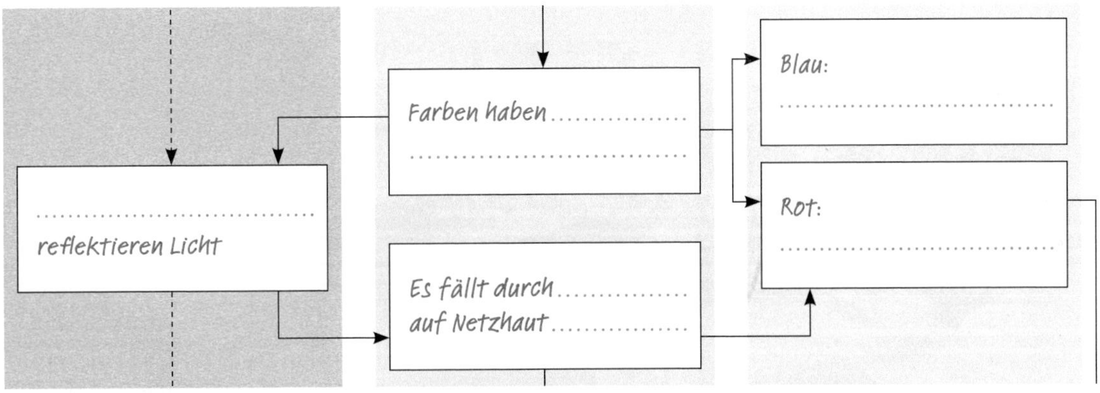

Das kann ich ☺ ❑ ☹ ❑ ▶ Ü 12–13

▶ **Eigenschaften und Funktionen (des Auges) beschreiben (2.4)**

Welche Eigenschaften und Funktionen hat die Pupille?

..

Das kann ich ☺ ❑ ☹ ❑ ▶ Ü 14

Grammatik

▶ **Nominalstil vs. Verbalstil (3.2)**

Erst dadurch, dass das Licht von den Gegenständen reflektiert wird, nehmen wir Farben wahr.

Erst durch die .... des Lichts von den Gegenständen findet .... von Farben statt.

Das kann ich ☺ ❑ ☹ ❑ ▶ Ü 19

▶ **Redewiedergabe mit Präpositionen und Nebensätzen mit *wie* (4.3)**

Was meint Martin Machowski zum Thema Guerilla Gardening?

Laut ....

Das kann ich ☺ ❑ ☹ ❑ ▶ Ü 22–23

Aussprache

▶ **untrennbare Präfixe erkennen (2.7)**

Farben unˈterscheiden – beˈstimmen – erkennen – verwechseln oder wiedererkennen?

Das kann ich ☺ ❑ ☹ ❑ ▶ Ü 15–16

4 Arbeitswelt(en)

1 Der Schreibtisch – ein Spiegel der Seele

1 Einstieg – Sie haben die Wahl! **Sehen Sie sich die Fotos und Zeichnungen auf der Doppelseite an. Wählen Sie S. 44 <u>oder</u> S. 45 aus. Bearbeiten Sie die Übungen 2 A oder 2 B.**

2A „Asiaten sind Sammler, Männer mögen Schwarz" – Forschungsobjekt Schreibtisch

a) Mann oder Frau? Mit oder ohne Publikumsverkehr? In Asien, Europa oder den USA? Welcher Schreibtisch gehört vermutlich zu wem? Wo steht er? Ordnen Sie zu.

a

b

c

b) Tauschen Sie sich mit Leserinnen und Lesern der S. 45 aus und begründen Sie Ihre Vermutung.

Bunte Farben, viele Figuren ... Hm, der Schreibtisch b könnte ... gehören.

Ja, und zwar in ..., denn die ... sollen ja gerne sammeln.

c) Lesen Sie den Zeitschriftenartikel und überprüfen Sie Ihre Vermutung.

Erfolg & Organisation

Mein Schreibtisch – meine Seele

Unter Kaffeetassen, Plastikfiguren und Papierstapeln begraben: der Schreibtisch. Dabei ist er viel mehr als nur eine Arbeitsfläche, er ist ein Spiegel der Seele und der Gesellschaft.

Ordnung und Struktur, eine kühle, erfolgsorientierte Atmosphäre soll das Büro ausstrahlen? Das ist vielleicht das Ideal mancher Chefs, aber auf den Schreibtischen ihrer Mitarbeiter sieht es ganz anders aus: Teetassen auf Aktenstapeln, Klebezettel am Monitor, Witz-Postkarten an der Wand. Auf den Schreibtischen wird Individualität ausgelebt, ein eigenes, kleines Territorium markiert. Kein Wunder, denn statistisch gesehen verbringen wir sieben Jahre unseres Lebens im Büro – und das meist am eigenen Schreibtisch. Dass der weit mehr ist als nur ein Platz zum Arbeiten, belegt eine aktuelle Studie. So neigen Frauen z.B. stärker zum Sammeln, gestalten ihre Arbeitsumgebung in Pastelltönen und drapieren liebevoll eine Armee von Plüschtieren. Männer hingegen setzen auf dunkle Farben und markieren ihren Arbeitsplatz gern mit Sportfotos und Spielzeugautos. Nationale Unterschiede zeigen: Anders als die Kollegen in Europa und den USA stellen Arbeitnehmer in Asien ihren Schreibtisch gern mit Plastik-Nippes voll. Und: Je weniger Publikumsverkehr die Mitarbeiter haben und je länger sie am gleichen Schreibtisch arbeiten, desto stärker versuchen sie, diesem ihre persönliche Note zu verleihen. Der Grat zwischen individueller Wohlfühlumgebung und Vermüllung ist schmal, doch ob Plüschtiere oder Familienfotos, „wenn die Mitarbeiter meinen, es trägt zu ihrem Wohlbefinden bei, nur zu", rät Arbeitspsychologe Jan Otto.

d) Stimmen die Beobachtungen? Diskutieren Sie.

Hier lernen Sie

- über Vorlieben und Präferenzen sprechen
- Textinhalte mit eigenen Worten wiedergeben
- eine Gewichtung darstellen und begründen
- einen Motivationsbrief kennen
- Sätze und Satzteile verbinden – Verbindungsadverbien
- Aussagen wiedergeben (indirekte Rede)
- Nominalisierung und Verbalisierung: kausal, final und temporal

2B Der Schreibtisch als Produkt seiner Zeit

a) 1970er, 1980er, 1990er, 2000er oder 2010er? Ordnen Sie die Schreibtische chronologisch.

b) Tauschen Sie sich mit Leserinnen und Lesern der S. 44 aus und begründen Sie Ihre Vermutung.

In den 70er Jahren war Rauchen am Arbeitsplatz erlaubt.

Ja, und das Telefon hatte noch eine Wählscheibe, wie auf Bild c.

c) Ordnen Sie die Schreibtische den Zeitungsabschnitten zu und überprüfen Sie Ihre Vermutungen.

Der Schreibtisch als Produkt seiner Zeit

Technische Innovationen verändern unsere Arbeitsplätze.

a

1 Neben Akten und Stempeln ein Telefon mit Wählscheibe: ein typischer Schreibtisch aus den 1970ern in Europa. Rauchen am Arbeitsplatz war erlaubt und auch ein Gläschen Alkohol war kein Problem.

b

2 Die Technisierung schreitet voran, indem Taschenrechner, Digitaluhren und elektrische Schreibmaschinen in den 1980ern Einzug ins Büro halten. Das Telefon bekommt Tasten.

3 Die Schreibmaschine wird in den 1990ern vom Computer abgelöst. Daten werden auf Disketten gespeichert und Drucker und Faxgeräte vereinfachen den Briefverkehr.

c

4 Faxgeräte können um 2000 drucken, scannen und kopieren, und Notebooks machen den stationären Computern Konkurrenz. Die Teeküche hat ausgedient - Kaffee „to go“ aus dem Coffeeshop ist in.

e

5 Der eigene Schreibtisch verschwindet in den 2010er Jahren immer mehr, gearbeitet wird auch mal im Stehen. Während der Monitor größer wird, schrumpft die Tastatur oder beides wird durch ein Tablet ersetzt.

d

d) Hat sich der Schreibtisch in Ihrem Land ähnlich verändert? Berichten Sie.

3 Mein Schreibtisch – meine Seele, meine Zeit?

Ü1–3

a) Informieren Sie sich gegenseitig über die Inhalte der beiden Artikel S. 44–45.

b) Und Ihr Schreibtisch? Was steht darauf? In welche Zeit passt er? Was sagt er über Sie? Berichten Sie.

2 Innovationsbereich Arbeitsplatz

1 In der Werkstatt, im Büro, zu Hause, im Außendienst, am Computer, mit Kollegen ...

Ü4 **Wo und wie würden Sie gerne arbeiten? Sammeln und berichten Sie.**

Redemittel

über Vorlieben und Präferenzen sprechen

... ist für mich wichtig, deshalb würde ich gerne in ... arbeiten. / Nein, das wäre mir zu ...
Weil ich gerne mit/bei ... arbeite, gebe ich ... den Vorzug. / würde ich lieber ...
Ich ziehe es vor, ... zu arbeiten. / Ich arbeite mit Vorliebe ... / Meine Präferenz liegt (eindeutig/ohne Zweifel) auf einer Tätigkeit in ... / ... gilt für mich auch/nicht/nach wie vor. / Ich mag es (lieber), wenn ... / Ich bevorzuge ... / ... kommt für mich (überhaupt) nicht in Frage.

2 Bürokonzepte 2020

Ü5–6

a) Lesen Sie den Artikel aus einem Wirtschaftsmagazin und beantworten Sie die Fragen.

1 Was sind die wichtigsten Ursachen für die Veränderung der Bürolandschaft?
2 Welches zentrale Ziel verfolgen Arbeitgeber mit der Umgestaltung der Arbeitsplätze?
3 Warum werden innovative Bürokonzepte oft mit einem Marktplatz verglichen?
4 Worin liegen nach Meinung vieler Ärzte die Ursachen für Herz-Kreislauf-Erkrankungen und andere gesundheitliche Probleme von Arbeitnehmern?
5 Durch welche Maßnahmen wollen Arbeitgeber die neuen Bürokonzepte den Beschäftigten schmackhaft machen?

Management

Vom Burgbesitzer zum Nomaden

Derzeit findet in vielen großen Unternehmen ein Wandel statt – weg vom ungeliebten Großraumbüro hin zu neuen Arbeitsplatzkonzepten, die den Unternehmenserfolg steigern sollen.

Die Entwicklungen auf dem Gebiet der Informations- und Kommunikationstechnologie (IT) führen zu grundlegenden Veränderungen der Arbeitsweise und Büroorganisation.

„Neue Technologien verbessern den Austausch von Informationen"

Dank der neuesten Technologien ist effiziente Arbeit nicht mehr an einen persönlichen Schreibtisch gebunden. Viele Arbeitgeber glauben, Internet, E-Mail und soziale Netzwerke verbesserten die Kontaktpflege und den schnellen, zeit- und ortsunabhängigen Austausch von Informationen. Bis 2020 wollen deshalb viele Unternehmen ihre Büroraumgestaltung daran angepasst haben. Innovative Bürokonzepte bieten einerseits Chancen, das Büro zu einem „Marktplatz des Wissens" und zum „Zentrum der Kollaboration" zu machen. Andererseits müssen sie auf die individuellen Bedürfnisse des Unternehmens und seiner Mitarbeiterinnen und Mitarbeiter abgestimmt werden.

Kommunikation fördern durch Mobilität

Neue, mobile Bürokonzepte sind vor allem durch den Aufbau kommunikationsfördernder Arbeitslandschaften gekennzeichnet.

„Die Teambildung unterstützen"

Die isolierte Arbeitsweise im Einzelbüro soll durch eine flexibel nutzbare „Bürolandschaft" mit unterschiedlichen Begegnungsmöglichkeiten für alle Mitarbeiter abgelöst werden. Es gelte, so die Befürworter, sowohl die Kreativität des Einzelnen als auch die Bildung von Teams sowie Arbeitsprozesse und -abläufe zu unterstützen. Studien belegen den Vorteil des Konzepts: je mehr Begegnung, desto mehr Kommunikation, desto mehr Ideen und Innovationen. Solche grundlegenden Veränderungen brächen jedoch mit manchen liebgewonnenen Traditionen, meinen die Kritiker.

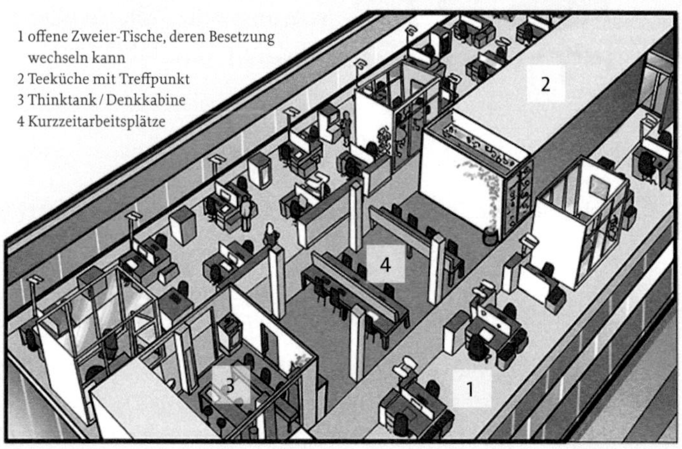

Das Beispiel Deutz-Pharma GmbH & Co. KG

Auf dem Weg zum Büro der Zukunft hat Dr. Matthias Fuchs, der Personalchef der Deutz-Pharma GmbH & Co. KG, eine Armee von Plastik-Schlümpfen und Teddys von den Schreibtischen seiner Mitarbeiter vertrieben.

„Es sind Gespräche vorausgegangen, aber…"

Eigene Schreibtische gibt es nicht mehr. Jeder Tisch wird abends geräumt und am nächsten Morgen von einem anderen Mitarbeiter besetzt. Ende 2013 war der Bau einer neuen Firmenzentrale der Startschuss für das papierlose Büro mit flexiblen Schreibtischen. Bei der Konzeption ist aufgefallen, dass nicht alle Kollegen jeden Tag im Büro sind. Demzufolge wäre es Geldverschwendung gewesen, für jeden einen eigenen Platz einzuplanen. Fuchs ersetzte kurzerhand die Lieblings-Mousepads durch einheitliches Zubehör und ließ alle heimlichen Platzhalter entfernen. Nicht ohne den Widerstand der Mitarbeiter, obwohl Gespräche mit allen vorausgegangen seien. Der Personalchef merkte schnell, dass sich seine Leute ohne Probleme auf die Espresso-Maschine in der „chill out"-Zone einstellten, gleichwohl trauerten sie dem Pferdekalender auf dem Schreibtisch lange hinterher.

Freie Platzwahl nur bei Beratern und in Kreativberufen

Eine Umfrage bei 18 großen Arbeitgebern bestätigt: Ob Telekom oder Deutsche Bank, Daimler oder Bayer – alle haben noch feste Sitzordnungen, auch wenn nur ein Teil der Belegschaft täglich da ist. Eine Ausnahme bilden allerdings die Unternehmensberatungen, also die Branche, die die neuen Bürokonzepte für Firmen entwickelt. Auch die Kreativ-Branche in den Innovationszentren Berlin oder Hamburg sitzt an gemieteten Schreibtischen. Die stehen dann oft im trendigen „Coffice", einer Mischung aus Café und Office, oder in den sogenannten Coworking-Spaces, also Großraumbüros, die einzelne Arbeitsplätze an selbstständig arbeitende Personen oder (Klein-)Unternehmen vermieten. Von den Großen sagt indessen nur Siemens den festen Sitzordnungen den Kampf an. Das Unternehmen will bis 2018 seine weltweit 140 000 Mitarbeiter in flexible Bürolandschaften gesetzt haben.

„230 Arbeitsformen möglich"

Mögliche Bedenken der Beschäftigten räumt ein Siemens-Sprecher aus: „Die Kolleginnen und Kollegen werden schnell verstehen, dass ihnen das neue Bürokonzept Freiheit schenkt." Ein Beispiel sei die freie Wahl zwischen 230 Arbeitsformen, schwärmt er. Der Mitarbeiter könne zwischen unterschiedlichen Arbeitszonen mit Einzel- oder Gruppentischen, offenen Besprechungsbereichen, Teamsitzungsräumen oder schalldichten Telefonzellen je nach Bedarf wechseln. „Hierfür werden sich alle begeistern, denn das ist wie ein Marktplatz, der mit seinen kleinen Geschäften und Cafés ja auch unterschiedliche Plätze zur Begegnung und Kommunikation bereitstellt", glaubt der Siemens-Sprecher.

Gegenstimmen werden laut

„Beschäftigte, die ihre Arbeitsumgebung selbst gestalten können, arbeiten zufriedener", sagt Betriebsärztin Dagmar Venohr. Sie seien ohnehin durch das Mobiltelefon und die ständige Erreichbarkeit enorm belastet. „Der Druck steigt und es gibt keine Grenze mehr zwischen Arbeits- und Freizeit", klagt sie und befürchtet, dass flexible Arbeitsplätze psychische und Herz-Kreislauf-Erkrankungen verstärken werden. Unternehmen versüßen daher neue Bürokonzepte oft durch die Einführung von Telearbeit oder einer flexiblen Arbeitszeitgestaltung, etwa zur besseren Vereinbarkeit von Familie und Beruf.

„Zeitverlust durch Schreibtischsuche erheblich"

Dass moderne Bürogestaltung die Menschen kreativer mache, bezweifeln auch viele Psychologen. „Kreativität hat etwas mit Intelligenz zu tun, nicht mit Möbeldesign", meint Christoph Eilert, Arbeitspsychologe an der Heinrich-Heine-Universität Düsseldorf. Ihn wundert es nicht, dass Brainstorming am besten spontan in der Teeküche stattfindet oder am runden Tisch ohne feste Sitzordnung. „Entscheidend ist auch nicht, wo man um einen Tisch herumsitzt, sondern wer dort zusammensitzt und wie offen oder hierarchisch das Verhältnis der Mitarbeiter zueinander ist. Bei einem Chef, der keinen neuen Vorschlag seiner Mitarbeiter akzeptiert, ist es egal, ob der Tisch aus Holz oder Glas ist. Flexible Schreibtische erzeugen außerdem einen erheblichen Zeitverlust am Morgen, denn erst sucht der Mitarbeiter seinen Platz und dann die Kollegen".

b) Welchen Arbeitsplatz würden Sie nach der Lektüre des Artikels bevorzugen: den eigenen, festen Schreibtisch oder den mobilen Arbeitsplatz? Begründen Sie.

3 Die mobile Arbeitslandschaft. **Sehen Sie sich die Zeichnung auf S. 46 an. Überlegen Sie, welche Orte für welche Tätigkeiten gedacht sind. Vergleichen Sie im Kurs.**

a lockerer, spontaner Ideenaustausch
b stilles Nachdenken
c flexibles Arbeiten, da wo gerade Platz ist
d nur kurz reinkommen und einen Bericht schreiben

4 **Wie würden Sie es sagen?**

Ü7

a) Analysieren Sie das Textbeispiel. Welche Passagen / Formulierungen entsprechen sich? Markieren Sie.

> *…ung unterstützen“*
>
> Die isolierte Arbeitsweise im Einzelbüro soll durch eine flexibel nutzbare „Bürolandschaft“ mit unterschiedlichen Begegnungsmöglichkeiten für alle Mitarbeiter abgelöst werden. Es gelte, so die Befürworter,

In einem Einzelbüro arbeitet jeder für sich allein. Deshalb soll es durch eine „Bürolandschaft“ ersetzt werden, in denen die Mitarbeiter miteinander in Kontakt kommen.

b) Formulieren Sie folgenden Satz (Z. 73–76) um und vergleichen Sie Ihre Versionen.

Ende 2013 war der Bau einer neuen Firmenzentrale der Startschuss für das papierlose Büro mit flexiblen Schreibtischen.

c) Geben Sie den Text Z. 31–56 in eigenen Worten wieder. Berichten Sie dann, ohne in den Text zu schauen.

5 **Sätze und Satzteile verbinden – Verbindungsadverbien.** **Verbindungsadverbien verbinden in einem Text Sätze oder Satzteile logisch miteinander. Markieren Sie die Verbindungsadverbien im Artikel und ordnen Sie ihre Funktion zu.**

Ü8

Verbindungsadverb	Funktion
allerdings 1	a etwas geschieht, obwohl etwas dagegen spricht
demzufolge 2	b drückt eine Einschränkung aus
indessen 3	c leitet Folge / logischen Schluss aus vorher Gesagtem ab
gleichwohl 4	d drückt ein Ziel / einen Zweck aus
hierfür 5	e drückt eine Einschränkung aus

6 **Anglizismen im Deutschen.** **Markieren Sie die Anglizismen im Artikel auf S. 47. Sprechen Sie die Wörter laut. Kontrollieren Sie mit der CD.**

1.15 Ü9

7 **Mein Schreibtisch – meine Burg? Pro und Kontra eigener Arbeitsplatz**

Ü10

a) Vergleichen Sie die Perspektiven der Arbeitgeber und Unternehmensberater mit der der Arbeitnehmer, Ärzte und Psychologen in dem Artikel auf S. 46/47. Finden Sie weitere Argumente.

Arbeitgeber, …	*Arbeitnehmer, …*
mehr Kommunikation	*einen eigenen Bereich haben …*

b) Welcher Seite schließen Sie sich an? Begründen Sie.

c) Bürolandschaft oder …? Die Bauhugo GmbH will ihr Bürokonzept modernisieren. Was empfehlen Sie und warum? Stellen Sie Ihr Bürokonzept vor.

Redemittel

jmdm. etwas empfehlen

Ich empfehle / ich rate (Ihnen/ihnen), … zu … / Ich kann hierfür (nur) empfehlen / raten, … zu … / … sollte darauf achten, … zu … / Ich schlage vor, … zu … / Anstatt … zu …, würde ich … / Ich kann … (nur) dazu ermutigen, … zu …. / Wie wäre es, wenn … / An Ihrer Stelle würde ich … / Sie sollten … mal probieren. / Allerdings sollten / müssten Sie …

8 Aussagen wiedergeben

Ü11

a) Markieren Sie Sätze in der indirekten Rede im Artikel auf S. 46/47. Woran haben Sie sie erkannt?

b) Vergleichen Sie die folgenden Sätze. Was verändert sich, wenn Fragen, Bitten und direkte Aufforderungen im Konjunktiv I wiedergegeben werden? Achten Sie auf Interpunktion, Pronomenwechsel und Modalverben.

1 Die Betriebsärztin klagt: „Der Druck steigt und es gibt keine Grenze mehr zwischen Arbeits- und Freizeit".
Die Betriebsärztin meint, der Druck steige und es gebe keine Grenze mehr zwischen Arbeits- und Freizeit.

2 Der Journalist fragt den Personalchef: „Haben Sie Ihr Bürokonzept schon umgesetzt?"
Der Journalist will vom Personalchef wissen, ob er sein Bürokonzept schon umgesetzt habe.

3 Er fragt: „Welche Probleme hatten Sie dabei?"
Er will in Erfahrung bringen, welche Probleme er dabei gehabt habe.

4 Er bittet den Personalchef: „Zeigen Sie mir bitte noch die Coworking-Spaces."
Er schlug dem Personalchef vor, er möge ihm (bitte) noch die Coworking-Spaces zeigen.

5 Der Personalchef sagt dem Mitarbeiter: „Stellen Sie die Espresso-Maschine hier hin!"
Der Personalchef verlangt von dem Mitarbeiter, er solle/müsse/möge die Espresso-Maschine dorthin stellen.

Minimemo
Die indirekte Rede wird in schriftlichen Texten verwendet, um Objektivität auszudrücken und Distanz zu den wiedergegebenen Aussagen anderer zu schaffen.

c) Welcher Satz aus b) passt jeweils dazu? Ordnen Sie zu.

Regel In der indirekten Rede mit Konjunktiv I ...

- ❑ wird der Imperativ durch *sollen/müssen/mögen* wiedergegeben.
- ❑ wird eine höflichen Bitte oder Empfehlung mit *mögen* wiedergegeben.
- ❑ werden ja/nein-Fragen zu einem Nebensatz, der mit ob eingeleitet wird
- ❑ werden W-Fragen zu indirekten Fragen (Nebensatz). Das konjugierte Verb steht am Ende.

d) Markieren Sie die Verben des Sagens und Sprechens in b). Sammeln Sie weitere.

klagen, ...

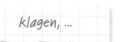

9 Simon Fey, 25, App-Entwickler, hat einen Arbeitsplatz in einem „Coworking-Space"

Ü12

a) Sehen Sie sich das Foto an und sammeln Sie, was Sie über Coworking-Spaces wissen.

1.16

b) Hören Sie das Interview, machen Sie Stichpunkte zu Simon Feys Arbeitssituation und berichten Sie.

c) Geben Sie die Fragen und Aussagen sinngemäß in der indirekten Rede wieder. Nutzen Sie auch die Verben aus 8 d).

Simon erzählt, ...
Der Journalist möchte wissen, ...

Minimemo
Indirekte Rede: Personal- und Possessivpronomen angleichen sowie Ortsangaben anpassen:
„Ich habe hier meinen kompletten Arbeitsplatz ..."
→ Er sagt, er habe dort seinen kompletten Arbeitsplatz ...

10 Informationen einbeziehen – Meinungen überdenken.

Würden Sie mit den neuen Informationen Ihre Arbeitsplatzpräferenzen aus 1 ändern? Begründen Sie, warum (nicht).

3 Der Motivationsbrief – die 3. Seite der Bewerbung

1 Motivation. **Vergleichen Sie die Definitionen. Finden Sie Gemeinsamkeiten und Unterschiede und formulieren Sie eine eigene Definition.**

Unter **Motivation** (lat. *movere* = sich bewegen) versteht man eine psychische Kraft, die das Verhalten antreibt, beeinflusst und die entscheidet, ob eine Handlung ausgeführt oder unterlassen wird. M. ist die Voraussetzung für die Umsetzung von Zielen und erfolgreiches Handeln.

Motivation = Aktivität zum Erreichen eines Ziels

Motivation (Psychologie, Pädagogik): Gesamtheit der Beweggründe und Einflüsse, die eine Entscheidung, Handlung o. Ä. beeinflussen, zu einer Handlungsweise anregen

2 Motivation in Ausbildung, Studium oder Beruf

Ü13

a) Welche Ziele wollen Sie beruflich erreichen? Bringen Sie die für Sie wichtigsten fünf Ziele in eine Reihenfolge (**1–5**). Was ist für Sie völlig unwichtig?

- ❑ Spaß an der Arbeit/am Studium haben
- ❑ MitarbeiterInnen führen
- ❑ viel Verantwortung tragen
- ❑ Anerkennung bekommen
- ❑ ein sicheres Einkommen haben
- ❑ innovativ sein und neue Inhalte entwickeln
- ❑ Arbeit kreativ gestalten
- ❑ schnell Karriere machen
- ❑ in einem internationalen Unternehmen arbeiten
- ❑ Beruf und Familie vereinbaren

b) Vergleichen und begründen Sie Ihre Gewichtung.

Redemittel

eine Gewichtung darstellen und begründen

An erster Stelle steht für mich ..., denn ... / ... und ... stehen für mich im Vordergrund. / ... ist für mich zentral / von besonderer Bedeutung / ... kommt zuallererst. / An zweiter Stelle steht ..., dann/(erst)/danach kommt ... / Als nächstes/letztes ist für mich ... bedeutend/entscheidend, denn ... / ... ist für mich am unwichtigsten / ... spielt für mich (überhaupt) keine Rolle.

3 Einen Motivationsbrief analysieren. **Lesen Sie die Tipps und den Motivationsbrief von Stefano Ruffo. Notieren Sie die Zeilen, die zu den Tipps passen.**

Ü14–15

Tipps zum Verfassen eines Motivationsbriefes

	Zeilen
1 Zunächst sagt man, wer man ist, was man will und was die Motivation für die Bewerbung ist.	____
2 Beschreibung des bisherigen Studiums / der Ausbildung, Schwerpunkte, Interessen und erworbene Fähigkeiten	____
3 Angabe der (späteren) beruflichen Ziele und warum dieses Studienprogramm für das Erreichen besonders geeignet ist	____
4 Herausstellen der persönlichen Eignung für das Studienprogramm	____
5 bisherige außeruniversitäre Erfahrungen (politisches/ehrenamtliches Engagement)	____
6 Schlusssatz	____

Landeskunde

Bei Bewerbungen für einen Studiengang, ein Stipendium oder ein Praktikum fordern Hochschulen oder Arbeitgeber immer öfter einen Motivationsbrief. Nach dem Anschreiben und dem tabellarischen Lebenslauf ist er der dritte Teil einer Bewerbung.

Stefano Ruffo, Bachstr. 7, 14476 Potsdam, Tel.: 0170 77 03 600, E-Mail: s.ruffo@web.de

Ludwig-Maximilians-Universität München
Fakultät für Betriebswirtschaft
Geschwister-Scholl-Platz 1
80539 München

Potsdam, 15.06.2015

Sehr geehrte Damen und Herren,

auf der Suche nach einem geeigneten Studienplatz für ein Masterstudium bin ich auf Ihren Studiengang gestoßen und wäre stolz, bei Ihnen studieren zu dürfen.

Mit einem voraussichtlich guten Abschluss im Bachelor-Studiengang Betriebswirtschaftslehre (BWL) an der Universität Potsdam und einer Bachelor-Arbeit im Bereich „Digitales Marketing" entspricht der von Ihnen angebotene Master in Onlinemarketing meinen bisherigen Studieninteressen und -erfahrungen und ist die für mich geeignete Fortsetzung meines Studienweges.

Die Marketing-Vorlesungen meines Bachelorstudiums waren immer interessant. Mein persönliches Interesse an verschiedenen Formen der Kommunikation hat mir dabei sehr geholfen. Um das theoretische Wissen zu verdeutlichen, haben wir uns an der Universität Potsdam immer gleich mit praktischen Beispielen beschäftigt.

Erste Praxis-Erfahrungen konnte ich während eines mehrmonatigen Praktikums in der Marketingzentrale der Firma REWE in Köln sammeln. Weil ich Probleme kreativ gelöst habe, bin ich sofort den Kollegen aufgefallen, was kein Wunder ist, denn ich leite in meiner Freizeit Kurse in der Kinder-Kunstschule.

In meiner beruflichen Zukunft möchte ich eine leitende Position im Marketing eines internationalen Unternehmens besetzen. Dies setzt vor allem vertiefte Kenntnisse in den Bereichen des E-Commerce und der E-Media-Planung voraus, um Kundenwünsche zu analysieren und zu verstehen. Das Studienprogramm Ihrer Hochschule bietet die genannten Bereiche in den Pflicht- und Wahlmodulen an und entspricht damit meinen Interessen in besonderem Maße.

Ich bin überzeugt, dass ich das fachliche Studium an Ihrer Hochschule mit großem Engagement absolvieren werde. Außerdem könnte ich in einer abwechslungsreichen Stadt mit zahlreichen Freizeit- und Kulturangeboten und einer grünen Umgebung studieren.

Der angebotene Master-Studiengang bietet auch die Möglichkeit, ein Auslandspraktikum zu absolvieren. Da internationale Erfahrungen viel bedeuten, möchte ich solch ein Praktikum machen. Mir ist bewusst, dass Ihre Hochschule nur eine begrenzte Anzahl von Studienplätzen vergibt. Trotzdem bin ich sicher, dass mein bisheriger akademischer Werdegang in Kombination mit meinen praktischen Erfahrungen es mir ermöglicht, Ihre hohen Erwartungen zu erfüllen und mich engagiert in das Leben und Arbeiten rund um die Universität einzubringen. Über eine positive Entscheidung zu meiner Bewerbung würde ich mich daher sehr freuen.

Mit freundlichen Grüßen

Stefano Ruffo

Kommentar [AF1]: Wie soll man denn sonst auf einen Studiengang stoßen? Satz streichen

Kommentar [AF1]: Begeisterung besser durch Inhalte zum Ausdruck bringen, z. B.: „Ihr Programm überzeugt durch die Verbindung von … und … und motiviert mich zur Bewerbung als …" Oder: streichen und mit 2. Satz beginnen.

Kommentar [AF1]: Satz hat keine Aussagekraft. Besser: Im BA-Studiengang Wirtschaftswissenschaften konnte ich mir sowohl wirtschaftliche als auch mathematische Fähigkeiten aneignen und mein Wissen in den Schwerpunkten Marketing und Informatik vertiefen.

Kommentar [AF1]: Eigenlob stinkt! Besser: Hier konnte ich meine kreativen Problemlösungen unter Beweis stellen, die ich auch durch meine Tätigkeit als Kursleiter in der Kinder-Kunstschule regelmäßig trainiere.

Kommentar [AF1]: Man bewirbt sich auf einen Studienplatz, nicht für eine Stadt. Besser: „Durch die gute Vernetzung zwischen Hochschule und Unternehmen bieten sich den Studierenden vielfältige Praktikumsmöglichkeiten."

Kommentar [AF1]: Aha, und warum bedeuten sie viel? Besser: Da ich nach dem Studium in einem internationalen Unternehmen arbeiten möchte, würde mir das Auslandspraktikum helfen, erste internationale Erfahrungen zu sammeln.

Kommentar [AF1]: Kürzer. Besser: Leider ist die Zahl der Studienplätze begrenzt, aber ich bin überzeugt, Ihren hohen Erwartungen zu entsprechen.

4 Nominalisierung – Verbalisierung: Final- und Kausalsätze. **Wählen Sie einen passenden Konnektor *um … zu/damit* oder *weil/da*. Schreiben Sie die Sätze um und vergleichen Sie mit den Formulierungen im Motivationsbrief.**

Ü16

1 **Wegen** meiner kreativen Problemlösungen bin ich den Kollegen sofort aufgefallen.
kausal:

2 **Zur** Verdeutlichung der Theorie haben wir uns mit praktischen Beispielen beschäftigt.
final:

5 Feedback annehmen und geben

a) Welche Passagen im Brief gefallen Ihnen (nicht) gut? Begründen Sie.

b) Überarbeiten Sie den Motivationsbrief mithilfe der angenommenen Kommentare. Berücksichtigen Sie auch die Final- und Kausalsätze aus 4.

4 Komm, mach MINT!

MINT | Zukunftsberufe für Frauen

MINT – Was heißt das?

MINT ist keine Farbe und kein Kaugummi-Geschmack, es ist die Abkürzung für Mathematik, Informatik, Naturwissenschaften und Technik. MINT-Berufe haben Zukunft, weil der Bedarf an naturwissenschaftlich-technisch qualifizierten Fachkräften in den kommenden Jahren steigen wird. Die Arbeitgeber befürchten einen Mangel an Nachwuchs mit MINT-Qualifikationen und wollen mit Kampagnen wie „Komm, mach MINT!" besonders junge Frauen für die Berufsfelder interessieren. Denn es entscheiden sich z. B. nur 15–20 Prozent aller Studienanfängerinnen für ein Studium im Bereich der Mathematik und Naturwissenschaften. In den Ingenieurwissenschaften sind es sogar nur 10 Prozent. Und dies, obwohl das Studien- und Ausbildungsangebot von der Agrarökologie bis zur Physiklaborantin reicht.

Karrierewege z. B. in der Chemie oder

in der Nanotechnologie

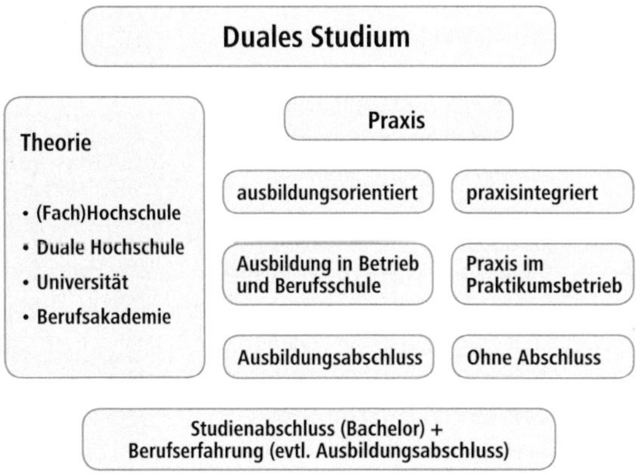

Duales Studium – Hörsaal trifft Labor, Büro oder Werkstatt

Studium oder Ausbildung? Wissenschaft oder Praxis? Das duale Studium bietet eine Verbindung von wissenschaftlichen Grundlagen und Methoden (Theorie) mit berufspraktischen Erfahrungen oder auch einer Ausbildung im Unternehmen. Absolventinnen und Absolventen dualer Studiengänge haben am Ende beides, einen Studienabschluss und erste Berufserfahrungen.

Auf www.komm-mach-mint.de mehr über MINT-Berufe recherchieren!

1 MINT-News. **Lesen Sie den Text „MINT-Was heißt das?" aus der Broschüre. Erklären Sie das Akronym MINT, warum es wichtig ist, was die Ziele der Kampagne sind und warum sie notwendig ist.**

Ü17

2 Eher Naturwissenschaften oder eher Technik?

a) Lesen Sie den Text „Frauen und MINT – eine lange Geschichte!" und sammeln Sie zentrale Informationen zu den Erfinderinnen.

b) Welche Informationen waren Ihnen (un)bekannt bzw. waren für Sie überraschend? Berichten Sie.

Frauen, die z. B. als Ingenieurinnen arbeiten, sind bei uns auch eine Ausnahme.

3 Theorie oder Praxis? Duales Studium! **Sehen Sie sich die Grafik und den Text dazu an. Verdeutlichen Sie den Zusammenhang der Theorie- und Praxisanteile durch Pfeile in der Grafik. Erklären Sie dann, was ein duales Studium ist.**

Mathematik Informatik Naturwissenschaften Technik

Frauen und MINT – eine lange Geschichte!

Frauen haben schon immer im MINT-Bereich geforscht. Aber bis zur Änderung des Gesetzes war alles, was eine Frau besaß – also auch ihre Erfindungen – Eigentum ihres Mannes. Erst seit der ersten Anmeldung eines Patents durch eine Frau im Jahre 1809 sind die Erfolge der Frauen besser dokumentiert. So hat z. B. Melitta Bentz, eine Hausfrau aus Dresden, auf den Boden eines löchrigen Topfes ein Löschblatt gelegt, darauf Kaffeepulver geschüttet und auf diese Konstruktion Wasser gegossen – die Geburtsstunde der „Melitta"-Filtertüte, die 1908 ihr Patent bekam. Kurz vor Ausbruch des ersten Weltkriegs 1914 hat die erste deutsche Luftakrobatin, Käthe Paulus, den faltbaren Fallschirm entwickelt, der vielen Soldaten das Leben rettete. Nach jahrelanger Forschung hat die österreichisch-schwedische Kernphysikerin Lise Meitner 1939 zusammen mit Otto Frisch die erste physikalisch-theoretische Erklärung der Kernspaltung geliefert. Während der gemeinsamen Arbeit konnten sie auch die Kenntnisse über die Radioaktivität erweitern. Beim Wiederaufbau der Schott Glaswerke nach 1945 spielte die Glaschemikerin Marga Faulstich eine wichtige Rolle. International bekannt ist sie für die Erfindung des leichten Brillenglases. Ihre Forschungen bilden noch heute eine Grundlage für Sonnenbrillen, entspiegelte Brillengläser oder Glasfassaden.

Anja Pohl, 21, Studentin an der FH Köln

Ihre Freizeit verbringt Anja Pohl am liebsten mit Sport. Im Alltag wechselt sie zwischen Labor und Hörsaal, denn Anja studiert technische Chemie im dualen Studiengang mit Abschluss Bachelor of Science (B. SC.). Praktische Erfahrungen sammelt sie während der Ausbildung bei Bayer in Leverkusen. Wie das funktioniert, erzählt sie im Interview.

Melitta Bentz

Lise Meitner

Käthe Paulus

Marga Faulstich

4 Im dualen Studiengang

Ü18

a) Lesen Sie den Info-Text über Anja Pohl. Markieren Sie in der Grafik, welchen Ausbildungs- und Studienweg sie nimmt.

1.17

b) Hören Sie das Interview. Machen Sie Notizen zu den Punkten Studium, Ausbildungsweg, Ausbildungsinhalte, persönliche Motivation, Berufsvorstellung, Zukunftspläne.

5 Nominalisierung – Verbalisierung: Temporalsätze

Ü19

a) Markieren Sie im Text „Frauen und MINT" *nach, seit, bei, bis zu, vor* und *während* und sammeln Sie die Nominalisierungen.

Beim Wiederaufbau der Schott Glaswerke nach 1945 spielte

b) Wandeln Sie die Nominalisierungen in Nebensätze mit den Konnektoren *bis, bevor, seitdem, nachdem, als* und *während* um.

6 Werbung für MINT auch bei Ihnen? **Gibt es Bedarf an Arbeitskräften im MINT-Bereich? Wie hoch ist der Frauenanteil in MINT-Berufen? Recherchieren Sie die Situation in Ihrem Land und vergleichen Sie.**

5 Ungewöhnliche Karrieren

1 Die Masche zieht

Ü20

a) Lesen Sie den Magazinartikel und sammeln Sie Informationen zur Geschäftsidee, ihrer Entstehung, zu den Gründern und zum Mützen-Generator. Wie finden Sie die Idee?

Karriere mit der (Häkel)Nadel – Geschickt eingefädelt

Manchmal spielt der Zufall eine größere Rolle als der Uni-Abschluss

Japan im Schneesturm 2009, Langeweile macht sich in der eingeschneiten Skihütte breit. Thomas Jaenisch und Felix Rohland, Studenten und Skilehrer im Austauschsemester, halten zum ersten Mal eine Häkelnadel in der Hand – und hängen sofort am Haken. Mit viel Lust und Laune entstehen Wollmützen in allen Farben. Und was keiner geglaubt hätte: die Masche zieht. Noch in Japan verkaufen die beiden ihre Mützen quasi vom Kopf weg. Der Zeitvertreib im Schneesturm wurde zur Grundlage einer Geschäftsidee. Da das Geschäft in Japan begann, heißt es „myboshi" (*boshi:* japan. Mütze) und hat über 58.000 Likes auf Facebook. Doch myboshi ist nicht irgendeine Mütze – der Clou ist der Mützen-Generator, mit dem sich jeder auf der Homepage eine individuelle Mütze zusammenstellen kann. Himmelblau, grasgrün, schweinchenrosa oder alles zusammen, gestreift, gepunktet oder kariert, mit Bommel oder ohne – Skilehrer wissen eben, worauf es bei einer Mütze ankommt.

Wieder zurück in Deutschland haben die beiden Gründer ihr Studium abgeschlossen (Thomas Jaenisch Wirtschaftsingenieurwesen, Felix Rohland Lehramt) und beschäftigen heute über 30 Mitarbeiterinnen. Die meisten sind über 65. „Das ist kein klassisches Chef-Angestellten-Verhältnis, ich würde es eher als Oma-Enkel-Verhältnis bezeichnen", sagt Thomas Jaenisch. „Hätte das nicht geklappt, hätte ich mich in meinem Beruf beworben." Doch das Thema ist bei über 300 Bestellungen täglich vom Tisch. Neben den handgemachten Boshis auf Bestellung gibt es auch Sets mit Wolle, Nadel und Anleitung zum Selberhäkeln. Warum das Unternehmen so schnell zum Megaerfolg wurde, erklärt sich Thomas Jaenisch so: „Das Leben wird immer schneller, immer mehr Informationen prasseln auf uns ein. Häkeln ist dagegen eine entspannende, meditative Tätigkeit. Zudem hat man bei unseren Produkten schnell ein Erfolgserlebnis. Man kann eine Boshi an einem Abend fertig machen und am nächsten Tag aufsetzen." Joggen, Mountainbike fahren und Klettern – Thomas Jaenisch und Felix Rohland halten sich mit Outdoor-Sport für den Alltag fit. Nur das Skifahren kommt ein bisschen zu kurz. Ausgerechnet wenn Schnee liegt, ist die Mützennachfrage am größten!

b) Markieren Sie die Wortverbindungen im Text und ordnen Sie die Erklärungen zu.

Wortverbindung			Erklärung
Wenn jmd. etwas geschickt einfädelt,	1	a	dann ist das der Höhepunkt einer Sache.
Wenn jmd. am Haken hängt,	2	b	dann denkt man darüber nicht (mehr) nach.
Wenn die Masche zieht,	3	c	dann funktioniert ein Plan, eine Idee oder ein Trick gut.
Wenn etwas der Clou ist,	4	d	dann plant jmd. etwas gut und setzt es um.
Wenn ein Thema vom Tisch ist,	5	e	dann macht er/sie bei einer Sache (un)bewusst mit.

2 Mütze statt Mathe, Achttausender statt Büro im 8. Stock ... **Recherchieren Sie weitere Beispiele für Menschen mit ungewöhnlichen Karrieren und stellen Sie sie im Kurs vor.**

Fit für Einheit 5?

Das kann ich auf Deutsch

▶ **über Vorlieben und Präferenzen sprechen (2.1)**

Ich würde mit Vorliebe ....

Nein, das wäre mir zu ....
Ich ziehe .... vor, weil ....

Das kann ich ☺ ❑ ☹ ❑ ▶ Ü 4

▶ **jemandem etwas empfehlen (2.7)**

Notebook oder Tablet? Ich kann mich nicht entscheiden! Können Sie mir was empfehlen?

Wenn Sie viel schreiben, sollten Sie .... probieren.

Das kann ich ☺ ❑ ☹ ❑ ▶ Ü 10

▶ **eine Gewichtung darstellen und begründen (3.2)**

Bei der Berufswahl steht für mich ....
an erster Stelle, weil ....

Das kann ich ☺ ❑ ☹ ❑ ▶ Ü 13

▶ **einen Motivationsbrief analysieren und Feedback geben (3.3)** Das kann ich ☺ ❑ ☹ ❑ ▶ Ü 14–15

Liebe Damen und Herren,

ich studiere im fünften Semester im Bachelor-Studiengang an der Universität Kassel und möchte mich Ihnen als geeignete Kandidatin für ein weiterbildendes Master-Studium an Ihrer Hochschule vorstellen.
Im Bachelor-Studium konnte ich besonders in den Schwerpunkten Marketing und Kommunikation mein Wissen aufbauen.

Grammatik

▶ **Sätze und Satzteile verbinden – Verbindungsadverbien (2.5)**

Die Mitarbeiter stellten sich schnell auf die neue Kaffee-Maschine ein. .... trauerten Sie ihren Plastikfiguren auf den Schreibtischen nach. Das kann ich ☺ ❑ ☹ ❑ ▶ Ü 8

▶ **Nominalisierung – Verbalisierung: kausal, final, temporal (3.4, 4.5)**

1 Wegen meines dualen Studiums habe ich sofort einen Job gefunden. ....
2 Zur Anwendung der Theorie habe ich auch während des Studiums Praktika gemacht. ....
3 Seit Abschluss meiner Ausbildung bin ich auf Jobsuche. ....

Das kann ich ☺ ❑ ☹ ❑ ▶ Ü 16, 19

▶ **Aussagen wiedergeben (indirekte Rede) (2.8 – 2.9)** Das kann ich ☺ ❑ ☹ ❑ ▶ Ü 11–12

Die Chefin sagt: „Sparen Sie bitte Papier!" / Die Chefin fordert von den Mitarbeitern, ...

Aussprache

▶ **Aussprache von Anglizismen im Deutschen (2.6)**

['maʊspɛd] – Mousepad Das kann ich ☺ ❑ ☹ ❑ ▶ Ü 9

5 Momentaufnahmen

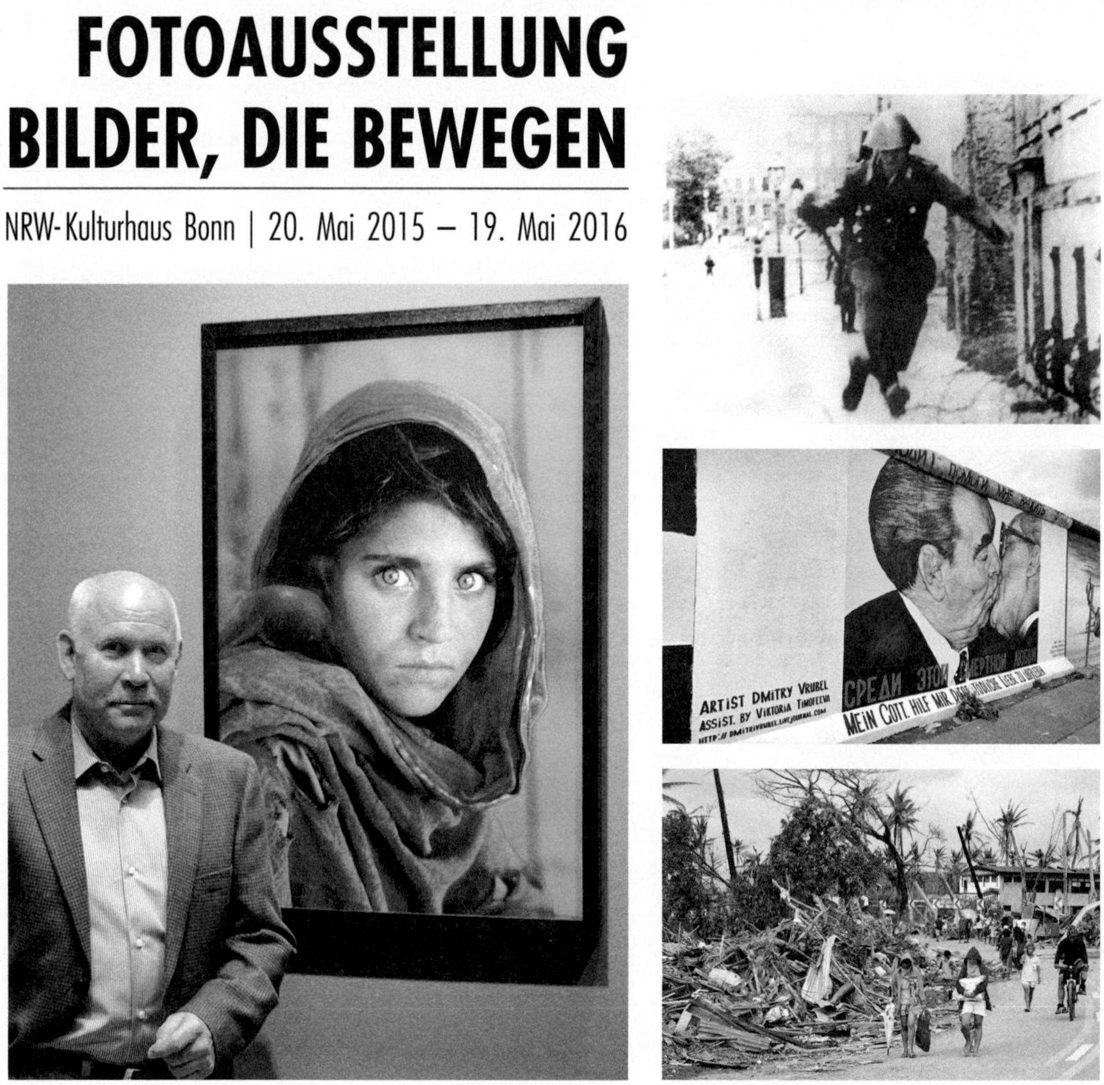

FOTOAUSSTELLUNG
BILDER, DIE BEWEGEN
NRW-Kulturhaus Bonn | 20. Mai 2015 – 19. Mai 2016
ARTIST DMITRY VRUBEL

1 Bilder, die bewegen

1 Fotos in einer Ausstellung

a) Sehen Sie sich das Ausstellungsplakat an. Welches Foto kennen Sie? Wo haben Sie es zum ersten Mal gesehen? Berichten Sie.

> **Redemittel**
>
> **über (Un-)Bekanntes sprechen**
> ... links oben / rechts unten / in der Mitte / ... kenne ich (nicht). /
> kommt mir nicht/total/irgendwie/echt bekannt vor. / ... habe ich schon irgendwo gesehen.
> ... kennt (ja/doch/nun) wirklich jeder! ... ging (damals) um die Welt!
> ... ist (wirklich/echt) weltberühmt/weltbekannt.
> ... muss man einfach kennen!

b) Was unterscheidet Urlaubsschnappschüsse von den Fotos dieser Ausstellung? Diskutieren Sie.

c) Entscheiden Sie in der Gruppe, ob Sie die Ausstellung besuchen würden. Begründen Sie.

Hier lernen Sie
- über Fotos und Optik sprechen
- Nähe und Distanz ausdrücken
- über ein Unternehmen sprechen
- komplexe Verbstellung im Nebensatz
- Wortakzent in Fremd-/Fachwörtern
- Wdh.: Passiv und Passiversatzformen

2 Fotogeschichte(n)

Ü1

a) Bilden Sie Hypothesen: Zu welchem Foto passen die Informationen? Ordnen Sie sie in einer Tabelle.

Titelbild *National Geographic* – Berlin – 1985 – Flüchlingslager
Steve McCurry: Kriegsfotograf – Mauerspringer – August 1961 – 2013
Volksarmist Conrad Schumann – sozialistischer Bruderkuss – Wirbelsturm Haiyan
1979 – Philippinen – Leonid Breschnew und Erich Honecker – viele Opfer
Gemälde East-Side-Gallery – Pakistan

Foto	Jahr	Aufnahmeort	Hintergrund
Titelbild ...			

1.18

b) Hören Sie das Interview mit Olivier Sens, Kurator der Ausstellung. Überprüfen Sie Ihre Zuordnung aus 2 a). Ergänzen bzw. korrigieren Sie Ihre Tabelle.

c) Über welches hier nicht abgebildete Foto spricht er noch? Sammeln Sie.

d) Welche Hintergrundgeschichte fanden Sie am spannendsten? Begründen Sie.

Oliver Sens, Kurator

3 Vom Selfie bis zur Dokumentation

Ü2

a) Welche Rolle spielen Fotos im Alltag? Sammeln Sie Ihre Ideen in einer Mindmap und stellen Sie sie vor. Die folgenden Begriffe helfen.

Momente festhalten – Wirklichkeit – Wirtschaft – Beweismittel – Erinnerung – Medizin – ...

b) Lieben Sie Fotos? Berichten Sie.

Redemittel

Nähe oder Distanz zu einer Sache ausdrücken
Fotos finde ich ... Fotografie ist mein Thema. ... ist (schon/echt/wirklich) spannend. / Es gibt nichts Spannenderes/Herausforderndere als ...
Dafür interessiere ich mich schon lange/seit ...
Fotos? Keine Ahnung, nie darüber nachgedacht.
Das Thema liegt mir (überhaupt/gar) nicht. / Das ist nichts für mich.
Damit kann ich (nun/echt/ehrlich/wirklich) gar nichts anfangen.
Ich habe zu ... gar keine Beziehung. / Ich habe keinen Draht zum Fotografieren.

4 Projekt. Ein Foto präsentieren.

Wählen Sie ein Foto aus, das Ihnen etwas bedeutet und stellen Sie es im Kurs vor. Begründen Sie Ihre Wahl.

2 Geschichte einer technischen Revolution

1 Geschichte der Fotografie

a) Was wissen Sie schon darüber? Sehen Sie sich die Überschriften und Bilder des Artikels an. Was kommt Ihnen bekannt vor, wovon haben Sie noch nichts gehört? Berichten Sie.

b) Diskutieren Sie vor dem Lesen folgende Fragen.

Wo findet man den Artikel? – Wer ist die Zielgruppe? – Worum könnte es in dem Artikel gehen?

2 Lesen Sie den Artikel. **Legen Sie einen Zeitstrahl an, der Schlüsselwörter, Namen und Daten enthält.**
Ü3 **Sammeln Sie Möglichkeiten, Informationen in knapper Form festzuhalten.**

Foto-Heute · 13/02 **FOTOGRAFIE-GESCHICHTE** 58

Giftige Quecksilberdämpfe, 8 Stunden Belichtungszeit, keine Farben? ALLES VERGANGENHEIT!

Sie lieben Fotografie und jagen dem perfekten Foto nach? Sie wissen alles über Kameratechnik? Aber kennen Sie sich auch mit der Geschichte der Fotografie aus? Hier ein Rückblick für technikverwöhnte LeserInnen.

von Magda Arnt-Reif, Fotoredakteurin

Vorläufer der Fotografie: *Camera obscura* – eine Lochkamera

Das Prinzip der *Camera obscura* ist bereits seit Aristoteles (4. Jhd. v. Chr.) bekannt. Der Begriff bedeutet so viel wie „Dunkle Kammer". In einem dunklen Kasten ist an einer Wandseite ein kleines Loch angebracht. Das durch dieses Loch einfallende Licht wird als umgekehrtes Bild auf der gegenüberliegenden Seite des Kastens an die Wand projiziert. Die *Camera obscura* wurde als Zeichenhilfe eingesetzt, sie war aber auch eine Attraktion. Manche der in England gebauten Modelle waren sogar begehbar. Bereits 1816 ließ sich erstmalig mit dieser Technik ein Bild festhalten. Joseph N. Niépce konnte es jedoch nicht fixieren, das heißt haltbar machen. Erst zehn Jahre später präsentierte er das erste alterungsbeständige Foto der Welt: Ein Blick aus seinem Arbeitszimmer im Format 20 x 25 cm, Belichtungszeit acht Stunden.

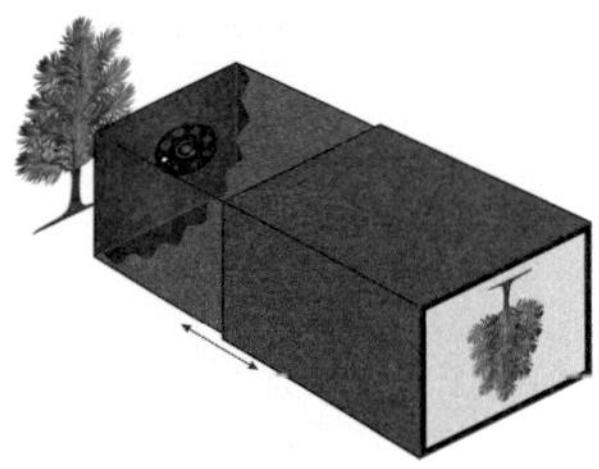

Modell einer Camera obscura

Neue Verfahren – Vom Unikat zur Massenvervielfältigung

Louis J. M. Daguerre, ebenfalls Fotopionier, erfand ein neues Verfahren: Fotografien wurden fortan mit Hilfe von Quecksilberdämpfen entwickelt und anschließend einer Fixierung in heißer Kochsalzlösung unterzogen. Doch diese Bilder auf Kupferplatten waren Unikate, d. h. sie konnten nicht

Louis J. M. Daguerre

vervielfältigt werden und waren quecksilberhaltig. Zeitgleich wurde von William H. F. Talbot ein Verfahren eingeführt, mit dem Negative hergestellt und daraus Positive entwickelt werden konnten. Damit war die Grundlage gelegt worden, Bilder zu vervielfältigen und der Siegeszug der Fotografie war nicht mehr aufzuhalten. Porträtaufnahmen erfreuten sich großer Beliebtheit. Extrem lange Belichtungszeiten forderten aber von Fotografen und Fotografierten ausgesprochene Disziplin. Wer kennt sie nicht, diese alten Familienporträtaufnahmen mit ernsten, erstarrten Gesichtern? Mit der Erfindung des Zelluloidfilms im Jahre 1887 entwickelte sich die Fotografie rasant. Auch bessere Linsen ermöglichten qualitativ bessere Fotos mit kürzerer Belichtungszeit. Diese Linsen wurden v. a. von der Firma Carl Zeiss in Jena gefertigt.

Die Welt ist bunt!
Die Erfindung der Farbfotografie ist James Maxwell zuzuschreiben. Mit folgender Technik aus dem Jahre 1855 sind bunte Bilder erstmals realisierbar: In die Kamera werden gewöhnliche Schwarzweiß-Platten gesteckt und vom selben Motiv dreimal nacheinander Fotografien gemacht. Beim ersten Mal unter Verwendung eines Rotfilters, dann mit einem Gelbgrünfilter und beim dritten Mal mit einem Blaufilter. Denn Rot, Grün und Blau sind für die Zapfen im Auge wahrnehmbar. Aus jeder Platte wird ein durchsichtiges fotografisches Bild, ein Diapositiv, hergestellt. Diese Diapositive werden in Projektoren gesteckt, die einen roten, gelbgrünen und blauen Farbfilter haben. Dasselbe Bild erscheint dreimal auf der Wand. Exakt übereinander an die Wand projiziert, lässt sich aus den drei Bildern ein farbechtes, scharfes Foto entwickeln. 1907 wurde von den Lumières Brüdern der erste Farbfilm entwickelt – ein weiterer Meilenstein. Denn fortan war es möglich, „natürliche" Farben mit einer einfacheren Technik und relativ günstig herzustellen.

Ein frühes Farbfoto

Von analoger zu digitaler Fotografie

1925 ist der 35 mm Kleinbildfilm eingeführt worden und damit ein Jahrzehnte andauernder Standard in der (analogen) Fotografie. Zwar wird 1981 die erste Digitalkamera der Welt vorgestellt, d.h. Bilder konnten fortan auf einer 2 Zoll großen Diskette gespeichert werden, doch diese neue Technik war nicht vor 1990 auf dem Markt zu etablieren. Mit der DCS-100 von Kodak fiel der eigentliche Startschuss in die digitale Ära. Heutzutage ersetzen digitale Speicherkarten die Filmrollen. Fans und Nostalgiker sind trotzdem unbelehrbar und nicht von ihnen abzubringen.

Schreiben Sie mir Ihre Meinung zu diesem Artikel: leserreaktionen@fotoheute.de

3 Wortschatz Fotografie

Ü4–5

a) Sammeln Sie Wortfamilien im Artikel. Benutzen Sie auch ein Wörterbuch.

e. Belichtungszeit, belichten, s. Licht, ...
r. Farbfilter, ...

b) Markieren Sie im Artikel alle Adjektive mit den Endungen *-bar, -haltig* und *-beständig*. Erklären Sie ihre Bedeutung und sammeln Sie weitere Adjektive.

4 Passiv wiederholen. **Sammeln Sie alle Passivformen aus dem Artikel in einer Tabelle.**

Ü6–8

Zeile	Beispiel	Zeitform*	Zustand	Vorgang	mit Modalverb
11	ist angebracht	Präsens	x		

*Präsens, Perfekt, Präteritum oder Plusquamperfekt

5 Textinhalte wiedergeben

a) Sammeln Sie Ausdrücke, die für die Wiedergabe des Inhalts nützlich sind..

... bedeutet so viel wie ...; ... wurde als ... eingesetzt, ...

b) Fassen Sie den Inhalt mit Hilfe Ihrer Ergebnisse aus 2 zusammen.

Im Artikel wird ...

6 Schriftlich Stellung nehmen. **Kompliziert, anschaulich, langweilig? Wie fanden Sie den Artikel?**

Ü8 **Was war gut bzw. was hat Ihnen gefehlt? Formulieren Sie einen Leserbrief an *Foto-Heute*.**

3 Ein Foto entsteht

1 Ruckelfrei und lückenlos – was das menschliche Auge kann

Ü9

a) Lesen Sie den Internet-Beitrag. Hat *FoTo_Freak* recht? Probieren Sie es vor einem Spiegel aus.

> **gutefrage.net – die Ratgeber-Community**
>
> www.gutefrage.net/frage/warum-sehe-ich-meine-umgebung-immer-klar-
>
> FRAGE VON 1974juli a | vor 16 Minuten
>
> Warum sehe ich – egal wie schnell und ruckartig ich meine Augen bewege – meine Umgebung immer klar und stabil? Eine Kamera würde doch total verzerrte Bilder liefern, oder.
>
> **Antworten** (1-3 von 3)
>
> ANTWORT VON FoTo_freak | vor 9 Minuten
>
> stell dich mal vor'n spiegel und versuch im wechsel immer ein auge zu fixieren. kannste dabei beobachten, wie sich deine pupille bewegt? und? NÖ! funktioniert 100%ig nich. nennt sich „sakkadische suppression", meint ganz simpel, dass dein hirn aktiv wahrnehmung unterdrücken kann. dein bild bleibt also für dich klar und stabil. selbst die beste kamera is zu doof dafür ... 🙁
>
> ANTWORT VON yellowsun2013 @FoTo_freak | vor 8 Minuten
>
> Supi! Gute Frage – Gute Antwort!!!! 🙂
> Mawiederwasjelernt. Man kann Auge und Kamera also nicht vergleichen, oder???!! Mein Biolehrer sollte lieber chillen? 😎

b) Im Internet schreibt man oft etwas anders als sonst. Lesen Sie die Antworten noch einmal. Was fällt Ihnen auf?

FoTo_freak schreibt sehr umgangssprachlich.

Aber er scheint Experte zu sein, weil ...

2 Pate der Kamera – das Auge

Ü10–11

a) Vergleichen Sie die Skizze des Auges auf S. 35 und die der Kamera auf S. 61.

b) Lesen Sie den Schulbuchauszug. Unterstreichen Sie Fachwortschatz und Wörter, die zum Thema *Kamera* passen. Gestalten Sie eine Mindmap.

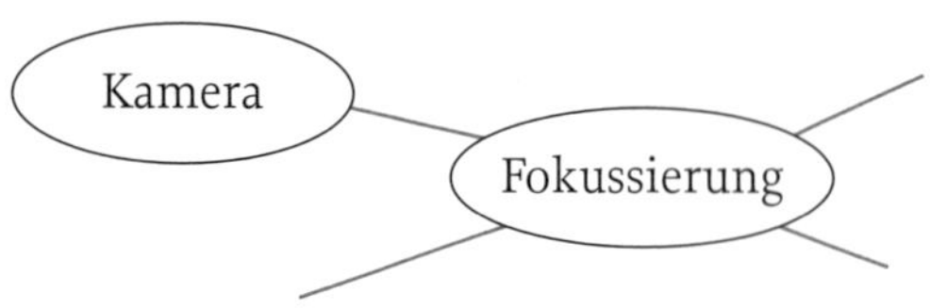

> **Grobe Fokussierung des Bildes:** Diese erfolgt beim Auge über die Hornhaut und vordere Augenkammer, bei der Kamera muss diese Aufgabe von der vorderen Fokussierungslinse übernommen werden.

s. Mikroskop

s. Fernglas

e. Brille

s. Tachymeter

s. Teleskop

Das menschliche Auge stand bei der Entwicklung der Kamera Modell. In der folgenden Auflistung sind beide Systeme einander gegenübergestellt.

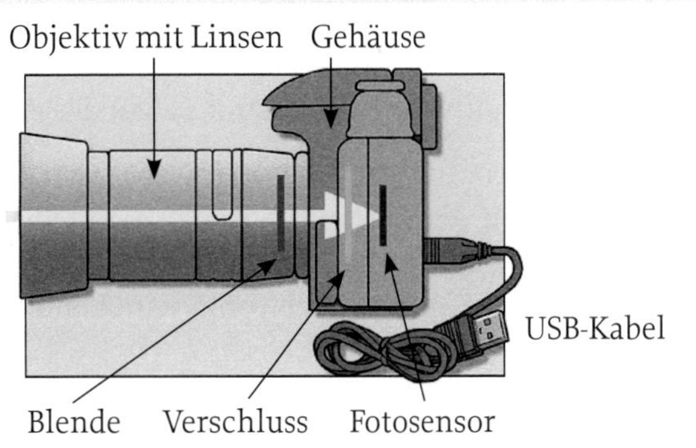

Grobe Fokussierung des Bildes: Diese erfolgt beim Auge über die Hornhaut und vordere Augenkammer, bei der Kamera muss diese Aufgabe von der vorderen Fokussierungslinse übernommen werden.

Feine Fokussierung: Wird im Auge von der Linse übernommen. Sie ist an Fasern befestigt, die zu einem Ringmuskel führen. Durch Kontraktion dieses Muskels lässt sich die Linse in eine gekrümmte Form bringen. Bei Muskelentspannung sorgen die Muskelfasern und der Augeninnendruck dafür, dass die Linse eine abgeflachte Form annimmt. Durch die Veränderung der Linsenform kann das durch sie fallende Licht unterschiedlich stark gebrochen werden. Bei der Kamera ist die Veränderung der Linsenform nur schwer realisierbar. Hier wird zum Fokussieren des Bildes der Abstand zwischen dem Objektiv und dem Fotosensor verändert. Bei komplexeren Objektiven ist eine Veränderung von Abständen nur über mehrere Linsen zu erreichen.

Lichteinfall: Um das einfallende Licht zu beschränken und bei guten Lichtverhältnissen die Tiefenschärfe zu erhöhen, verfügt das Auge über die Iris. Durch das Zusammenziehen der Iris lässt sich die runde Öffnung verkleinern, durch die Licht in das Augeninnere gelangt. Das gleiche Prinzip ist bei der Kamera zu finden, hier wird es durch die Blende umgesetzt. Auch die Belichtungszeit spielt eine Rolle.

Signalverarbeitung: Die Umwandlung von Lichtsignalen in elektrische Nervenimpulse wird beim Auge von der Retina (Netzhaut) übernommen. Sie kleidet die komplette Augenrückwand aus und ist an der Stelle gegenüber der Linse – dieser Bereich wird Vovea genannt – besonders dicht mit Rezeptoren besetzt. Bei einer Kamera befindet sich ein Sensor, der ebenfalls Licht in elektrische Signale wandelt.

Informationsweitergabe: Für den Informationstransport werden beim Auge die Nervenimpulse über den Sehnerv an das Gehirn weitergeleitet. Eine ähnliche Aufgabe hat der Videoausgang der Kamera, der Informationen zur Datenverarbeitung an einen Computer leitet.

Sicherheit: Für die mechanische Stabilität des Apparates sorgen beim Auge die Sclera (Lederhaut) und der Glaskörper. Bei einer Kamera wird diese Aufgabe vom Gehäuse übernommen.

c) Lesen Sie den Text noch einmal und stellen Sie die Aussagen zu Auge und Kamera gegenüber.

Auge		Kamera
über Hornhaut und vordere …	*– grobe Fokussierung –*	

d) Berichten Sie über die Gemeinsamkeiten und Unterschiede von Kamera und Auge.

Kamera und Auge teilen viele Gemeinsamkeiten.

3 Komposita

Ü11

a) Finden Sie im Text das passende Wort und notieren Sie es.

1 = r. Augeninnendruck

1 Druck im Inneren des Auges
2 ein Nerv, mit dem man sieht
3 Einfall von Licht
4 Zustand, in dem ein Muskel entspannt
5 Signale, die aus Licht bestehen
6 Muskel in der Form eines Rings
7 ein Körper aus Glas

b) Finden Sie im Text die folgenden Wörter und erklären Sie sie wie in a).

Muskelfasern – Augenrückwand – Linsenform – Datenverarbeitung – Gehäusewand

Muskelfasern sind Fasern eines Muskels.

e. Digitalkamera

e. analoge Kamera

r. Bildsensor

e. Lupe

s. Wechselobjektiv

4 Wortakzent in Fremd- und Fachwörtern

> **Minimemo**
> Fremdwörter werden im Deutschen häufig auf der letzten oder vorletzten Silbe akzentuiert.

1.19

a) Hören Sie die Wörter und sprechen Sie leise mit.

das 'Foto – der Foto'graf – die Fotogra'fie – fotogra'fieren

b) Lesen Sie zuerst das Minimemo. Setzen Sie den Wortakzent in den markierten Wörtern.

Die feine Fokus'sierung wird im Auge von der Linse übernommen, bei der Kamera wird zum Fokussieren der Abstand zwischen dem Objektiv und dem Fotosensor verändert. Um den Lichteinfall zu beschränken, verfügt das Auge über die Iris, die Kamera macht dies mithilfe der Blende. Die Signalverarbeitung wird beim Auge von der Retina, der Netzhaut, übernommen.

1.20

c) Hören Sie den Text. Kontrollieren Sie Ihre Lösung aus b). Lesen Sie den Text laut.

5 Wissen Sie, wie die vielen Verben im Satz *angeordnet werden müssen*?

Ü 12–13

a) Formulieren Sie korrekte Sätze. Lesen Sie sie laut und schnell.

Die Fokussierung Der Lichteinfall Die Signalverarbeitung Die Informationsweitergabe Die Sicherheit	muss	beim Auge	von der Linse über die Iris von der Retina vom Sehnerv von Lederhaut und Glaskörper	übernommen geregelt durchgeführt gewährleistet	werden.

b) Analysieren Sie die Verbstellung in den Sätzen in a). Kreuzen Sie die richtige Regel an.

1 ❑ Partizip II + Modalverb + *werden*
2 ❑ Modalverb + *werden* + Partizip II
3 ❑ konjugiertes Modalverb + Partizip II + *werden*
4 ❑ Infinitiv Modalverb + Partizip II + *werden*

c) Analysieren Sie die Verbstellung im Passiv-Nebensatz mit Modalverb. Formulieren Sie eine Regel wie in b). Schreiben Sie die Sätze aus a) wie im Beispiel.

Bekannt ist, Man weiß, Fakt ist,	dass die Fokussierung beim Auge von der Linse übernommen werden muss.

6 Passiv *lässt sich* auch *umgehen*! **Sammeln Sie in den Texten S. 58/59 und 61 Beispiele für Passiversatzformen.**

Ü 14

Ersatzformen für Passiv mit Modalverben

sich lassen + Infinitiv	sein + Adjektivendung *-bar*	*sein* + *zu* + Infinitiv
ließ sich ... festhalten	*... waren ... begehbar*	

7 Schriftlicher Vergleich. **Vergleichen Sie Kamera und Auge. Nutzen Sie die Textbausteine. Denken Sie an Einleitung und Zusammenfassung.**

> **Textbausteine**
>
> **etwas miteinander vergleichen**
>
> ... und ... sind gut/nicht unmittelbar/nur schlecht/gar nicht vergleichbar.
> Im Gegensatz zum/zur ... besitzt ... / verfügt ... über ...
> ... und ... verbindet ... / haben ... gemeinsam.
> ... ist größer/komplexer aufgebaut/ ... als ... . / Im Vergleich zu ... ist ...

4 Technische Optik – eine boomende Branche

1 Was ist Optik?

a) Lesen Sie den Wikipedia-Eintrag. Womit beschäftigt sich die Optik?

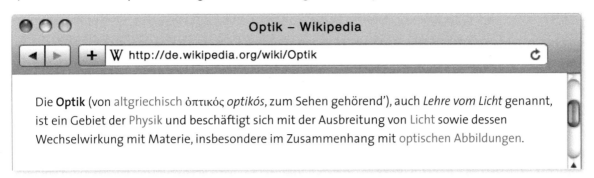

Optik – Wikipedia

http://de.wikipedia.org/wiki/Optik

Die **Optik** (von altgriechisch ὀπτικός *optikós*, zum Sehen gehörend'), auch *Lehre vom Licht* genannt, ist ein Gebiet der Physik und beschäftigt sich mit der Ausbreitung von Licht sowie dessen Wechselwirkung mit Materie, insbesondere im Zusammenhang mit optischen Abbildungen.

b) Welches Verb ist in den folgenden Nomen enthalten? Notieren Sie wie im Beispiel.

1 e. Lehre
2 e. Ausbreitung
3 e. Wechselwirkung
4 r. Zusammenhang
5 e. Abbildung

Lehre – lehren, d. h. jmd. unterrichtet jmdn., er lehrt Deutsch

c) In welchen Wirtschaftsbranchen könnte Optik eine Rolle spielen? Sammeln Sie Ideen.

2 Optische Technologie – ein Zukunftsmarkt?

Ü15–16

a) Überfliegen Sie die vier Texte auf S. 63/64 und diskutieren Sie Thema, Textsorte und Textschwierigkeit.

1 Lichtforschung erhält milliardenschwere Förderung

dpa. Die Bundesregierung will die Photonik, in der es um den Einsatz optischer Technologien geht, zehn Jahre lang mit insgesamt 1 Milliarde Euro unterstützen, so eine Mitteilung des Bundesministeriums für Bildung und Forschung (BMBF). Offiziell wird dies in München auf der Messe Laser World of Photonics bekannt gegeben werden. Die Photonikbranche hatte auf höhere Unterstützung (von 1,5 Milliarden Euro) gehofft und wird nun selbst ankündigen, in den nächsten zehn Jahren 30 Milliarden Euro in die Forschung und Entwicklung investieren zu wollen.

Wirtschaftswoche 15/05

2 Optische Technologie – eine Branche stellt sich vor

Der Begriff Photonik mag relativ unbekannt sein, weil er sich als Kunstwort aus „Photon" (griechisch: Licht) und Elektronik zusammensetzt. Mit dieser Technik befasst sich jedoch eine breit aufgestellte Industrie etwa aus der Produktions-, Energie-, Medizin-, Beleuchtungs-, Kommunikations- und Informationstechnik. Mit Glasfaserkabeln und Leuchtdioden begann der Einsatz von Photonik in der Informationstechnologie. In der Produktion ermöglicht der Laserstrahl heute schon eine präzise, berührungsfreie und energiesparende Bearbeitung von Materialien.

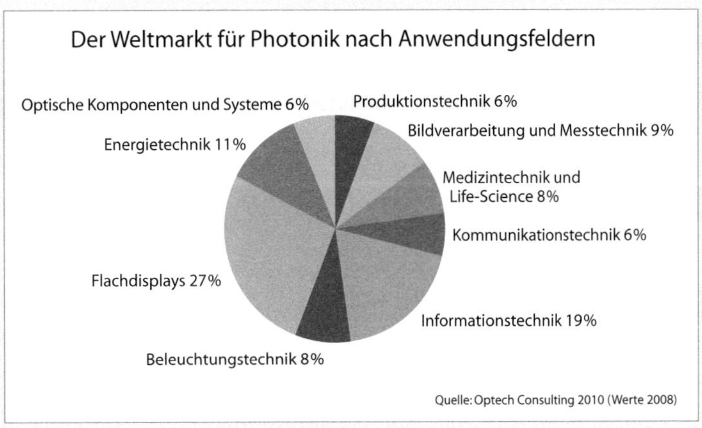

3 Siri | 29.05.2015 19:23

Hi Leute, kann mir mal jemand erklären, was die Photonik-Industrie bietet? Ich hab' keinerlei Vorstellungen von dieser Branche. Danke und Grüße in die Nacht. Siri

✎ Julius | 29.05.2015 20:55

Hi Siri, das ist nun wirklich ein weites Feld. Optik ist überall, deshalb wird sie in Fachkreisen als „enabling technology" bezeichnet: ohne optische Geräte kein Blick in den menschlichen Körper, Wärmeverluste bei Gebäuden können ohne optische Geräte nicht gemessen werden, Stahl wird heutzutage nahezu ausschließlich mit Laser bearbeitet, Qualitätskontrolle von Fließbandprodukten benötigt optische Technologien zur Überprüfung, generell ist Mess- und Analysetechnik ohne optische Geräte undenkbar. Stell's dir einfach so vor – alles, was mit Licht, mit Sehen und Gesehenwerden zu tun hat, ist irgendwie mit Photonik verbunden.

4 Photonik gehört in Europa zu den fünf Schlüsseltechnologien der Zukunft – neben Nanotechnologie, Biotechnologie, Mikroelektronik und Zukunftsmaterialien. Ihr ist das größte Wachstumspotenzial in den kommenden Jahren zuzuschreiben, für Deutschland wird das jährliche Wachstum auf 8 Prozent geschätzt. Das Umsatzvolumen soll sich in zehn Jahren auf 44 Milliarden Euro mindestens verdoppeln. Allein die Zahl der Beschäftigten wird nach vorsichtigen Schätzungen bis 2015 von heute 124.000 auf mehr als 140.000 Mitarbeiter gesteigert worden sein.

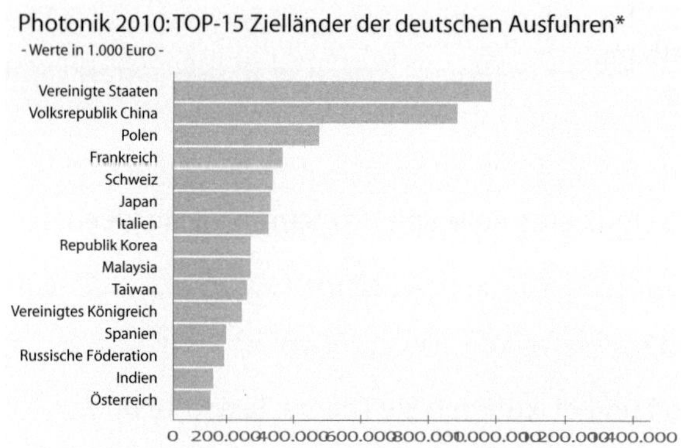

*Ausfuhren ausgewählter Güter des Bereichs Photonik; wg. „Rotterdamm-Effekt" ohne Niederlande
Quelle: Destatis, Spectaris e.V.

Die Höhe der Ausfuhren der Photonikbranche lassen sich schon heute sehen. USA und China sind die stärksten

b) In welchen Texten gibt es Aussagen zu den Schwerpunkten a bis d? Lesen und ordnen Sie zu.

a ☐ Wachstums- und Entwicklungsrate
b ☐ Berufsfelder in der Photonik-Industrie
c ☐ Staatliche Unterstützung der Branche
d ☐ Anwendungsgebiete Photonik

c) Beenden Sie die Sätze mit Hilfe der Texte.

1 Unter Photonik versteht man ...
2 Seitens des BMBF soll ...
3 Das Wachstumspotenzial der Branche ...
4 Photonik ist eine „enabling technology", da ...
5 Die Ausfuhrrate ...
6 Laser ...

d) Formulieren Sie mindestens fünf Fragen zu den Texten. Fragen und antworten Sie im Wechsel.

3 Komposita. **Suchen Sie in den Texten nach Komposita. Erklären Sie sie wie im Beispiel.**

e. Beleuchtungstechnik — *Das ist eine Technik, die der Beleuchtung dient.*

4 Grafiken auswerten. **Stellen Sie die Inhalte der beiden Grafiken vor. Nutzen Sie die Redemittel von S.15.**
Ü17

5 Alltagstest. **Beschreiben Sie die Rolle von Photonik.**

Bei mir sind LEDs an der Decke angebracht. Ist ja dann wohl auch Photonik.

Ich brauch' ja nur mein Handy anmachen, ohne Photonik geht da gar nichts.

Stell' dich im Supermarkt an die Kasse. Da piepst der Scanner.

6 Jetzt geht's erst richtig los! Hightech aus Thüringen.

Ü18

a) Sehen Sie sich den Flyer an. Was produziert die Firma und wofür braucht man ihre Produkte? Sammeln Sie Ihre Ideen.

b) Interview mit dem asphericon-Geschäftsführer Sven Kiontke. Ordnen Sie seine Aussagen den Themenfeldern (a–e) zu. Zwei Items passen nicht.

a Produkteigenschaften
b Berufsperspektiven
c Firmenprofil
d Geschäftspartner
e Motivation
f Ausbildung

1 ❑ Der hohe Anspruch, in diesem Feld mitspielen zu können, Genauigkeit, die vielfältigen physikalischen Effekte, die es zu kontrollieren gilt, ja das ist motivierend.
2 ❑ Wir profitieren davon, das alle Partner am Standort sitzen. Da gibt's gemeinsame Projekte, Austausch, das passt schon.
3 ❑ Asphären hingegen ändern ihre Oberflächenkrümmung von der Mitte zum Rand.
4 ❑ Fachpersonal ist schon extrem gefragt.

1.21

c) Hören Sie das Interview und überprüfen Sie Ihre Zuordnung aus b). Ergänzen Sie die Themenfelder mit weiteren Informationen aus dem Interview.

7 Unternehmensstruktur. **Hören Sie die Fortsetzung des Interviews. Sven Kiontke geht auf Firmenstruktur und Aufgaben der Abteilungen ein. Ergänzen Sie das Organigramm mit den Begriffen.**

1.22 Ü19

Kundenbetreuung Verwaltung Versand Vertrieb ~~Marketing~~ Produktion Geschäftsführung ~~Forschung und Entwicklung (F&E)~~ Fertigung

Sven Kiontke, Geschäftsführer

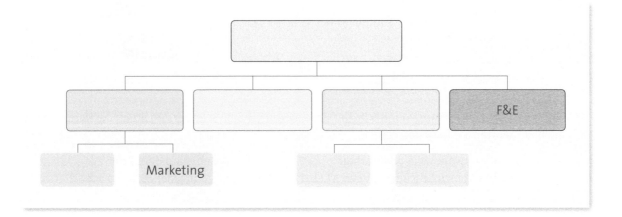

8 Eine Firma vorstellen

a) Fassen Sie die Aussagen von Sven Kiontke zusammen. Ergänzen Sie mit den Informationen vom Flyer und dem Organigramm. Sammeln Sie weitere Informationen unter www.asphericon.net.

b) Bringen Sie Ihre Informationen in eine geeignete Präsentationsform und stellen Sie die Firma vor.

5 Optik selbst gebaut

1 Bilder ohne Linse – Bauanleitung für eine *Camera obscura*

a) Lesen Sie die Bauanleitung und ordnen Sie die Bilder dem jeweiligen Arbeitsschritt zu.

Camera obscura

Material:

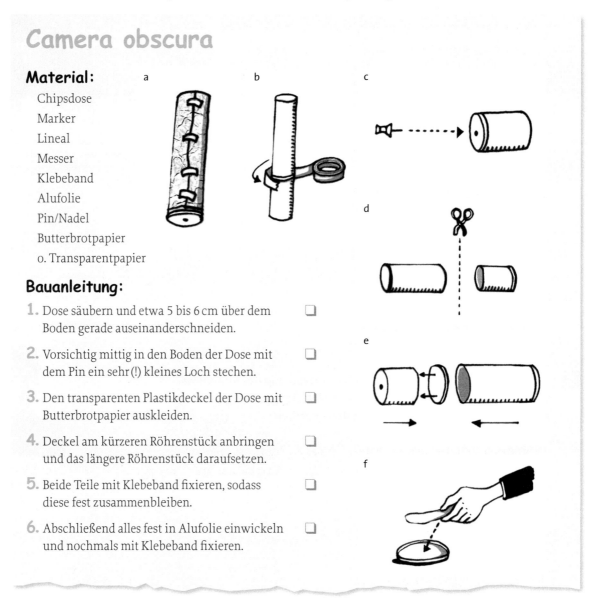

Chipsdose
Marker
Lineal
Messer
Klebeband
Alufolie
Pin/Nadel
Butterbrotpapier
o. Transparentpapier

a

b

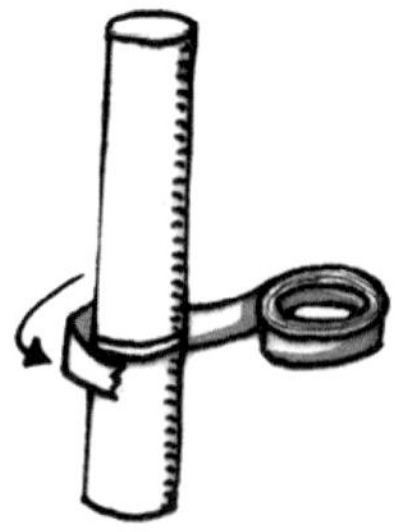

c

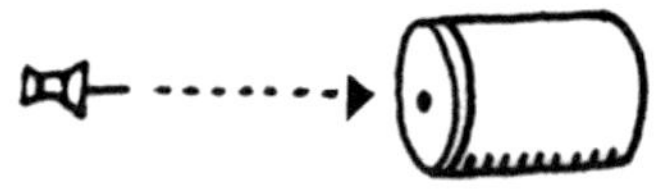

d

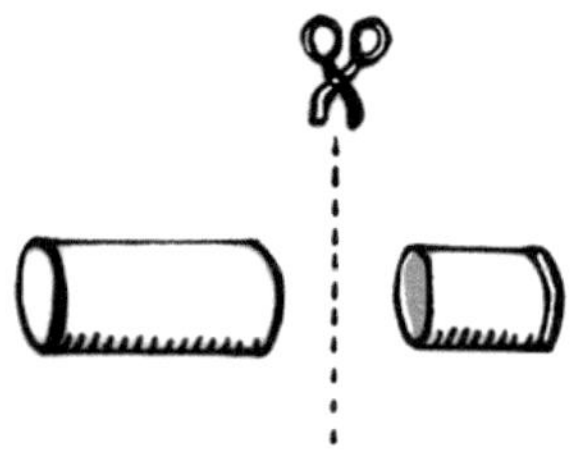

e

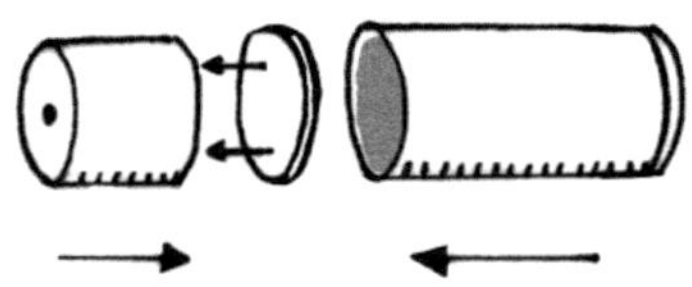

f

Bauanleitung:

1. Dose säubern und etwa 5 bis 6 cm über dem Boden gerade auseinanderschneiden. ❑
2. Vorsichtig mittig in den Boden der Dose mit dem Pin ein sehr (!) kleines Loch stechen. ❑
3. Den transparenten Plastikdeckel der Dose mit Butterbrotpapier auskleiden. ❑
4. Deckel am kürzeren Röhrenstück anbringen und das längere Röhrenstück daraufsetzen. ❑
5. Beide Teile mit Klebeband fixieren, sodass diese fest zusammenbleiben. ❑
6. Abschließend alles fest in Alufolie einwickeln und nochmals mit Klebeband fixieren. ❑

b) Bauen Sie die Lochkamera mithilfe der Bauanleitung nach. Schauen Sie durch die Kamera und beantworten Sie folgende Fragen.

1 Ist das Bild schwarz-weiß oder farbig?
2 Ist das Bild seitenrichtig oder seitenverkehrt?
3 Steht das Bild auf dem Kopf?
4 Ist das Bild in jeder Stellung scharf?

2 Was eine Lochkamera eigentlich tut. **Lesen Sie den Schülerbeitrag und vergleichen Sie Ihre Antworten aus 1 b). Wenn nötig, korrigieren Sie Ihre Antwort.**

Die Lochkamera funktioniert nur bei guten Lichtverhältnissen, am besten wenn es hell und sonnig ist. Dabei wird man feststellen, dass die Schwarz-Weiß-Bilder auf dem Kopf stehen, denn Lochblenden erzeugen höhen- und seitenverkehrte Bilder. Generell gilt: Je kleiner das Loch, desto schärfer und dunkler ist das Bild. Bei einer größeren Blende ist das Bild heller, aber unscharf.

Fit für Einheit 6?

Das kann ich auf Deutsch

▶ **über (Un-)Bekanntes sprechen (1.1)**

Kennst du den Bruderkuss in der East-Side-Gallery?

....

Das kann ich ☺ ❑ ☹ ❑

▶ **etwas miteinander vergleichen (3.8)**

Welche Gemeinsamkeiten haben Auge und Kamera?

...

Das kann ich ☺ ❑ ☹ ❑

▶ **Wörter zerlegen und definieren (3.3, 4.3)**

der Augeninnendruck → Druck im Inneren des Auges

der Sehnerv → ....

Das kann ich ☺ ❑ ☹ ❑ ▶ Ü 11

▶ **ein Unternehmen vorstellen (4.7–4.8)**

asphericon ist eine Firma, die ...

Das kann ich ☺ ❑ ☹ ❑ ▶ Ü 19

Grammatik

▶ **komplexe Verbstellung in Nebensätzen (3.6)**

Bekannt ist, dass die Fokussierung hier von mehreren Linsen geregelt werden muss.

Weitergabe der Informationen – Sehnerv – regeln

Das kann ich ☺ ❑ ☹ ❑ ▶ Ü 12–13

▶ **Passiversatzformen (3.7)**

Was ist bei Auge und Kamera vergleichbar?

Und wo lassen sich Unterschiede finden?

Das kann ich ☺ ❑ ☹ ❑ ▶ Ü 14

▶ **Wiederholung Passiv (2.4)**

Modalverb im Präsens

Beispiel: ... bei der Kamera <u>muss</u> diese Aufgabe von der vorderen Fokussierungslinse <u>übernommen werden</u>. → ....

Das kann ich ☺ ❑ ☹ ❑ ▶ Ü 6–8

Aussprache

▶ **Wortakzent in Fremd- und Fachwörtern (3.5)**

Fokus'sierung – Kamera – Signalverarbeitung

Das kann ich ☺ ❑ ☹ ❑

Kompetenztraining 1

1 Schreiberfahrung und Schreibberatung

1 Über Schreiberfahrungen sprechen

a) Berichten Sie über Ihre Schreiberfahrungen. Nutzen Sie die Wörter im Schüttelkasten.

Themen | Textsorten | Schreiborte und -situationen | Motivation | Ziele
Schreibprozess | Schreibstrategien und -techniken | Recherche | Quellen

b) Notieren Sie drei Tipps zum Schreiben und erstellen Sie ein Poster.

2 Ist Schreiben erlernbar?

a) Lesen Sie den Magazinartikel. Worum geht es?

Lange Nacht der aufgeschobenen Hausarbeiten

Das quälende Problem kennt jeder Auszubildende und Studierende: Der Abgabetermin für die Haus- oder Abschlussarbeit steht bevor, aber man schiebt die Arbeit noch hinaus. Befragungen zeigen, dass es in vielen Fällen um mangelnde Schreiberfahrungen geht und außerdem oft Unkenntnis darüber besteht, wie man Schreibprozesse effektiv organisiert und zeitlich plant. Wenn es nicht gelingt, einen Anfang zu finden und Erfolgserlebnisse zu haben, dann können Schreibblockaden entstehen, die oft mit Ängsten, Schlafstörungen oder anderen Problemen einhergehen. Damit es erst gar nicht so weit kommt, wurde an der Europa-Universität Viadrina in Frankfurt/Oder das Konzept der „Langen Nacht der aufgeschobenen Hausarbeiten" entwickelt, dem sich im März 2011 in einer bundesweiten Aktion erstmalig sechs Schreibzentren anschlossen. Allein an der Uni Bielefeld schrieben damals mehr als sechzig Studierende an ihren Arbeiten. Da das Interesse so groß war, ging von hier die zweite Initiative im Juli 2011 aus. Ein halbes Jahr später beteiligten sich dann die Schreibzentren an dreizehn deutschen Universitäten. Die Friedrich-Schiller-Universität Jena war Anfang März 2012 zum ersten Mal dabei. Über das Programm informierte die gemeinsame Plattform der Schreibzentren www.schreibnacht.wordpress.com. Dr. Peter Braun ist Leiter des Jenaer Schreibzentrums und hat die Veranstaltung unter dem Motto „Raus aus der Isolation! Wissenschaftliches Schreiben – gemeinsam und mit Spaß" organisiert. Er ist der Meinung, dass man Schreiben erlernen könne, junge Leute seien einfach nicht genug darin geübt, eigene Texte zu verfassen. Schreibschwierigkeiten könnten durch Training vermieden bzw. besser bewältigt werden. In der „Langen Nacht" 2013 wurden z. B. kurze Impuls-Workshops zur

Themenfindung und zum Schreibstil angeboten, Atem- und Konzentrationsübungen gehörten auch zum Rahmenprogramm. Schreibtutorinnen und -tutoren standen sowohl für individuelle Beratung als auch für Kleingruppen bereit.

Die große Resonanz der deutschlandweiten „Langen Nacht“ verweist auf den Bedarf an kontinuierlich angebotenen und erweiterten Schreibtrainings. Dafür werden allerdings gut vorbereitete Schreibtutorinnen und -tutoren benötigt, die neben den Grundlagen und Techniken des wissenschaftlichen Schreibens auch kulturbedingte Schreibunterschiede vermitteln können. Deshalb haben viele Universitäten eine einjährige Ausbildung für Schreibtutorinnen und -tutoren eingerichtet, mit der sie interessierte deutsche und internationale Studierende ansprechen wollen. Sie absolvieren ein interkulturelles Training, eine Einführung in das kreative Schreiben sowie eine theoretisch fundierte Anleitung zum Führen von Beratungsgesprächen. Abschließend verwirklichen sie ein eigenes schreibdidaktisches Projekt, bevor sie dann in der Schreibberatung eingesetzt werden. Die Tutorinnen und Tutoren sollen Hilfe zur Selbsthilfe geben und nicht vorschreiben, was richtig oder falsch ist.

b) Lesen Sie noch einmal. Welche Aussagen stehen im Text?

		Ja	Nein
1	Arbeiten werden aufgeschoben, weil es den Studierenden oft an Schreiberfahrung und Schreibstrategien mangelt.	❑	❑
2	Schreibblockaden sind unvermeidbar und gehören zum Schreibprozess.	❑	❑
3	An der Uni Jena fand die erste „Lange Nacht der Hausarbeiten“ in Deutschland statt.	❑	❑
4	Das starke Interesse an der „Langen Nacht“ hat gezeigt, dass Schreibtraining nicht nur einmal im Semester angeboten werden sollte.	❑	❑
5	SchreibtutorInnen lernen in ihrer Ausbildung auch etwas darüber, wie kulturelle und gesellschaftliche Faktoren das Schreiben beeinflussen.	❑	❑
6	Schreibberatung bedeutet, dass TutorInnen alle Fehler im Text korrigieren.	❑	❑

c) Markieren Sie die im Artikel genannten Maßnahmen zum Schreibtraining.

3 **Eine Maßnahme kommentieren. Schreiben Sie einen kurzen Kommentar. Nutzen Sie die Textbausteine.**

Textbausteine

Einen Kommentar schreiben

Einstieg: • Bezug zum Thema • kurze Zusammenfassung • Erläuterung von Hintergründen	Es geht um die Frage, ... / wird dargestellt / Der Text bietet einen Überblick über ... / Es werden Beispiele für... genannt / angeführt / gezeigt
Argumentation: • Abwägen der Argumente • Begründung der persönlichen Meinung • Stellungnahme	Aus meiner Sicht ... / Meiner Erfahrung nach ist die Idee / das Konzept / das Programm ... / Das Konzept / die Idee halte ich für / finde ich ..., weil ... / finde ich zwar prinzipiell interessant, aber ... / Dafür spricht ... / dagegen spricht jedoch, dass ...
Fazit: • Forderung/Empfehlung oder Appell	Ich schlage vor / möchte vorschlagen / empfehlen ... / Meiner Ansicht nach ist / wäre es besser, wenn ... / Ich kann mir vorstellen, dass ... / Man sollte/könnte/muss ...

2 Der Motivationsbrief

1 Einen Motivationsbrief schreiben

1.23 a) Hören Sie das Beratungsgespräch und beantworten Sie die Fragen. Welche Tipps gibt die Studienberaterin noch?

1 Was ist ein Motivationsbrief?
2 Welche formalen Kriterien muss er erfüllen?
3 Was wird mithilfe des Motivationsbriefs überprüft?

b) Lesen Sie die Ausschreibung. Wer wird gesucht? Was wird angeboten?

Ausbildung Peer Tutor/in für Schreibberatung - TutorInnen gesucht!

Schreibenlernen nach dem Peer-Tutoren-Konzept heißt: StudienberaterInnen begleiten Studierende bei ihren Schreibprojekten. Dafür bieten wir eine Tutorenausbildung an, die auch für internationale Studierende mit guten Deutschkenntnissen offen ist. Dauer zwei Semester, vier Module, mit Zertifikat.

Modul 1: Grundlagen des wissenschaftlichen Schreibens
Modul 2: Interkulturelles Training und kreatives Schreiben
Modul 3: Grundlagen der Schreibberatung
Modul 4: Durchführung eines schreibdidaktischen Projektes am Schreibzentrum

Interessierte können sich unter *www.schreibenlernen-uni.de* anmelden. Bitte fügen Sie Ihrer Bewerbung ein Motivationsschreiben bei.

c) Sie möchten sich zum Schreibtutor / zur Schreibtutorin ausbilden lassen. Schreiben Sie einen Motivationsbrief. Berücksichtigen Sie die Hinweise.

Motivationsbrief / Motivationsschreiben

Funktion:	ergänzt den Lebenslauf, dient der Selbstpräsentation bei Bewerbungen für Ausbildungs- oder Studienplatz, für Praktika, Stipendien, Auslandsaufenthalte im Rahmen des Studiums oder der beruflichen Ausbildung
Inhalt:	Fokus liegt auf der Darstellung der persönlichen Motivation
Ziel:	Gründe für die Bewerbung darstellen, persönliche Motive, Ziele und Erwartungen nennen
Form:	1 bis max. 2 Seiten; keine formalen Kriterien
Sprache:	kurze und prägnante Formulierungen, Konzentration auf das Wesentliche

2 Feedback geben. **Vergleichen Sie Ihre Motivationsbriefe. Was hat Sie überzeugt? Was positiv beeindruckt? Welche Formulierungen sind gelungen? Was würden Sie anders formulieren?**

Redemittel

Über Texte sprechen / Feedback geben

Angesprochen / überzeugt / positiv beeindruckt hat mich ... / Besonders gefällt mir ... / Für gut gelungen halte ich ...
Weniger gelungen / überzeugend ist / finde ich ... / Diese Formulierung ist / erscheint mir / unklar / ungenau / missverständlich / übertrieben / zu allgemein / nicht konkret genug / ...
Was willst du / wollen Sie damit sagen / ausdrücken? / Diesen Aspekt würde ich noch einmal überarbeiten. Vielleicht kannst du hier / diesen Punkt anders / noch konkreter formulieren?

3 Bewerbung als Schreibtutor/in

a) Ana Sánchez bewirbt sich. Lesen Sie die E-Mail und die Angaben zur Gliederung einer formellen E-Mail. Markieren Sie die passenden Textstellen. Ist die Mail formell korrekt?

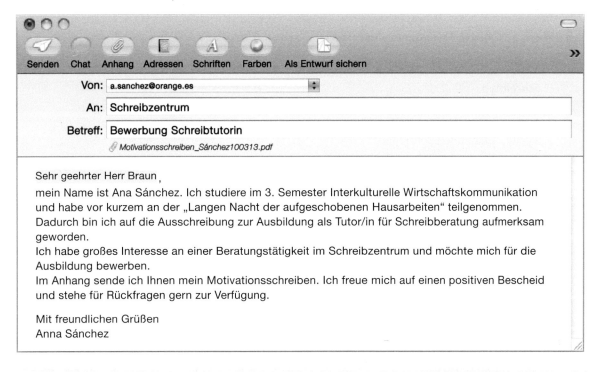

Senden | Chat | Anhang | Adressen | Schriften | Farben | Als Entwurf sichern

Von: a.sanchez@orange.es

An: Schreibzentrum

Betreff: Bewerbung Schreibtutorin

Motivationsschreiben_Sánchez100313.pdf

Sehr geehrter Herr Braun,

mein Name ist Ana Sánchez. Ich studiere im 3. Semester Interkulturelle Wirtschaftskommunikation und habe vor kurzem an der „Langen Nacht der aufgeschobenen Hausarbeiten" teilgenommen. Dadurch bin ich auf die Ausschreibung zur Ausbildung als Tutor/in für Schreibberatung aufmerksam geworden.

Ich habe großes Interesse an einer Beratungstätigkeit im Schreibzentrum und möchte mich für die Ausbildung bewerben.

Im Anhang sende ich Ihnen mein Motivationsschreiben. Ich freue mich auf einen positiven Bescheid und stehe für Rückfragen gern zur Verfügung.

Mit freundlichen Grüßen
Anna Sánchez

Eine formelle E-Mail

1. Betreffzeile: enthält die wichtigsten Angaben

2. Anrede: adäquate Anredeformel verwenden

3. Einleitung: kurze individuelle Vorstellung, Bezug auf früheren Kontakt

4. Anliegen: Grund für E-Mail, Sachbezug herstellen, Hinweis auf Anhang

5. Schluss: Bitte um (weitere) Information/um Antwort/um Bestätigung/einen Termin

6. Grußformel und Name

b) Ordnen Sie die Redemittel den Gliederungspunkten aus a) zu.

- ❑ Ich habe folgendes Anliegen und möchte ...
- ❑ Ich bitte um (weitere) Informationen über ...
- ❑ Im Anhang finden Sie ...
- ❑ Anbei/im Anhang sende ich
- ❑ Ich heiße ...
- ❑ Ich möchte einen Termin für ... vereinbaren
- ❑ Wie besprochen melde ich mich, um ...
- ❑ Ich möchte anfragen/nachfragen, ob ...
- ❑ Momentan bin ich ... / beschäftige ich mich mit ...

4 Bewerbung als ...

a) Recherchieren Sie im Internet ein Stellenangebot, das Sie interessiert. Verfassen Sie einen Motivationsbrief und eine formelle E-Mail.

b) Tauschen Sie die Bewerbungen aus und geben Sie Feedback. Warum würden Sie den Bewerber/die Bewerberin (nicht) einstellen?

3 Schreibtypen und Schreibstrategien

1 Welcher Schreibtyp sind Sie? **Wie gehen Sie beim Schreiben eines längeren Textes vor?**

2 **Welche Strategie passt zu welchem Typ?**

a) Lesen Sie und ordnen Sie den Schreibtypen (1–6) die passende Strategie (a–f) zu.

	Schreibtyp	Schreibstrategie
1	Typ des Aus-dem-Bauch-heraus-Schreibers	❑
2	Typ des Mehr-Versionen-Schreibers	❑
3	Typ des planenden Schreibers	❑
4	Typ des Schritt-für-Schritt-Schreibers	❑
5	Typ des Textteilschreibers	❑
6	Typ des Produkt-Zusammensetzers (Puzzler)	❑

Strategien

a Der Schreibprozess wird sorgfältig geplant. Ein Arbeitsschritt folgt hier konsequent auf den nächsten: das Sammeln des Materials, das Konzipieren, Gliedern, Formulieren, Überarbeiten usw.

b Sie schreiben Ihren Text spontan, entwickeln eine Idee ohne langes Nachdenken und ohne Zwischenkorrekturen.

c Hier schreibt der Verfasser nicht in linearer Reihenfolge, sondern beginnt z. B. mit dem Schluss oder mit einem Gliederungspunkt. Die Textteile müssen am Ende miteinander verknüpft werden.

d Schreiben nach dem Puzzle-Prinzip: Bei dieser Strategie produzieren die Schreibenden viele kurze Texte. Ziel ist nicht unbedingt das Textprodukt, sondern die Klärung eines Gedankens. Kurze Gedankensplitter werden produziert und erst später sinnvoll zusammengefügt.

e Der Text wird durch eine Idee geleitet; diese Idee wird jedoch in verschiedenen Textvarianten ausprobiert und umgesetzt. Am Ende muss man sich für einen Text entscheiden oder durch Umformulieren eine Endfassung aus mehreren Varianten erstellen.

f Durch das Erstellen eines Plans und einer Gliederung wird eine Art Gerüst für den zu schreibenden Text erarbeitet. Dieser Plan bildet die Grundlage für das gesamte weitere Vorgehen.

b) Welche Strategie(n) bevorzugen Sie?

c) Diskutieren Sie Vor- und Nachteile der Strategien.

Redemittel

Vor-und Nachteile benennen

Ein Vorteil dieser Strategie ist, dass ...
Auf diese Weise kann man verschiedene Ideen ausprobieren und ...
Damit wird man der Komplexität des Themas besser gerecht und/aber ...
Das planvolle, schrittweise Vorgehen entspricht ...
Diese Strategie eignet sich besonders für ...
Wenn man ..., dann kann man die Teile besser miteinander verknüpfen.

Bei dieser Strategie könnte ... / Dabei besteht vielleicht die Gefahr, dass ...
Hier muss man aufpassen, dass ...
... ist zu spontan / nicht strukturiert genug / für den Leser nicht so gut nachvollziehbar.
... ist ungeeignet, wenn ...
Durch ... stehen Textteile nebeneinander.
Hier müssen Verknüpfungen hergestellt werden.

4 Mitschriften

P telc **1** **Ein Interview hören und eine Mitschrift anfertigen**

1.24

a) Hören Sie das Interview zur 16. Shell-Jugendstudie. Lesen Sie das Minimemo und den Tipp. Fertigen Sie eine Mitschrift mithilfe der Vorlage an.

Minimemo

Mitschrift

Aufzeichnung von mündlich Vorgetragenem, z. B. Mitschrift einer Vorlesung, eines Vortrags, Interviews. Kann ein Text sein, der zu einem Protokoll, einer Zusammenfassung oder einem Bericht weiterverarbeitet wird.

Tipp

Schreiben Sie Stichworte, Wortgruppen; benutzen Sie Abkürzungen; achten Sie auf Gliederungssignale.

1. Name der Interviewten:

....

2. Hintergrundinformationen Shell-Jugendstudie:

....

3. Wichtigste Ergebnisse:

· zur Grundhaltung: ....

· zu den Zukunftsperspektiven: ....

· zum Klimawandel: ....

→ konkrete Maßnahmen: ....

....

....

4. 15. vs. 16. Shell-Jugendstudie:

· 2006: ....

· 2010: ....

5. Durchführung der Studie:

1. ....

2. ....

6. weitere Infos: ....

b) Schreiben Sie mithilfe Ihrer Notizen eine Zusammenfassung des Interviews.

Textbausteine

Ein Interview zusammenfassen

Das Thema des Interviews ist ... / In dem Interview geht es um ... / Das Interview dreht sich um die Frage ... / ... wurde(n) untersucht/befragt.

Die Untersuchung/Studie/Datenerhebung hat (eindeutig) gezeigt, dass ... / Ein weiteres Ergebnis der (repräsentativen) Studie ist ...

Im Vergleich zu ... / zur Studie aus dem Jahr ... ist erkennbar / lässt sich feststellen, dass / fällt auf, dass ...

Auffällig/Bemerkenswert/Hervorzuheben/Überraschend ist/sind ...

6 Global handeln

1 Globalisierung – ein Phänomen der Moderne?

1 Eine Ausstellung

Ü1

a) Sehen Sie sich die Ausstellungstafeln an und beschreiben Sie sie. Was könnte das Thema der Ausstellung sein? Um welche Zeit geht es vermutlich?

b) Lesen Sie das Ausstellungsfaltblatt. Ordnen Sie passende Ausstellungstafeln den Texten zu.

a ❑ Die Augsburger Kaufmannsfamilie Fugger war im 16. Jahrhundert die reichste Familie des europäischen Kontinents. Zurzeit Anton Fuggers (1493 bis 1560) betrug ihr Vermögen rund 5 Millionen Gulden, für damalige Zeiten eine nahezu unvorstellbare Dimension. Als Handelsleute und Bankiers beschränkten sich die Fugger nicht nur auf die Ausübung der Handels-, Darlehens- und Börsengeschäfte, sondern agierten darüber hinaus in der Montanindustrie, im Metallhandel und bemühten sich – zeitweilig sogar erfolgreich – um den Erhalt des europäischen Kupfermonopols.

b ❑ 1492 landete Kolumbus an der Küste Amerikas. Es war die Zeit der Entdeckung neuer Welten und in der Folge auch die der Reformation und der Gegenreformation (von 1517 bis ca. 1648), d.h. es kam zur Spaltung des westlichen Christentums in verschiedene Konfessionen bzw. Glaubensbekenntnisse (katholisch, lutherisch, reformiert). Die katholische Familie Fugger, die die mächtige und bis heute bekannte Augsburger Handelsgesellschaft betrieb, spaltete sich 1455 in die Fugger von der Lilie und die Fugger vom Reh. Die Fugger-Lilie ist heute noch Bestandteil der Wappen mehrerer Landkreise in der Region.

c ❑ Jakob der Reiche aus Augsburg (1459 bis 1525) übernahm 1485 das Unternehmen in Innsbruck und begann die folgenreiche Zusammenarbeit mit den Habsburgern, eines der einflussreichsten europäischen Herrscherhäuser, die über Österreich, Ungarn, Böhmen, Teile Italiens und Spanien herrschten. Das Verhältnis zwischen Habsburgern und Fuggern begründete den enormen Reichtum der Familie Fugger, beide profitierten von dieser Zusammenarbeit: Als Bankier des Hauses Österreich finanzierte Jakob Fugger die Wahl des spanischen Königs Carlos zum Kaiser Karl V. im Jahre 1519.

2 Geschichtliche Eckpunkte

Ü2

a) Sammeln Sie Informationen zur Familie Fugger und zu den Habsburgern. Machen Sie sich Notizen zu ihren Beziehungen und bringen Sie die Ergebnisse in eine zeitliche Ordnung.

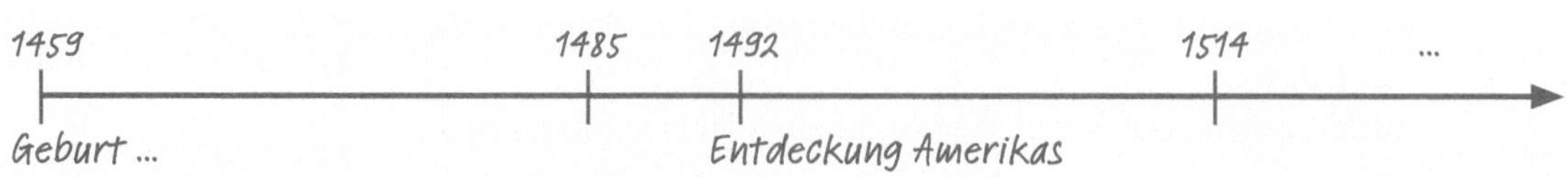

Hier lernen Sie

- inhaltliche und zeitliche Bezüge ausdrücken
- eine Debatte führen
- (schriftlich) Stellung nehmen
- Verben mit Präpositionalergänzung
- Präpositionen mit Genitiv
- Konjunktiv Perfekt Passiv

4 *Anton Fugger, 1493-1560*

5 *Die Fugger und Karl V.*

6 *König Phillip II.*

d ☐ Jakob Fugger wurde 1514 für seine Verdienste um das Haus Habsburg zum Reichsgrafen erhoben. Er sorgte für die Verbesserung der Lebensbedingungen mittelloser Bürger, indem er 1521 die sogenannte Fuggerei stiftete – eine Wohnsiedlung für Arme, die noch heute existiert und die als die älteste bestehende Sozialsiedlung der Welt gilt. Wie eine eigene Stadt hat sie eine Kirche und ist von einer Mauer mit drei Toren umgeben. Prominentester Bewohner war der Maurermeister Franz Mozart, Urgroßvater des Komponisten Wolfgang Amadeus Mozart.

e ☐ Anton Fugger von der Lilie war ein Neffe Jakobs und bemühte sich nach dessen Tod im Jahre 1525 um die Fortsetzung der erfolgreichen Geschäftspolitik. Er wurde 1493, natürlich in Augsburg, geboren und starb dort 1560. Er unterstützte Ferdinand I. (König v. Ungarn und Böhmen) und auch weiterhin Karl V., der ihm wiederum half, seine Handelsgeschäfte international auszubauen. International hieß damals nach Westindien, Mexiko und Südamerika. Anton Fugger hinterließ ein beträchtliches Vermögen.

f ☐ Der Spagat zwischen wirtschaftlichen Interessen des Fuggerschen Handelshauses, dem damaligen Finanzsystem und seiner humanistischen Gesinnung zermürbte den von Kindesbeinen an kränkelnden Anton zunehmend. Außerdem kühlte sich das Verhältnis zu Karl V. und dessen Sohn und späteren spanischen König Philipp II. (1556–1598) zunehmend ab. Die Habsburger waren völlig von der Finanzierung durch die Fugger abhängig, was ihnen einerseits unerträglich wurde. Andererseits waren sie jedoch auf die Zusammenarbeit mit ihnen angewiesen.

b) Berichten Sie über die Geschäfte und Beziehungen der Familie Fugger in ihrem zeitlichen Zusammenhang. Der Redemittelkasten hilft.

Redemittel

inhaltliche und zeitliche Bezüge ausdrücken

inhaltlich: ... waren im Handel und zugleich im/an ... tätig. / Dank der/des ... / Infolge der Zusammenarbeit von/mit ... / Aufgrund des (engen/ unterkühlten) Verhältnisses zwischen ... / Wegen der (starken) (Un-)Abhängigkeit zum/zur ... / ... unterstützte(n)/finanzierte(n) die Pläne/Ziele von ...

zeitlich: Mit der Geburt von ... / Zurzeit des/der ... / der Herrschaft von ... / Im Jahre ... Während der Zusammenarbeit mit ... / Nachdem ... aufgebaut hatte / etablieren konnte, ... / Nach dem Tod von ... /

3 Kaufmanns- und Bankiersfamilien – ein weltweites Phänomen! **Gab es in Ihrem Land ähnliche Familien? Recherchieren Sie.**

4 Welthandel und Wirtschaft

Ü3

a) Markieren Sie im Faltblatt auf S. 74 Begriffe zum Thema „Handel" und „Wirtschaft".

b) Ordnen Sie den Definitionen einen passenden Begriff zu.

1 Industrie, die – 2 Börse, die – 3 Bank, die – 4 Handel, der – 5 Kaufmann, der – 6 Markt, der

a ❑ ... ist ein organisierter Markt für vertretbare Sachen, der nach Regeln funktioniert. Gehandelt werden kann u. a. mit Devisen (ausländische Zahlungsmittel), mit Wertpapieren (Aktien, Anleihen), Waren (z. B. Metalle und andere Rohstoffe) oder mit daraus abgeleiteten Rechten.

b ❑ ... ist ein Wirtschaftszweig, dessen Unternehmen Waren beschaffen und an andere Unternehmen oder Endverbraucher weiterverkaufen, ohne die Güter einer wesentlichen Veränderung durch Be- oder Verarbeitung zu unterziehen. Unterschieden wird u. a. zwischen Export und Import.

c ❑ ... betreibt ein Gewerbe und ist mit seinem Betrieb (Handelsgewerbe) im Handelsregister eintragen. Einzelpersonen, aber auch Handelsgesellschaften (z. B. Aktiengesellschaft (AG), Gesellschaft mit beschränkter Haftung (GmbH)) zählen dazu.

c) Erklären Sie mithilfe der Definitionen aus b) folgende Begriffe aus dem Ausstellungsflyer.

die Kaufmannsfamilie – der Metallhandel – das Börsengeschäft

5 Nominal- und Verbalstil: Verben mit Präpositionalergänzung

Ü4–5

a) Markieren Sie im Faltblatt auf S. 74–75 Sätze mit den folgenden Verben und ergänzen Sie die Präpositionen.

sich beschränken   sich bemühen   profitieren   sorgen   abhängig sein   angewiesen sein

b) Welcher Satz ist Nominal- (N), welcher Verbalstil (V)? Ordnen Sie zu und finden Sie zu den Markierungen in Satz 1 die entsprechenden Umformungen in Satz 2.

1 ❑ Die Fugger beschränken sich nicht auf die Ausübung ihrer Börsengeschäfte.
2 ❑ Die Fugger beschränkten sich nicht nur darauf, ihre Börsengeschäfte auszuüben.

c) Lesen Sie die Regel und analysieren Sie die Sätze aus b) im Hinblick auf Präposition, Präpositionaladverb, Infinitivsatz, Akkusativergänzung und Attribut (im Genitiv).

Regel Präpositionalergänzungen (Nominalstil) können in einen Infinitivsatz (Verbalstil) umgeformt werden. Die Präposition wird zum Präpositionaladverb im Hauptsatz; die Ergänzung wird zum Infinitivsatz. Das Attribut (im Genitiv) wird zur Akkusativergänzung.

d) Formen Sie die folgenden Sätze nach obigem Beispiel um.

1 Die Fugger bemühten sich um den Erhalt des europäischen Kupfermonopols.
2 Jakob Fugger sorgte für die Verbesserung der Lebensbedingungen armer Menschen.
3 Die Habsburger waren auf die Zusammenarbeit mit den Fuggern angewiesen.

6 Ihre Meinung ist gefragt. **Sind die Fugger die Wegbereiter der Globalisierung? Diskutieren Sie.**

Natürlich! Sie haben doch Handel mit Westindien und Mexiko betrieben.

Was gehört denn deiner Meinung nach zur Globalisierung?

2 Was ist eigentlich Globalisierung?

1 Die Welt wächst zusammen

Ü 6–7

a) Lesen Sie die folgenden Aussagen. Welchen stimmen Sie persönlich zu (j=ja), welche sind Ihrer Meinung nach nicht korrekt (n=nein)? Diskutieren Sie.

		Zeile(n)
1	❑ Globalisierung bedeutet v. a. Austausch von Produkten, das heißt Welthandel.	....
2	❑ Welthandel ist ein Phänomen der Neuzeit.	....
3	❑ Große Handelsgesellschaften lösten die mächtigen Kaufmannsfamilien ab.	....
4	❑ Die Globalisierung vollzieht sich gleichmäßig über die Jahrhunderte hinweg.	....
5	❑ Die Globalisierung tritt nicht in allen Ländern gleichermaßen auf.	....

b) Lesen Sie das Interview. Notieren Sie in a) die Zeilen, in denen Kruckenfeller auf die Aussagen eingeht.

»Die Welt wächst zusammen«

Thilo Kruckenfeller im Neo-Interview

Thilo Kruckenfeller, 37, Mitarbeiter am Institut für Wirtschaftsfragen Frankfurt/M.

NEO: Herr Kruckenfeller, in Europa ist eine heftige Diskussion über die Globalisierung in Gang gekommen. Aber es scheint so, als ob keiner richtig wüsste, was alles unter dem Begriff subsumiert wird. Können Sie uns weiterhelfen?

TK: Der Begriff der Globalisierung steht für das verstärkte Zusammenwachsen von Ländern – auf politischer Ebene, durch das Internet und natürlich durch die grenzüberschreitenden Ströme von Gütern, Kapital und Dienstleistungen.

NEO: Globalisierung ist also nicht gleichzusetzen mit Welthandel?

TK: Nein. Das ist ein mehrdimensionales Phänomen. Der Welthandel ist aber die treibende Kraft.

NEO: Seit wann gibt es Welthandel?

TK: Im Prinzip schon seit vorgeschichtlicher Zeit. Im 2. Jahrtausend v. Chr. gab es im bronzezeitlichen Europa einen regen Handel, der einen großen Teil der damals bekannten Welt umspannte. Danach einte das Römische Reich mit seinem dichten Handelswegenetz den Mittelmeerraum und unterhielt Kontakte bis nach China. Im späten Mittelalter und zu Anfang der Neuzeit stiegen zunächst Familienunternehmen zu europa- oder gar weltweiter Bedeutung auf. Die Medici aus Florenz, als Kaufleute und Bankiers groß geworden, unterhielten ausländische Kontakte und Niederlassungen. Zeitgleich nahm eine Augsburger Händlerfamilie, die Fugger, nördlich der Alpen Einfluss auf den Handel und entwickelte sich zu einem Konzern von Weltgeltung.

NEO: Und diese Handelsfamilien beherrschten den Welthandel dann auch im Laufe der Neuzeit?

TK: Vor dem 17. Jahrhundert gab es die erwähnten Handelszentren in Florenz und Augsburg. Doch schließlich gründeten sich mächtige Handelsgesellschaften wie die englische East India Company (1600), die niederländische Ostindische Kompanie (1602) und die englische Hudson's Bay Company (1670). Bis dahin waren diese Gesellschaften ein Zusammenschluss von Kaufleuten, die international Handel trieben. Nachdem sie von ihren Regierungen mit Privilegien ausgestattet wurden, unterhielten die Handelsgesellschaften sogar eigene Armeen und konnten nach Eroberung neuer Gebiete Einfluss auf deren Gesetzgebung nehmen und auch die Rechtsprechung ausüben.

NEO: Worin zeigt sich Globalisierung?

TK: Ausdruck einer Tendenz zur Intensivierung des weltweiten Handels sind neue Produkte, neue Herkunftsländer, neue Formen der Arbeitsteilung. Diese Tendenz ist in der Geschichte immer wieder anzutreffen. Beispielsweise wuchs im Laufe des 19. Jahrhunderts der Welthandel zeitweilig stärker als die weltweite Produktion.

NEO: Das heißt, dass sich die Globalisierung nicht gleichmäßig vollzieht?

TK: Genau, es handelt sich um Phasen. Der jüngste Schub setzte zu Beginn der 1990er Jahre ein.

NEO: Wie kam es zu diesem Globalisierungsschub?

TK: Ab den frühen 1990er Jahren hat sich die Informations- und Kommunikationstechnologie weltweit zum Wachstumsmotor aufgeschwungen. Das Wachstum der Zukunftsbranchen, also Informationstechnik, Multimedia, Biotechnik und Telekommunikation, beschleunigte sich deutlich. Der Siegeszug des Internets begann.

NEO: Das Internet ist mittlerweile überall. Gibt es da überhaupt noch regionale Unterschiede?

TK: Die Globalisierung erfasst nicht alle Länder gleichmäßig. Während des Booms der 1990er Jahre konzentrierten sich Außenhandel und Auslandsproduktion auf die Europäische Union, Nordamerika und Japan, aber auch die Beziehungen zu den jeweils angrenzenden Ländern wurden enger. Auffällig ist, dass sich schließlich die asiatischen Schwellenländer als neue, dynamische Kraft im Handel erwiesen haben.

– 21 –

c) Ergänzen Sie Ihren Zeitstrahl aus 2 (S. 75) mit weiteren geschichtlichen Eckdaten aus Kruckenfellers Interview.

2 Wörter und Ausdrücke rund um die Globalisierung

a) Welcher Begriff passt? Suchen Sie im Interview.

1 ...: einflussreiche italienische Handelsfamilie, deren Mitglieder als Kaufleute und Bankiers agierten
2 ...: Periode in der Menschheitsgeschichte, in der Metallgegenstände (v. a. aus Bronze) hergestellt wurden, ca. 2200 bis 800 v. Chr.
3 ...: großes Unternehmen oder Firma
4 ...: bezeichnet das vom römischen Staat beherrschte Gebiet, ca. 800 v. Chr. bis etwa 600 n. Chr.
5 ...: Zusammenschluss von Kaufleuten, die Handel betrieben und sehr einflussreich waren
6 ...: bedeutet Hochkonjunktur oder wirtschaftlicher Aufschwung in einer Branche
7 ...: sind Staaten, die durch einen starken Umbau der Wirtschaftsstrukturen hin zur Industriegesellschaften gekennzeichnet sind

b) Sammeln Sie Begriffe zum Thema Globalisierung in einem Wörternetz.

3 Einfluss nehmen auf – Funktionsverbgefüge

Ü 8

a) Suchen Sie im Interview die folgenden Wörter. Sie sind Teil eines Funktionsverbgefüges. Notieren Sie passende Verben und Präpositionen.

Kontakt Einfluss (2 x)
Rechtsprechung Privilegien Handel

b) Legen Sie sich eine Liste mit Funktionsverbgefügen an. Notieren Sie wie im Beispiel.

Einfluss nehmen auf = beeinflussen

Die Fugger nahmen im 16. Jahrhundert in ganz Europa Einfluss auf den Handel.

4 Zeit ausdrücken

Ü 9–10

a) Markieren Sie die sprachlichen Mittel zur Angabe von Zeit im Interview. Ordnen Sie sie in die Tabelle ein. Welche Zeitangaben kommen nicht vor?

NEO: Seit wann gibt es Welthandel?
TK: Im Prinzip schon seit vorgeschichtlicher Zeit. Im 2. Jahrtausend v. Chr. gab es im bronzezeitlichen Europa einen regen Handel, der einen großen Teil der damals bekannten Welt umspannte. Danach einte das Römische Reich mit seinem dichten Handelswegenetz

seit im/in danach zunächst während(dessen) (be)vor zuerst nachdem im Laufe zeitweilig damals zu Beginn bis dahin zurzeit ab nach zu Anfang schließlich

Dauer	Zeitpunkt	Gleichzeitigkeit	Nach- und Vorzeitigkeit
seit	*im*		*danach*

b) Notieren Sie Fragen mit den Zeitangaben in 4 a) und stellen Sie sie Ihrer Partnerin/Ihrem Partner.

Seit wann gibt es den Welthandel?

Worauf konzentrierte sich der Außenhandel während des Booms der 1990er Jahre?

5 Einen Kurzvortrag halten.

Halten Sie einen Kurzvortrag zum Thema Globalisierung. Stellen Sie zeitliche Bezüge her und gehen Sie dabei auch auf die Fugger ein.

3 Über Globalisierungsfragen debattieren

1 Kontroverse Themen sachlich diskutieren

Ü11

a) Lesen Sie das Infoblatt der Heine-Schule zu *Jugend debattiert*. Formulieren Sie Fragen auf Grundlage des Flyers und stellen Sie sie im Kurs.

Dürfen Siebtklässler an den Vorbereitungen teilnehmen?

Nein, das geht ...

Die Heine-Schule braucht dich!

• Warum Jugend debattiert?

Weil kritisches Denken, die eigene Meinung vertreten und anderen Menschen zuhören können, dabei fair und sachlich debattieren können, zu unserer Gesellschaft gehört.

• Was ist eine Debatte?

Das ist ein Gespräch nach festen Regeln. Von den Debattanten soll eine Entscheidungsfrage beantwortet werden. Entscheidungsfragen sind Fragen, auf die man nur mit „Ja" oder „Nein" antworten kann.

• Was ist Jugend debattiert?

Jugend debattiert ist ein bundesweiter Wettbewerb für Schüler und Schülerinnen. Er wurde 1999 ins Leben gerufen und stand unter der Schirmherrschaft des damaligen Bundespräsidenten Johannes Rau.

• Wer kann mitmachen?

Alle Schüler und Schülerinnen ab der achten Klasse. Bundesweit sind schon ca. 155.000 Schüler und Schülerinnen sowie 6.200 Lehrkräfte an 870 Schulen mit dabei!

• Wann kommst du dazu?

Montag, 18.11., 16–18 Uhr, Raum 028

2.2

b) Hören Sie die Schülersprecherin Stefanie Moser im Rahmen einer Schulinfo-Veranstaltung und sammeln Sie weitere Informationen zum Format *Jugend debattiert*.

Stefanie sagt, dass man nicht unbedingt die eigene Meinung vertreten muss.

Ich fand interessant, dass ...

2.3

c) Wie ist eine Debatte aufgebaut? Hören Sie den zweiten Teil von Mosers Rede und erstellen Sie einen Ablaufplan.

Eröffnungsrunde –> ...
ca. pro Sprecher 2 Min

2.4

d) Sprecherfunktionen in der Eröffnungsrunde. Ordnen Sie zu. Vergleichen Sie dann mit der CD. Ergänzen Sie Ihren Ablaufplan aus c) mit weiteren Informationen.

Pro-Redner 1	1	a	überprüft Einleitung und Hauptargument des Pro1-Redners kritisch
Kontra-Redner 1	2	b	greift den größten Kritikpunkt auf und formuliert den Zielsatz
Pro-Redner 2	3	c	ergänzt fehlende Informationen und weist auf Ungenauigkeiten hin
Kontra-Redner 2	4	d	leitet ein, erörtert die Debattenfrage und bringt das Pro-Hauptargument

2 Der Eröffnungsrede einer Debatte folgen

2.5

a) Hören Sie Lukas' Eröffnungsrede. Worum geht es in der Debatte? Kreuzen Sie an.

1 ❑ Gefährdet die Globalisierung die Industrie Deutschlands?
2 ❑ Ist in einer globalisierten Welt das Verbot von Smartphones im Unterricht haltbar?
3 ❑ Hat Globalisierung nur negative Folgen für Entwicklungsländer?
4 ❑ Ist Globalisierung ohne Internet überhaupt noch denkbar?

2.6 **b)** Hören Sie jetzt die gesamte Eröffnungsrunde und notieren Sie die Argumente der Rednerinnen und Redner.

c) Formulieren Sie als Kontra-Redner 2 den Abschluss der Eröffnungsrunde. Greifen Sie Kritikpunkte auf und formulieren Sie einen Zielsatz. Nutzen Sie dafür die Redemittel aus 3. Vergleichen Sie dann Ihre Fassungen.

3 Wie sagt man's? Hören Sie noch einmal die Eröffnung der Debatte und markieren Sie im Redemittelkasten die Strukturen, die die Sprecherinnen und Sprecher verwenden.

Ü12

Redemittel

eine Debatte einleiten

Pro1:	... stellt ein Problem / eine offene Frage dar. Deshalb stellt sich die (grundsätzliche) Frage, ob/warum/wie ... / Ich spreche mich für ... aus. Daraus ergibt sich (zwangsläufig) die Frage, ob ...
Kontra1:	Es wurde gesagt, dass ... Es steht die Aussage im Raum ... / Ich vertrete nicht wie mein Vorredner die Position/Meinung, dass ... Die Behauptung, dass ..., ist auch nicht (ganz) richtig/nicht haltbar. Und so denke ich, ...
Pro2:	Nicht erwähnt wurde / Zu ergänzen ist, dass ... Betrachtet/Analysiert man die Gegenargumente meines Vorredners genauer, so zeigen sich Ungereimtheiten / werden Fragen aufgeworfen. / Ich komme daher zum Schluss, dass ...
Kontra2:	Das größte Problem wirft sich hinsichtlich / mit Bezug auf ... auf / Grundsätzlich zu klären ist, ob/dass/welche ... In einem Satz ließe sich das Frage wie folgt formulieren: ...

4 Pro oder Kontra: Das Internet bringt Menschen zusammen

Ü13

a) Sehen Sie sich die Logos an. Stimmen Sie der These in der Überschrift zu? Ja oder nein?

E-Learning @ YouTube twitter

b) Finden Sie eine/n Partner/in, der/die auch Ihre Meinung vertritt. Sammeln Sie Argumente für Ihre Position. Ordnen Sie Ihre Argumente nach Wichtigkeit.

	Pro	Kontra
Hauptargument 1		
Nebenargument 1		
...		

c) Legen Sie Ihre Rede fest und notieren Sie Sätze für Ihren 1-minütigen Redeteil. Verwenden Sie die Redemittel aus 3.

Pro-Redner-1: Welche Auswirkungen hat die digitale Vernetzung auf den einzelnen Menschen?

d) Eröffnen Sie jetzt in Vierer-Gruppen die Debatte. Die anderen entscheiden, welche Eröffnung am überzeugendsten/interessantesten/... war und begründen.

4 Werbung global = Werbung für alle?

1 Werbung ist ...

Ü14

a) Beantworten Sie die folgenden Fragen und diskutieren Sie sie im Kurs.

1 Welche Werbung gefällt Ihnen besonders gut, welche spricht Sie weniger an? Warum?
2 Ist das Produkt oder das Unternehmen in der Werbung wichtig(er)?

> Die Werbefilme im Kino sind meist toll, weil sie witzig sind.

> Stimmt. Aber das funktioniert nicht überall.

b) Wie würde Werbung für diese Produkte in Ihrem Land aussehen? Beschreiben Sie Farbe, Layout und Personen, die in der Werbung vorkommen würden. Berichten Sie.

c) Welche Hypothesen sind Ihrer Meinung nach zutreffend? Kreuzen Sie an.

1 ❑ Werbung muss Wünsche beim Käufer wecken.
2 ❑ Werbung ist kulturspezifisch – man kann ein Produkt nicht weltweit identisch bewerben.
3 ❑ Länderübergreifende Zielgruppen lassen sich gut über identische Werbung erreichen.
4 ❑ Gefühle spielen bei der Rezeption von Werbung eine bedeutende Rolle.

2 Kommunikation von Emotionen

a) Lesen Sie den ersten Teil des Artikels. Sammeln Sie Informationen zu folgenden Punkten.

Grundproblem der Werbung – Grundregeln erfolgreichen Werbens – Zielgruppen

http://www.mediatreff.de/kommunikation

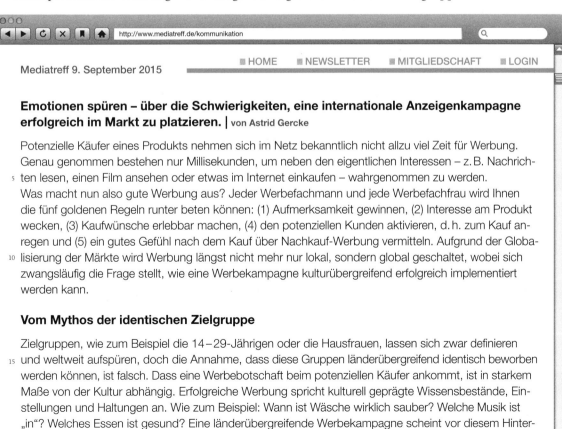

Mediatreff 9. September 2015

HOME | NEWSLETTER | MITGLIEDSCHAFT | LOGIN

Emotionen spüren – über die Schwierigkeiten, eine internationale Anzeigenkampagne erfolgreich im Markt zu platzieren. | von Astrid Gercke

Potenzielle Käufer eines Produkts nehmen sich im Netz bekanntlich nicht allzu viel Zeit für Werbung. Genau genommen bestehen nur Millisekunden, um neben den eigentlichen Interessen – z. B. Nachrichten lesen, einen Film ansehen oder etwas im Internet einkaufen – wahrgenommen zu werden. Was macht nun also gute Werbung aus? Jeder Werbefachmann und jede Werbefachfrau wird Ihnen die fünf goldenen Regeln runter beten können: (1) Aufmerksamkeit gewinnen, (2) Interesse am Produkt wecken, (3) Kaufwünsche erlebbar machen, (4) den potenziellen Kunden aktivieren, d. h. zum Kauf anregen und (5) ein gutes Gefühl nach dem Kauf über Nachkauf-Werbung vermitteln. Aufgrund der Globalisierung der Märkte wird Werbung längst nicht mehr nur lokal, sondern global geschaltet, wobei sich zwangsläufig die Frage stellt, wie eine Werbekampagne kulturübergreifend erfolgreich implementiert werden kann.

Vom Mythos der identischen Zielgruppe

Zielgruppen, wie zum Beispiel die 14–29-Jährigen oder die Hausfrauen, lassen sich zwar definieren und weltweit aufspüren, doch die Annahme, dass diese Gruppen länderübergreifend identisch beworben werden können, ist falsch. Dass eine Werbebotschaft beim potenziellen Käufer ankommt, ist in starkem Maße von der Kultur abhängig. Erfolgreiche Werbung spricht kulturell geprägte Wissensbestände, Einstellungen und Haltungen an. Wie zum Beispiel: Wann ist Wäsche wirklich sauber? Welche Musik ist „in“? Welches Essen ist gesund? Eine länderübergreifende Werbekampagne scheint vor diesem Hintergrund wenig aussichtsreich. Dennoch gibt es erfolgreiche internationale Werbekonzepte.

b) Lesen Sie weiter. Welchen Standards muss Werbung erfüllen, um international erfolgreich zu sein? Machen Sie Stichpunkte.

Standardisierung im Rahmen von *global advertising*

Um standardisierte Werbung weltweit schalten zu können, muss eine globale Werbestrategie für die Auslandsmärkte entwickelt werden. Eine solche Kampagne bietet eine in Inhalt und Layout identische Werbebotschaft und sieht den zeitgleichen Einsatz identischer Medien vor. In der Werbebranche wird dies als *global advertising* bezeichnet. Die sprachliche, kulturelle und technische Anpassung von Produkten und Dienstleistungen an einen lokalen Markt wird als Lokalisierung bezeichnet. Welche Argumente sprechen für Standardisierung? Meist zielen die Unternehmen auf eine Kostensenkung. Doch diesem Wunsch folgt oft schnell Ernüchterung.

Zur Kulturgeprägtheit emotionaler Erlebnisse

Werbung zielt darauf, Emotionen beim potenziellen Käufer auszulösen. Ziel ist es, die Marke selbst zum emotionalen Erlebnis zu stilisieren, was jedoch äußerst komplex ist, da stark kulturell geprägte Erwartungen, Wertevorstellungen oder Wünsche des Rezipienten angesprochen werden müssen. Jede Kultur trifft eigene Werturteile, hat unterschiedliche Vorstellungen von Familie, Arbeit und Freizeit, nutzt Produkte in eigener Weise. So ergeben sich zwei Grundregeln standardisierter Werbung: erstens muss die emotionale Einstellung zum Thema in allen Kulturen übereinstimmen, und zweitens müssen die mit der standardisierten Visualisierung verwendeten Bilder und/oder Symbole bekannt sein.

Die Abhängigkeiten standardisierter Werbung

1. *Argumentationsstrategie:* Angesichts der kulturspezifisch unterschiedlichen Verwendungsweisen von Produkten kann eine andere Argumentationsstrategie erforderlich sein.
2. *Kulturgebundenheit von Produkten:* Je kulturgebundener ein Produkt ist, umso stärker besteht die Notwendigkeit einer kulturspezifischen Werbebotschaft. Ungeachtet der Herkunft trifft dies meist in besonderer Weise auf Lebensmittel zu, technische Produkte sind hingegen weniger kulturgebunden.
3. *Personen und Bezüge:* regionalbekannte Personen oder auch Werbung mit Bezug zu Mythen und Geschichten setzen Wissensbestände voraus, anhand derer die Zielgruppe die Werbebotschaft entschlüsselt. International bekannte Persönlichkeiten können weltweit Werbebotschaften transportieren.
4. *Symbolik:* Symbole, Farben und körpersprachliche Signale sind kulturell tradiert, d. h. überliefert und daher nicht einheitlich. Erfolgreiche Werbung muss dies zugunsten ihrer Wirksamkeit bewusst einkalkulieren.

c) Vergleichen Sie ihre Ergebnisse aus 1c) auf S. 81 mit den Textaussagen. Markieren Sie die Passagen im Artikel, die auf die Hypothesen eingehen.

3 Werbung lokal oder global

a) Erklären Sie die folgenden Begriffe mithilfe des Internet-Artikels in 2.

Kostensenkung   identische Werbebotschaft   lokaler Markt
emotionale Einstellung   Grenzen der Standardisierung

b) Was spricht für, was spricht gegen standardisierte Werbung? Sammeln Sie Pro- und Kontra-Argumente.

4 Schriftlich Stellung nehmen.

Ü15

Schreiben Sie eine Erörterung zu folgendem Thema.

Globalisierung schafft eine neue Generation von Käufern

5 Ü16 **Präpositionen mit Genitiv. Markieren Sie im Textabschnitt „Die Abhängigkeiten standardisierter Werbung“ untenstehende Präpositionen mit Genitiv. Ordnen Sie dann die Präpositionen ihren Synonymen zu und formulieren Sie die Sätze im Artikel um.**

zugunsten	1	a	in Anbetracht von ...
anhand	2	b	ohne Berücksichtigung von ...
angesichts	3	c	mithilfe von
ungeachtet	4	d	unter Berücksichtigung von

6 **Gute Werbung?**

a) Was macht gute, zeitgemäße Plakatwerbung aus? Diskutieren Sie die folgenden Kriterien und gewichten Sie sie.

Kulisse/Szene Sprache/Werbespruch
Humor Fotos Schriftart
Symbole Farbe Licht Standort ...

b) Sehen Sie sich das Plakat an. Was passt (nicht)? Ist das eine gute Werbung? Gehen Sie bei Ihrer Bewertung auf die Kriterien aus a) ein.

2.7 **c)** Was sagt der Experte zum Plakat? Hören Sie Werbefachmann Robert Schätzing. Verbinden Sie.

Die Farben		1 viel interessanter und sympathischer in Szene gesetzt werden müssen.
Die Schrift		
Die Personen	hätte	2 anders im Bild verortet werden müssen.
Die Szene	hätten	3 weniger massiv in den Vordergrund gebracht werden dürfen.
Die Werbebotschaft		4 sehr viel sinnvoller ausgewählt werden können.
Das Produkt		5 sehr viel besser formuliert werden können.
		6 sehr viel weniger dominant eingesetzt werden dürfen.

d) Teilen Sie Schätzings Einschätzung? Diskutieren Sie.

7 **Das hätte viel besser gemacht werden müssen! Konjunktiv Perfekt Passiv**

Ü17 **a)** Lesen Sie die Sätze aus 6 c) laut und schnell.

b) Analysieren Sie die Sätze. Welche Abfolge ist richtig? Kreuzen Sie an.

- ❑ hätte (Position 2) + Modalverb + Partizip II + werden
- ❑ hätte (Position 2) + Partizip II + werden + Modalverb
- ❑ hätte (Position 2) + werden + Partizip II + Modalverb

8 **Projekt. Welches Produkt ist typisch oder besonders beliebt in Ihrem Land? Wie würden Sie das Produkt weltweit vermarkten? Sammeln Sie Ideen und präsentieren Sie sie. Die anderen kritisieren die Kampagne.**

5 Ein Format geht um die Welt

1 „Bauer sucht Frau“ – ein Fernsehformat

Ü18

a) Lesen Sie den Wikipedia-Eintrag und beantworten Sie die folgenden Fragen.

1 Um welches Fernsehformat handelt es sich bei Bauer sucht Frau?
2 Wer sucht wen und warum?
3 Was wird an dem Format kritisiert und wie erfolgreich ist es?

http://de.wikipedia.org/wiki/Bauer_sucht_Frau

WIKIPEDIA
Die freie Enzyklopädie

Hauptseite
Themenportale
Zufällige Artikel

Mitmachen
Neuen Artikel anlegen
Autorenportal
Hilfe
Letzte Änderung
Kontakt
Spenden

Bauer sucht Frau

Bauer sucht Frau ist der Titel zweier 2005 gestarteter Doku-Soaps; einmal des deutschen Fernsehsenders RTL und außerdem des österreichischen Fernsehsenders ATV, in der Landwirte jeweils Lebensgefährten suchen. In beiden Formaten nahmen zunächst nur männliche Landwirte teil, in der fünften Staffel 2009 suchte bei RTL erstmals eine Bäuerin einen Mann. In der neunten Staffel 2013 war eine Bäuerin auf der Suche nach einer Lebensgefährtin. Bei ATV nehmen seit der sechsten Staffel 2009 auch Frauen an der Suche teil.

Beide Sendungen unterscheiden sich in Details, basieren aber auf dem britischen Format *Farmer Wants a Wife*, das im Jahr 2001 erstmals auf ITV1 ausgestrahlt wurde. Im Schweizer Fernsehen wurde bereits 1983 ein ähnliches Format namens *Bauer sucht Bäuerin* ausgestrahlt. [1]

Internationale Versionen

Das Format wurde auch in anderen Ländern aufgegriffen. In Australien begann am 24. Oktober 2007 die erste Staffel auf Nine Network. In den USA strahlte The CW die erste Staffel seiner Version vom 30. April 2008 bis zum 25. Juni 2008 aus. [2]

Kritik

Nach Meinung des Präsidenten des Deutschen Bauernverbandes Gerd Sonnleitner, gebe die Sendung *„ein dümmliches und falsches Klischee“* über die Bauern wieder, das nichts mit der Realität zu tun habe. Die Bauern würden als *„einsame Trottel präsentiert, die nicht wissen, wie sie sich benehmen sollen“*.

b) Kennen Sie dieses Format? Gibt es „Bauer sucht Frau“ auch in Ihrem Land? Recherchieren und berichten Sie. Diskutieren Sie den weltweiten Erfolg des Formats.

Ich kenne das Format nicht, aber es klingt witzig. Der Erfolg kommt vielleicht ...

c) Kennen Sie andere global vermarktete Sendeformate? Berichten Sie.

2 Gleiche Formate – gleiche Zuschauer?

a) Planen Sie die Eröffnungsrede einer Debatte zur folgenden Frage in 4er-Gruppen. Legen Sie die Rederollen fest und bereiten Sie Ihre Redefunktion vor.

These: Fernsehformate können weltweit gleich eingesetzt werden.

b) Halten Sie die Eröffnungsrede. Die anderen bewerten anhand der Checkliste.

Checkliste: Eröffnung

Argumente
- nachvollziehbar ?
- nach Wichtigkeit geordnet ?
- überzeugend?

Teilnehmer
- treten höflich auf?
- lassen andere aussprechen?
- beziehen sich aufeinander?
- sprechen laut und deutlich?
- sind unterhaltsam?
- Mimik und Gestik passen?

Fit für Einheit 7?

Das kann ich auf Deutsch

▶ **inhaltliche und zeitliche Bezüge ausdrücken (1.2)**

Sag mal, weißt du was über die Fugger?

Klar, mit der Geburt von Jakob Fugger ...

Das kann ich ☺ ❑ ☹ ❑ ▶ Ü 2

▶ **eine Debatte führen (3.1–3.4)**

Stell dir vor, du hättest zwei Minuten Redezeit und müsstest die Position vertreten, dass das Internet die größte Errungenschaft der Menschheit ist. Was sagst du?

....

Das kann ich ☺ ❑ ☹ ❑ ▶ Ü 11–13

▶ **schriftlich Stellung nehmen (4.4)**

Schriftlicher Ausdruck 1 (65 Minuten)

Sie haben die Aufgabe, sich schriftlich dazu zu äußern, ob die Globalisierung überwiegend positive oder negative Auswirkungen hat.

Das kann ich ☺ ❑ ☹ ❑ ▶ Ü 15

Grammatik

▶ **Verben mit Präpositionalergänzung (1.5)**

Nominalstil: Die Fugger bemühten sich um den Ausbau ihrer Macht.

Verbalstil: ....

Das kann ich ☺ ❑ ☹ ❑ ▶ Ü 4–5

▶ **Mittel zu Angabe von Zeit (2.4)**

NEO: Seit wann gibt es Welthandel?
TK: Im Prinzip schon seit vorgeschichtlicher Zeit. Im 2. Jahrtausend v. Chr. gab es im bronzezeitlichen Europa einen regen Handel, der einen großen Teil der damals bekannten Welt umspannte. Danach einte das

Das kann ich ☺ ❑ ☹ ❑ ▶ Ü 9–10

▶ **Präpositionen mit Genitiv (4.5)**

Ungeachtet ihrer Herkunft — *Ohne Berücksichtigung ihrer Herkunft*

Angesichts dieser Verwendungsweise — ....

Das kann ich ☺ ❑ ☹ ❑ ▶ Ü 16

▶ **Konjunktiv Perfekt Passiv (4.7)**

Der Werbespruch hätte treffender formuliert werden können. Die Farben ...

Das kann ich ☺ ❑ ☹ ❑ ▶ Ü 17

7 Das richtige Maß?

1 Gesundheit im Alltag

1 Gesund leben

Ü1–3

a) Sehen Sie sich die Gegenstände an. Welche interessieren Sie? Was haben sie mit dem Thema *Gesundheit* zu tun?

> *Eine Uhr, die den Puls misst? Ist das nicht völlig übertrieben?*

> *Sieh mal, der Gutschein. Da geht es um eine spezielle Massage. Die habe ich auch schon mal gehabt.*

b) Beschreiben Sie die Person, der die Gegenstände gehören.

c) Welche Gegenstände zum Thema Gesundheit würden auf Ihrem Schreibtisch liegen? Berichten Sie.

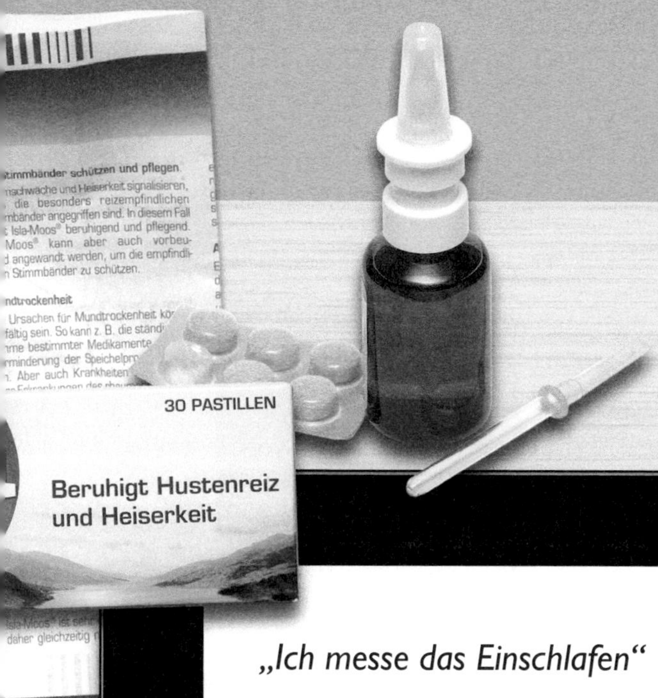

Hier lernen Sie

- über Gesundheitsthemen diskutieren
- die Weltgesundheitsorganisation (WHO)
- über Vielfalt/Diversity sprechen
- Informationen zusammenführen
- Argumente gewichten
- Texte/Textteile zusammenfassen
- Modalpartikeln
- Subjektsatz und Objektsatz

| forschungswissen

„Ich messe das Einschlafen"

Besser Schlafen mit Somnomat

Ich selbst habe keine Schlafprobleme, aber das ist etwa bei einem Drittel der Menschen anders. Deshalb interessiert mich: Wieso kann man Kinder in den Schlaf wiegen? Warum schlafen Erwachsene im Zug ein? Ich messe die Herz- und die Atemfrequenz sowie die Herz- und Muskelaktivität von Probanden, die in unserem Somnomat liegen. Das ist ein Bett, das alle erdenklichen Bewegungen ausführen kann. Ich persönlich entspanne am besten bei einer Auf- und Abwärtsbewegung. Aber das ist individuell unterschiedlich. Unser Forschungsprojekt soll den Zusammenhang von Schlaf und Bewegung aufzeigen – und irgendwann einen marktreifen Prototypen für ein Bett präsentieren, das Schlaftabletten unnötig macht.

Ximena Omlin, 26, Bewegungswissenschaftlerin, Technische Hochschule Zürich

2 Gesunder Schlaf

Ü4–6

a) Lesen Sie den Artikel „Ich messe das Einschlafen". Beantworten Sie folgende Fragen.

1 Was wird untersucht?
2 Was ist ein Somnomat?
3 Was ist das Ziel der Studie?
4 Wer führt die Studie durch?

b) Und Sie? Welche Bedeutung hat Schlaf für Ihre Gesundheit? Diskutieren Sie.

c) Welche Gesundheitsthemen werden aktuell in Ihrem Land diskutiert? In welchen Bereichen sollte mehr Forschung betrieben werden?

3 Kursstatistik. **Entwickeln Sie einen Fragebogen zu einem Gesundheitsaspekt. Fragen Sie im Kurs und fertigen Sie eine Gesundheitsstatistik an. Nutzen Sie die Vorschläge.**

Anzahl von Rauchern und Nichtrauchern
Anzahl der Sportarten
Anzahl wahrgenommener Zahnarzttermine pro Jahr
...

2 Der Mensch in Daten

1 Was ist Self-Tracking? **Sehen Sie sich die Collage an und diskutieren Sie, was man darunter verstehen könnte.**
Ü7

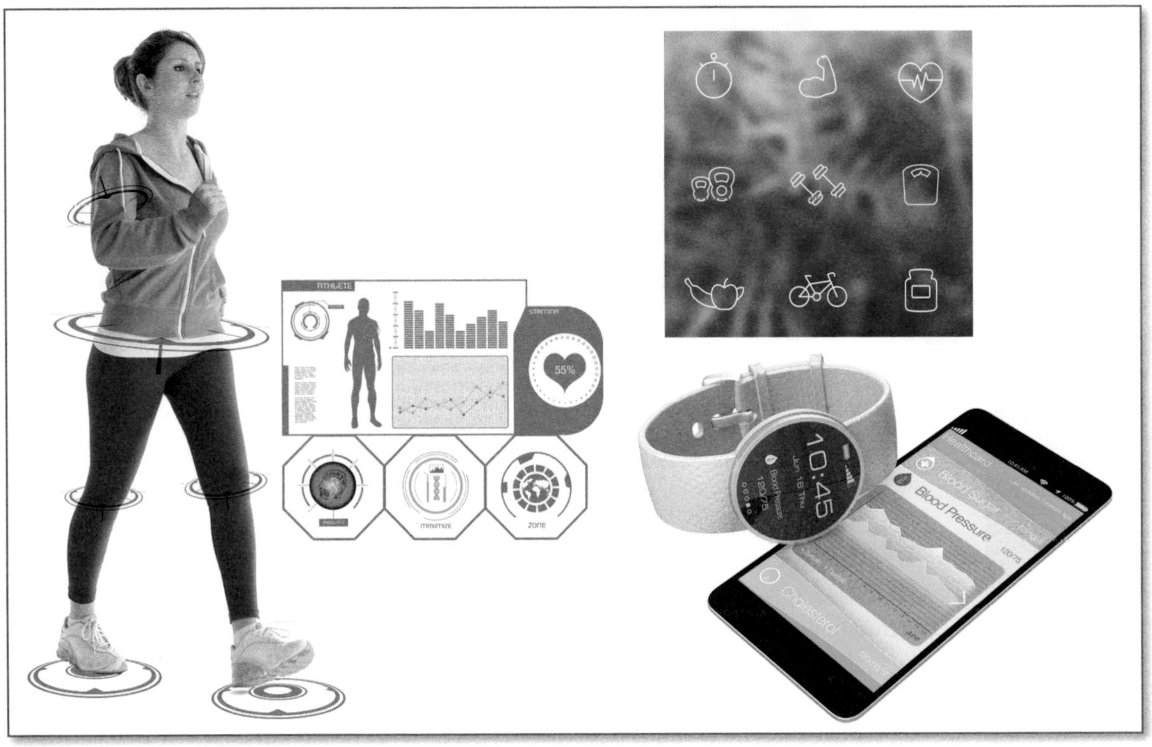

2 Der Mensch als Datensatz?
Ü8

a) ... ist der Titel eines Radiobeitrags. Was wird dort vermutlich angesprochen? Kreuzen Sie an und diskutieren Sie.

1 ❑ Möglichkeiten, die neue Technologien Ärzten und Forschern bieten
2 ❑ Die Revolution des Gesundheitswesens durch den Computer
3 ❑ Möglichkeit zur Messung eigener Körperdaten auf Grundlage neuer Technologien

2.8 b) Hören Sie den Radiobeitrag und überprüfen Sie Ihre Hypothesen aus 1 und 2 a). Definieren Sie auf dieser Basis den Begriff Self-Tracking.

3 Self-Tracking: Was gemessen werden kann

a) Was glauben Sie? Was kann man schon jetzt ohne ärztliche Hilfe messen? Kreuzen Sie an. Diskutieren Sie, welche der Möglichkeiten Ihnen (weniger) sinnvoll erscheinen. Begründen Sie Ihre Meinung.

1 ❑ Sehstärke/-schärfe	4 ❑ Gewicht	7 ❑ Schlafzyklen	10 ❑ Temperatur
2 ❑ Blutdruck	5 ❑ Bewegung	8 ❑ Kalorienverbrauch	11 ❑ Stress
3 ❑ Stimmung	6 ❑ Herzfrequenz	9 ❑ Blut-Sauerstoffgehalt	12 ❑ Ruhezeiten

2.9 b) Hören Sie den zweiten Teil des Radiobeitrags. Welche Punkte werden angesprochen? Markieren Sie in a). Ergänzen Sie die Liste mit weiteren Punkten aus dem Beitrag.

4 Das ist doch Irrsinn! **Lesen Sie die beiden Aussagen. Welcher stimmen Sie eher zu? Begründen Sie.**

Götz Perincke: „Diese ganze Technik verursacht doch nur Panik. Ich sage ‚nein' zum Self-Tracking! Das braucht der Privatmensch doch nicht."

Svea Petermann: „Die ewig Gestrigen können ja gerne Schlammkuren machen und für die Gesundheit trommeln. Aber im 21. Jahrhundert ist das Irrsinn. Ich sage ‚ja' zum Self-Tracking!"

5 Ich lass mich (doch nicht) vermessen!

Ü9

a) Lesen Sie den Pro- oder Kontra-Text entsprechend Ihrer Wahl aus 4. Unterstreichen Sie Schlüsselwörter, machen Sie Notizen und präsentieren Sie den Standpunkt Ihrer Person.

PRO & KONTRA: Gesundheitstracking – Unsere Leser antworten

Mit moderner Software kann man inzwischen vom Schlaf über die aktuelle Stimmung bis zu den Fettwerten alle Körperfunktionen messen. Die Daten können zum Arzt mitgenommen oder einfach nur daheim auf dem Sofa ausgewertet werden. Wie sehen Sie das?

Svea Petermann, 26, aus Oldenburg ist **PRO**

Ich bin für Gesundheitstracking, weil ich mich nun mal für meine Gesundheit interessiere. Wir leben im 21. Jahrhundert. Also nutze ich auch all die Technik, die mir unsere Zeit ermöglicht: vom Computer bis zur Waschmaschine. Wer auf Schamanen und Trommeln, Globuli oder Schlammkur steht ... Bitteschön. Kein Problem. Ich lebe eben nach anderen Maßstäben und überprüfe meine Gesundheit. Die Daten kann ich zum Arzt mitnehmen. Sie weisen auf Auffälligkeiten hin und das hilft nicht nur dabei, Krankheiten zu diagnostizieren, sondern diese auch zu therapieren. Die neuen Apps unterstützen mich total: Angefangen mit der Erinnerung an Vorsorgetermine bis hin zum Sammeln konkreter Daten, die ich dann eh mit meinem Arzt bespreche. Im Übrigen muss ich doch solch sensible Daten nicht auf Facebook veröffentlichen und auch nicht meinem Arbeitgeber mitteilen. Diese Datenschutzdiskussion im Zeitalter von Internet und sozialen Netzwerken nervt. Mich jedenfalls bewahrt die neue Technik vor Nachlässigkeit, aber eben auch vor unnötigen Ängsten. Und mal ehrlich, die Apps kommen doch dem technischen Interesse des Menschen entgegen. Wir sind nun mal neugierig und vermessen unsere Welt. Datensammeln ist die Zukunft, und wir sollten diese Entwicklung nicht verschlafen!

Götz Perincke, 36, aus Ulm ist **KONTRA**

Ganz ehrlich, ich bezweifle den Nutzen. Wir ertrinken in der Technikflut und meinen, dass es zu unserem Besten ist. Ich sehe hier einfach die Gefahr der Förderung von Hypochondern. „Oh je, ich hatte im Mai ein Mal Kopfschmerzen, im Juni schon drei Mal und im Juli waren es sogar vier Tage. Gehirntumor, ganz klar. Panik!" Das ist es doch, was Leute krank macht – sich sorgen, obwohl kein objektiver Grund dazu besteht. Nun sammeln manche Freaks Daten zu ihrem Schlaf-, Bio- oder was weiß ich -Rhythmus, erstellen Ernährungspläne, legen Gewichtstabellen an – ja und dann? Was erhoffen wir uns denn bitteschön von all dem Datenmüll? Klar, das Max-Planck-Institut interessiert sich sicherlich wahnsinnig dafür oder warum nicht gleich zum Robert-Koch-Institut damit! Die werden sich herzlich bedanken. Aber im Ernst! Wer verwaltet denn diese höchst privaten und damit sensiblen Daten? Und wozu? Wollen wir den gläsernen, den perfekten Menschen? Und sind die erhobenen Daten überhaupt korrekt, und wenn nicht, wie wirkt sich das dann auf meine Gesundheit aus? Muss denn wirklich alles vermessen werden? Schauen Sie sich doch die Jogger von heute an, die Panik schieben, wenn der Puls nicht stimmt. Das ist doch der Anfang vom Verlust des Körpergefühls! Darüber sollten wir ruhig mal nachdenken.

GESUND LEBEN | 95

b) Führen Sie die Standpunkte zusammen. Nutzen Sie die Redemittel.

Während Perincke von Datenmüll spricht, sieht Petermann ...

Redemittel

Informationen zusammenführen

Aus dem Text/Beitrag/... entnehme ich/ist zu entnehmen, dass ... Dieser Aspekt findet (keinerlei/große) Berücksichtigung im Beitrag (von ...).
Folgendes Argument scheint von zentraler Bedeutung zu sein: ... / Der Kern seiner/ihrer Ausführungen/Argumentation besteht darin, ...
... nimmt eine objektive Bewertung aller Fakten/Argumente vor und kommt (folgerichtig) zum Schluss, dass ... / In dem Beitrag/Text über ... vernachlässigt ... (allerdings) wichtige Aspekte: nämlich ... / Er/Sie betrachtet/behandelt vor allem/ausschließlich ... und vergisst dabei ... / Er/sie nimmt eine einseitige Auswahl / Gewichtung der Informationen/Tatsachen vor.

6 Funktionsverbgefüge

Ü10

a) Sammeln Sie in den Texten aus 5 passende Verben für die Nomen-Verb-Verbindungen.

Auswirkungen haben — Interesse haben — sich Sorgen machen — Zweifel haben — sich Hoffnungen machen — Hinweis geben — Unterstützung sein — Diagnose stellen — Therapie machen — Möglichkeiten bieten — Mitteilung machen

b) Formulieren Sie die Sätze im Text um.

Ich bezweifle den Nutzen.
Ich habe Zweifel am Nutzen.

7 Sprechereinstellungen und Modalpartikeln

a) Markieren Sie in den Texten auf S. 89 folgende Modalpartikeln. Lesen Sie die Sätze einmal mit und einmal ohne Modalpartikeln laut vor. Diskutieren Sie ihre Wirkung.

doch — eben — nun — mal — einfach — eh — ja

b) Analysieren Sie die Modalpartikeln in den Texten auf S. 89 und kreuzen Sie Zutreffendes an.

1 ❑ sind unveränderlich
2 ❑ verändern den Wahrheitswert einer Aussage
3 ❑ sind kombinierbar
4 ❑ können auf Position 1 stehen
5 ❑ sind oft Mittel geschriebener Sprache
6 ❑ beziehen sich auf ganze Sätze

2.10

c) Hören Sie und lesen Sie leise mit.

1 Quatsch! – Das ist Quatsch! – Das ist doch Quatsch! – Das ist doch eh Quatsch!
2 Das ist so! – Das ist nun mal so! – Das ist nun mal eben so!
3 Denk darüber nach. – Denk ruhig darüber nach. – Denk ruhig mal darüber nach.
4 Ich hab' keine Zeit. – Ich hab' eh keine Zeit. – Ich hab' halt eh keine Zeit.

8 Eine Argumentation Schritt für Schritt aufbauen

Ü10–11

a) Ordnen Sie die Argumente in dem von Ihnen gewählten Text nach Wichtigkeit und ergänzen Sie mit Informationen aus dem Radiobeitrag S. 88. Nutzen Sie dabei auch die Redemittel.

Redemittel

Argumente gewichten

wichtig
wichtiger
am wichtigsten

Es liegt auf der Hand, dass ... / Offensichtlich ist, dass ...
(Noch) Entscheidender/Bedeutender ist ... / Von größerer Bedeutung ist ...
Noch (viel/erheblich) bedeutsamer/wichtiger/entscheidender (jedoch/aber) ist, dass ...
Am deutlichsten wird ... / Am wichtigsten ist (jedoch/zweifelsohne) ...

b) Lesen Sie den jeweils anderen Text und sammeln Sie die Argumente. Formulieren Sie Gegenargumente für eine Pro- und Kontra-Diskussion. Die Redemittel helfen.

Redemittel

Argumente vergleichen und abwägen

An ... ist positiv/negativ, dass ... / Im Gegensatz/Vergleich/Unterschied zu ...
Einerseits ..., andererseits ... / Auf der einen Seite ... Auf der anderen Seite ...
Die einen sind dafür, dass ... Die anderen lehnen ... ab, weil ...
Während die einen meinen, dass ..., sind die anderen der Ansicht, dass ...
Demgegenüber steht allerdings ... / Gegenüber ... hat ... den Vorteil/Nachteil, dass ...

9 *Wenn ... auch / auch wenn ... / wenngleich ...*: Relative Widersprüche ausdrücken

Ü12

a) Welcher Aussage stimmen Sie persönlich zu? Kreuzen Sie an und vergleichen Sie.

1 ❑ Wenn Gesundheitstracking auch noch nicht so bekannt ist, wird es sich doch bald durchgesetzt haben.
2 ❑ Auch wenn die Technik sich weiterentwickelt, sollte Gesundheit Privatsache bleiben.
3 ❑ Wenngleich die Technik viele Möglichkeiten eröffnet, sollte doch nicht alles naiv genutzt werden.
4 ❑ Man darf die Augen nicht vor Innovationen verschließen, auch wenn dadurch Datenschutz- und Ethikfragen aufgeworfen werden.

b) Markieren Sie Konnektoren und Verben in a). Bestimmen Sie Haupt- und Nebensatz. Variieren Sie die Sätze wie im Beispiel.

Wenngleich Gesundheitstracking noch nicht so ...

10 Über Self-Tracking diskutieren – Gesprächsroutinen vorbereiten

Ü13

a) Ordnen Sie die Strukturen zu.

sagen, dass man sprechen will	Rückmeldung einfordern	darum bitten, ausreden zu dürfen	Verständnis sichern

1 Dazu/Hierzu würde ich (dann auch/gern) (mal) etwas sagen (wollen). 2 ..., oder wie sehen Sie/siehst du das? 3 Wenn ich meinen Satz noch beenden könnte. 4 Darf ich dazu gleich/direkt etwas sagen? 5 ..., stimmt's? 6 ..., oder etwa nicht? 7 ..., was (sicherlich) nachvollziehbar ist, oder? 8 ..., nicht wahr? 9 Auf diesen Punkt möchte ich gern (sofort/direkt) eingehen. 10 Also noch einmal Schritt für Schritt: ... 11 Stimmt, aber lassen Sie mich bitte ausreden/meinen Standpunkt klar machen. 12 Sie meinen also, dass ... 13 Wenn ich Sie richtig verstanden habe, ... 14 Da würde ich gerne einhaken.

2.11

b) Hören Sie und lesen Sie gemeinsam mit einem/einer Partner/in laut und schnell.

Hierzu würde ich dann doch auch gern etwas sagen. – Lassen Sie mich bitte erst einmal ausreden!
Das mag ja sicherlich korrekt sein ... – Wenn ich meinen Satz bitte noch beenden dürfte?
Darf ich dazu etwas sagen? – Auf diesen Punkt möchte ich doch gern direkt eingehen.

11 Ich seh' das so ... **Diskutieren Sie die Frage, „Wie viel Vermessung braucht der Mensch? – Pro und Kontra". Wechseln Sie nach zwei Minuten Ihre/n Gesprächspartner/in.**

3 Gesundheit für alle! Was ist die WHO?

1 Die WHO kennt doch jeder, oder?

a) Was wissen Sie über die Weltgesundheitsorganisation? Sammeln Sie Ideen zu den Punkten im Kasten. Lesen Sie dann den Anfang des Wiki-Artikels und vergleichen Sie.

Ziel(e) Gründungsjahr
Mitglieder Sitz

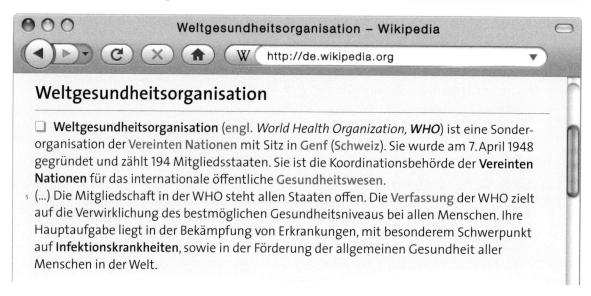

Weltgesundheitsorganisation – Wikipedia
http://de.wikipedia.org

Weltgesundheitsorganisation

Weltgesundheitsorganisation (engl. *World Health Organization, **WHO***) ist eine Sonderorganisation der Vereinten Nationen mit Sitz in Genf (Schweiz). Sie wurde am 7. April 1948 gegründet und zählt 194 Mitgliedsstaaten. Sie ist die Koordinationsbehörde der **Vereinten Nationen** für das internationale öffentliche Gesundheitswesen. (...) Die Mitgliedschaft in der WHO steht allen Staaten offen. Die Verfassung der WHO zielt auf die Verwirklichung des bestmöglichen Gesundheitsniveaus bei allen Menschen. Ihre Hauptaufgabe liegt in der Bekämpfung von Erkrankungen, mit besonderem Schwerpunkt auf **Infektionskrankheiten**, sowie in der Förderung der allgemeinen Gesundheit aller Menschen in der Welt.

2.12 **b)** Zahlen, Fakten, Orte zur WHO. Sehen Sie sich die Karte an und hören Sie den Bericht. Sammeln Sie Informationen zur WHO.

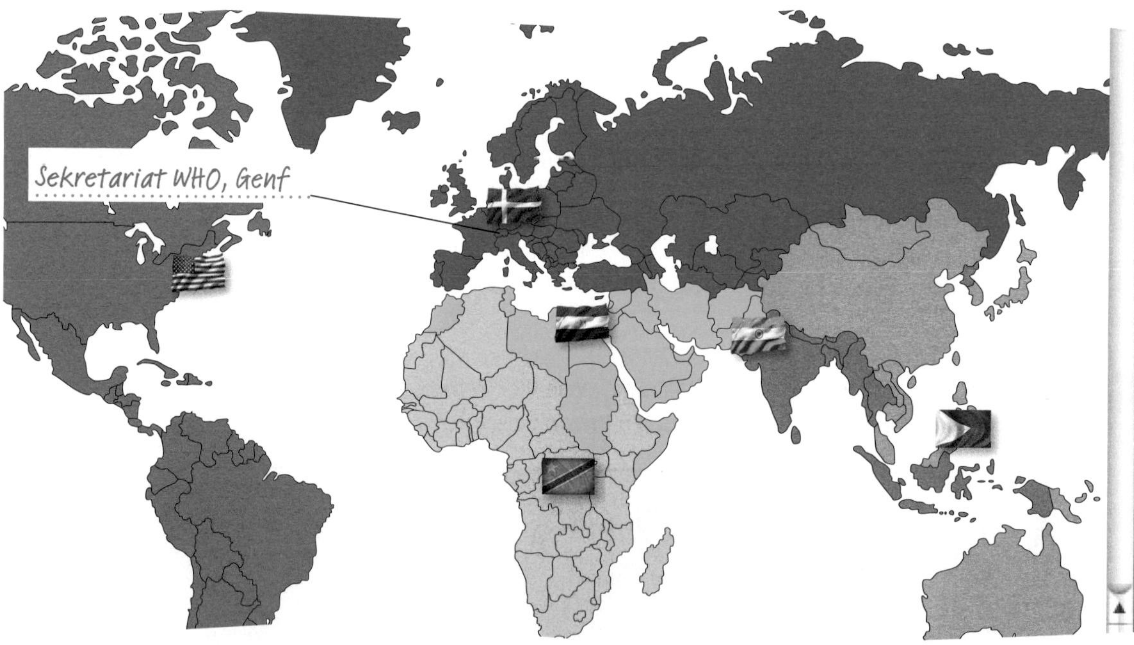

2 Stimmt das? **Lesen und beurteilen Sie die folgenden Aussagen.**

1 Die WHO-Strategie lautet: „Gesundheit für alle im 21. Jahrhundert".
2 Weltweit gibt es ca. 900 Kooperationszentren, die laufende WHO-Programme unterstützen.
3 Die WHO verzeichnet mehr Ausgaben als Einnahmen und ist daher auf die freiwillige finanzielle Unterstützung von Geberländern angewiesen.
4 Die WHO legt alle zwei Jahre einen Weltgesundheitsbericht vor.
5 Der größte Erfolg der WHO liegt in der Reduzierung der Mütter- und Kindersterblichkeit.

Ich könnte mir schon vorstellen, dass es 900 Kooperationen gibt. Vielleicht sind es mehr?

Definitiv mehr als 1000. Vielleicht sogar noch mehr?

3 Die WHO stellt sich vor

Ü14

a) Lesen Sie den gesamten Wiki-Artikel. Ordnen Sie die Gliederungspunkte den passenden Absätzen zu (ab S. 92).

a Aufgabe **b** Entstehung und Mission **c** Erfolge **d** Organe **e** Kritik **f** Finanzierung

❑ Die Geschäfte der WHO werden durch deren Hauptorgane, die Weltgesundheitsversammlung, den Exekutivrat sowie das Sekretariat wahrgenommen. Die Weltgesundheitsversammlung ist das höchste Entscheidungsorgan. Alle WHO-Mitglieder treten jedes Jahr im Mai in Genf zusammen, um die finanziellen und organisatorischen Geschäfte wahrzunehmen und die künftigen Programme festzulegen. Das **Sekretariat der WHO** (in **Genf**) und sechs **Regionalbüros** setzen die Aktivitäten der WHO um. Die WHO ist bestrebt, ihre Präsenz in den Mitgliedstaaten selbst zu verstärken. Etwa 200 **Kooperationszentren** und Forschungseinrichtungen unterstützen durch ihre Tätigkeiten deren laufende Programme.

❑ Im Budget der WHO für die Jahre 2012–2013 betrugen die Einnahmen 3,759 Milliarden US-Dollar und die Ausgaben 3,959 Milliarden US-Dollar. Die ordentlichen Beiträge der WHO-Mitgliedstaaten beliefen sich auf 944 Mio. US-Dollar, wobei sich die Höhe des Beitrags nach der Zahlungsfähigkeit des jeweiligen Landes richtet. Die freiwilligen Beiträge in Höhe von 3,015 Milliarden US-Dollar wurden von den WHO-Mitgliedstaaten, v. a. den **USA**, **Großbritannien**, **Kanada**, **Norwegen** und den **Niederlanden** entrichtet. Der Rest der freiwilligen Beiträge stammte von Stiftungen, von internationalen Organisationen sowie von NGOs (deutsch.: **Nichtregierungsorganisationen**) und aus dem Privatsektor.

❑ Die Verfassung der WHO statuiert, dass ihr Zweck darin liegt, allen Völkern zur Erreichung des bestmöglichen Gesundheitszustandes zu verhelfen. Zur Verwirklichung dieses Zwecks dient die WHO-Strategie „Gesundheit für alle im 21. Jahrhundert". Es soll ein Grad an Gesundheit erreicht werden, der es allen Menschen ermöglicht, ein sozial und wirtschaftlich produktives Leben zu führen. Ausgewählte Tätigkeitsbereiche:

- weltweite Koordination von Aktivitäten beim Kampf gegen Krankheiten wie **AIDS**, **Malaria**, **SARS** und **Grippe**
- Durchführung globaler Impfprogramme, auch zur Vorbeugung vor **Pandemien**, und von Programmen gegen gesundheitliche Risikofaktoren wie **Rauchen** oder **Übergewicht**
- regelmäßige Erhebung und Analyse weltweiter Gesundheits- und Krankheitsdaten
- Unterstützung beim Aufbau von Gesundheitssystemen in Entwicklungsländern
- Erstellung einer Modellliste von unentbehrlichen **Arzneimitteln**
- jährliche Veröffentlichung eines Weltgesundheitsberichts

❑ Die größte Wirkung hat die WHO bei der Bekämpfung von **Infektionskrankheiten** erzielt. Dank weltweiter Impfprogramme kann der Tod oder die Behinderung von Millionen Menschen verhindert werden.

❑ Die Zusammenarbeit zwischen **Pharmaindustrie** und WHO wird u. a. aufgrund des Umgangs mit dem **Schweinegrippevirus H1N1** 2010 kritisiert. So soll die WHO unnötigerweise Pandemie-Alarm ausgelöst haben. Im Gegensatz dazu steht das angeblich verspätete Eingreifen beim Ausbruch des Ebola-Virus 2014 in Westafrika, das WHO-Kritiker vorbringen. Ein weiterer Kritikpunkt besteht an dem am 28. Mai 1959 geschlossenen Vertrag zwischen WHO und der Internationalen **Atomenergieorganisation (IAEO)**. Diese Zusammenarbeit wird vielfach kritisiert, da dadurch z. B. die Zahl der weltweiten Opfer der Katastrophe von **Tschernobyl** von der WHO und der IAEO als zu niedrig beziffert würden.

b) Überprüfen Sie die Aussagen aus 2. Korrigieren Sie, wenn nötig.

c) Braucht die Welt die WHO? Sammeln Sie Pro- und Kontra-Argumente im Artikel und recherchieren Sie weiter zum Thema.

pro	kontra
zentrale Organisation, ...	*Geberländer/Nehmerländer-Problematik,* ...

4 Nomen und ihr Umfeld. **Sammeln Sie im Artikel auf S. 93 mögliche Kombinationen.**

Ü15

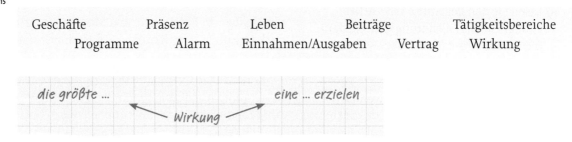

Geschäfte Präsenz Leben Beiträge Tätigkeitsbereiche
Programme Alarm Einnahmen/Ausgaben Vertrag Wirkung

die größte ... ← *Wirkung* → *eine ... erzielen*

5 Guter Stil

a) Lesen Sie noch einmal die Tätigkeitsbereiche der WHO ab Z. 22. Ist das Nominal- oder Verbalstil? Begründen Sie.

b) Vom Nominalstil in den Verbalstil – formulieren Sie die Tätigkeitsbereiche um wie im Beispiel.

weltweite Koordination von Aktivitäten beim Kampf gegen Krankheiten wie ...
Die WHO koordiniert weltweit Aktivitäten beim Kampf gegen ...

c) Suchen Sie im Wiki-Artikel weitere Beispiele für den Nominalstil. Warum kommt er in dieser Textsorte vermutlich so häufig vor? Begründen Sie.

6 Strategietraining – Absätze zusammenfassen

Ü16

a) Lesen Sie die Zusammenfassung und ordnen Sie sie einem der Wiki-Absätze zu.

Die Ausgaben der WHO (3.9 Mrd. $) übersteigen ihre Einnahmen, sogenannte ‚ordentliche Beiträge' der Mitgliedstaaten (944 Mio. $). Daher rührt der hohe Bedarf an freiwilligen staatlichen und privaten Spenden.

b) Vergleichen Sie die Textzusammenfassung mit dem Ausgangstext. Welche der aufgelisteten Regeln der Textzusammenfassung findet man in a)? Kreuzen Sie an.

1 ☐ 1/3 Regel: Die Textzusammenfassung beträgt maximal 1/3 des Originaltextes
2 ☐ Präsens: im Präsens formulieren. Aber: über Perfekt Vorzeitigkeit ausdrücken
3 ☐ Keine persönliche Wertung und Abstand zum Text (Konjunktiv I)
4 ☐ Textzusammenhänge über Pronomen, Pronominaladverbien etc. herstellen
5 ☐ Nominalisierung

c) Wie fasst man einen Abschnitt zusammen? Ordnen Sie.

a ☐ Diese Schlüsselwörter auf Wesentliches kürzen und in den Textbauplan einfügen.
b ☐ Auf Grundlage des vervollständigten Textbauplanes Sätze neu- bzw. umformulieren.
c ☐ Die Sätze über Konjunktionen und Adverbien verbinden.
d [1] Den Ausgangstext mehrfach detailliert lesen und einen (groben) Textbauplan erstellen.
e ☐ In einem zweiten Schritt Schlüsselwörter und -passagen im Ausgangstext markieren.
f ☐ Abschlusskorrektur: Rechtschreibung, Grammatik, Ausdruck, Regeln aus b) eingehalten?

d) Fassen Sie den Artikel auf S. 87 zusammen.

7 Subjekt- / Objektsätze analysieren. **Analysieren Sie die Sätze 1–4 mithilfe der Regeln a–e.**

Ü17–18

a) Subjektsatz: Das Subjekt eines Satzes wird zum Nebensatz.
b) Objektsatz: Die Akkusativ- oder Präpositionalergänzung eines Satzes wird zum Nebensatz.
c) Objektsatz: *Es* tritt ggf. an die Stelle des Subjekts oder der Akkusativergänzung.
d) Objektsatz: anstelle der Präpositionalergänzung gibt es ein Pronominaladverb (da(r) + Präposition) im übergeordneten Satz
e) Über Subjekt-/Objektsätze lässt sich der Nominalstil in Verbalstil auflösen.

1 Die WHO ist Rückschläge bei der Bekämpfung von Krankheiten gewohnt.
Die WHO ist es gewohnt, Rückschläge bei der Bekämpfung von Krankheiten zu erleiden.
2 Die WHO zielt auf hohe Gesundheitsstandards für alle Menschen.
Die WHO zielt darauf, hohe Gesundheitsstandards für alle Menschen zu erreichen.
3 Die flächendeckende Bekämpfung von Krankheiten ist selbst im 21. Jhd. schwierig.
Es ist selbst im 21. Jhd. schwierig, Krankheiten flächendeckend zu bekämpfen.
4 Die WHO fordert eine Verstärkung der finanziellen Mittel für ihre Programme.
Die WHO fordert, dass die finanziellen Mittel für ihre Programme verstärkt werden.

8 WHO-Projekte in Europa

Ü19

a) Lesen Sie die Überschriften. Welcher Artikel interessiert Sie am meisten? Begründen Sie.

Infektionskrankheiten: Frühwarnung aus dem Netz

Im Rahmen eines europäischen Forschungsprojekts entwickeln WissenschaftlerInnen der Universität Hannover gemeinsam mit ForscherInnen aus sechs anderen Einrichtungen das sog. M-Eco-System. Ziel ist es, frühzeitig Hinweise auf Krankheitsausbrüche zu erhalten, indem das System u. a. Unterhaltungen und Twitternachrichten im Internet herausfiltert, in denen bestimmte Krankheiten oder Symptome benannt werden. Es erkennt in den Texten Kombinationen aus Ortsangaben und Krankheiten, die als Muster interpretiert werden. Bei Überschreitung eines Schwellenwerts gibt das Frühwarnsystem Hinweise. Bislang erhalten lokale Gesundheitsämter diese Informationen über Labore, Krankenhäuser und Arztpraxen, die die Daten dann an das Robert-Koch-Institut (RKI) weiterleiten. Noch wird die Technologie verbessert und seitens RKI, WHO und anderer europäischer Gesundheitsorganisationen überprüft. Es dürfte jedoch schon bald möglich sein, die Technologie in sozialen Netzwerken zu testen.

Luftverschmutzung in der EU erfordert größere Anstrengungen zur Reinhaltung

Feinstaub einzuatmen kann zu Arteriosklerose, Körperbehinderungen und Atemwegserkrankungen bei Kindern führen. Es ist möglich, dass eine Verknüpfung zwischen Feinstaubbelastung und neurologischer Entwicklung, kognitiven Fähigkeiten und Todesfällen infolge von Herz-Kreislauf- oder Atemwegserkrankungen besteht. Dies geht aus einer veröffentlichten Studie (REVIHAAP) der Weltgesundheitsorganisation (WHO) hervor. Über 80 Prozent der EU-Bürger sind einer Feinstaubbelastung ausgesetzt, die oberhalb dessen liegt, was nach der WHO als unbedenklich gilt. Die Lebenserwartung ist dann um ca. 8,6 Monate verringert. Das Ziel der Studie besteht darin, die Luftgüteleitlinien für Feinstaub bis 2020 zu überarbeiten. Die europaweite Umsetzung dieser Vorgaben in einem so kurzen Zeitraum gilt als schwierig.

b) Lesen Sie einen der beiden Artikel und fassen Sie ihn zusammen.

9 Subjekt-/Objektsätze erkennen und umformulieren. **Markieren Sie in beiden Zeitungsartikeln je einen Subjekt- und Objektsatz. Formulieren Sie je einen Subjekt- bzw. Objektsatz aus den Sätzen 1–3.**

Ü20–21

1 Das M-Eco-System zielt auf die Erfassung von Daten in sozialen Netzwerken.
2 Kritiker solcher Systeme fordern die Einhaltung von Datenschutzrichtlinien.
3 Eine Reduktion der Feinstaubbelastung ist innerhalb der nächsten fünf Jahre nicht zu erwarten.

4 Gesundheitsfaktor Lernen

1 Wer gesund bleiben will, muss lernen

Ü 22

a) Sehen Sie sich die Fotos an. Vermuten Sie, was die Personen neu erlernen möchten.

Sylvia Schmidt, 42

Maik Otto, 31

Sieglinde Mann, 82

Sylvia will vielleicht lernen, sich besser zu entspannen.

Könnte sein. Maik ist schwierig! Schlafen kann doch nun wirklich jeder!

2.13

b) Hören Sie die Aussagen der drei Personen. Vergleichen Sie mit Ihren Vermutungen.

c) Und Sie? Was wollten Sie schon immer lernen?

2 Gesundheitsfaktor Klarträumen

Ü 23

a) Lesen Sie den ersten Abschnitt des Magazinbeitrags. Was ist Klarträumen? Erklären Sie.

+++ Klarträumen? Klar können Sie das! +++

Gesundheit_pur-Redakteur Jorge Böckmann über einen sechswöchigen Selbstversuch

In einem Klartraum ist sich der Träumer bewusst, dass er träumt. Forschungsergebnisse bestätigen: Bewusstes Träumen wie auch die Fähigkeit zur Steuerung von Trauminhalten sind erlernbar.

b) Lesen Sie den zweiten Teil des Magazinbeitrags zum Thema Klarträumen. Welche Aspekte werden angesprochen? Kreuzen Sie an.

- ❑ Spaß, Inspiration und Kreativität sowie Regeneration
- ❑ Training von mentalen wie auch sportlich-koordinativen Fertigkeiten
- ❑ Simulation von normalerweise gefährlichen Situationen
- ❑ Selbsterkenntnis und Konfrontation mit unbewusstem Wissen

Ich glaube da nicht dran!

Ja, gut. Aber ...

Die Wirkung von Klarträumen wird zwar sehr kontrovers diskutiert, aber die Technik wird vielfach genutzt, z. B. von einigen Sportlern zum Training komplexer Bewegungsabläufe, oder von manchen Therapeuten, um z. B. Albträume aufzulösen. Andere sehen darin einen direkten Zugang ins Unterbewusstsein und schöpfen daraus Erkenntnisse über sich und die Welt. Natürlich darf man auch den Spaßfaktor nicht vergessen – Sie können Dinge tun, die Sie sich im Wachzustand nie getrauen würden. So weit, so gut. Aber wie geht das?

Am einfachsten geht es mit einem Traumtagebuch. Darin hält man seine Träume fest, um die Traumerinnerung zu steigern. Die beste Zeit zur Ausübung der Technik ist der frühe Morgen. Sobald man wach ist, ruft man sich den eben erlebten Traum noch einmal in Erinnerung. Dabei sollten die Szenen noch einmal vor dem geistigen Auge ablaufen, die man im Traum erlebt hat. Nun konzentriert man sich auf die Absicht, klarträumen zu wollen. Dazu wird folgender Satz mehrfach bewusst wiederholt: „Wenn ich träume, denke ich daran zu erkennen, dass ich träume." Dann versetzt man sich wieder in den zuletzt erlebten Traum zurück, wählt eine beliebige Situation aus, wobei man sich bewusst ist, dass man träumt. Bei mir hat es auf diese Weise nach zwei Wochen „Training" funktioniert. Seitdem spaziere ich durch meine *klaren* Träume und staune über mich, mein Unterbewusstsein und all die Möglichkeiten. Klar genieße ich das!

2.13

3 Informationen zusammenführen. **Hören Sie noch einmal Maik Ottos Aussagen aus 1 und vergleichen Sie sie mit dem Magazinbeitrag. Berichten Sie.**

Fit für Einheit 8?

Das kann ich auf Deutsch

▶ **Informationen zusammenführen (2.5, 4.3)**

Welche Informationen über Gesundheitstracking kommen sowohl im Radiobeitrag als auch bei Svea vor?

Im Radio wurde ...
Svea erwähnt ...

Das kann ich ☺ ❑ ☹ ❑ ▶ Ü 9

▶ **Argumente gewichten, vergleichen und abwägen (2.8)**

Aufsatzthema: Malaria-Test mithilfe des Handys? Sinnvoll oder verrückt?
Heutzutage besteht die Möglichkeit, Daten zum gesundheitlichen Zustand privat zu erheben. So gibt es ...

Das kann ich ☺ ❑ ☹ ❑ ▶ Ü 10–11

▶ **Texte zusammenfassen (3.6)**

Könntest du den Text auf S. 87 in maximal drei Sätzen zusammenfassen?

Klar!

Der Artikel „Ich messe das Einschlafen“ ...

Das kann ich ☺ ❑ ☹ ❑ ▶ Ü 16

Grammatik

▶ **Funktionsverbgefüge (2.6)**

	Verb
sich Sorgen machen	....
Zweifel haben	....
Therapie machen	....

Das kann ich ☺ ❑ ☹ ❑ ▶ Ü 10

▶ **Modalpartikeln (2.7)**

Lesen Sie laut.
Quatsch! – Das ist Quatsch! – Das ist doch Quatsch! – Das ist doch eh Quatsch!

Das kann ich ☺ ❑ ☹ ❑

▶ **relative Widersprüche ausdrücken (2.9)**

wenn ... auch / auch wenn ... / wenngleich ...

Die Erforschung von Infektionskrankheiten ist teuer.
Die Erforschung von Infektionskrankheiten muss gefördert werden, um Pandemien zu verhindern.

Wenngleich ...

Das kann ich ☺ ❑ ☹ ❑ ▶ Ü 12

▶ **Subjektsatz (S) und Objektsatz (O) (3.7)**

❑ Die WHO zielt darauf, hohe Gesundheitsstandards für alle Menschen zu erreichen.
❑ Es ist selbst im 21. Jhd. schwierig, Krankheiten flächendeckend zu bekämpfen.
❑ Die WHO fordert, dass die finanziellen Mittel für ihre Programme verstärkt werden.

Das kann ich ☺ ❑ ☹ ❑ ▶ Ü 17–18

8 Vielfalt im Wandel

1 Vielfalt ist überall

1 Gesellschaftliche Vielfalt – ein Poster

Ü1

a) Sehen Sie sich das Poster an. Worin drückt sich die Einheitlichkeit und Vielfalt aus?

Datei
Bearbeiten
Layout
Schrift
Ansicht
Fenster
Hilfe
T
„Mit Blick auf ihre Kleidung haben die Menschen noch nie so hässlich ausgesehen wie heute. Die Leute sehen aus wie Klone. Die Ausnahme: Damen ab 70 haben noch eigenen Stil."
Vivian Westwood für die Süddeutsche Zeitung.
Uniformiert
Bevölkerung – Zahl der Einwohner in Deutschland nach Altersgruppen am 31.12.2013 (in Millionen)
30
25
20
15
10
5
0
InklUsion
Unter 1 Jahr: 0,68
1–5 Jahre: 3,4
6–14 Jahre: 6,53
15–17 Jahre: 2,44
18–20 Jahre: 2,43
21–24 Jahre: 3,82
25–39 Jahre: 14,76
40–59 Jahre: 24,8
60–64 Jahre: 5,08
65 Jahre und älter: 16,82
Quelle: de.statista.com
Generationen
SOZIALE UNTER SCHIEDE
Jüngste demografische Untersuchungen in Europa bestätigen: Die Gesellschaft wird immer älter. Wir leben immer länger, und es werden weniger Kinder geboren.
Tag der Artenvielfalt
Artenschutz
Mesut Özil: mehr als 70 Länderspiele für Deutschland
Geschlecht
Kultur
Integration

Glogster ist eine Internetplattform, die das Erstellen digitaler Poster (genannt „Glogs") ermöglicht. Man kann neben eigenen Texten oder Zeichnungen auch Bilder, Klänge, Animationen und Videos in das Poster einfügen. Die Poster sind ähnlich wie Beiträge in einem Blog über das öffentliche Profil des Nutzers abrufbar. „Glogs" können kommentiert und nachträglich bearbeitet werden (s. www.glogster.com).

Hier lernen Sie

- über ein komplexes gesellschaftliches Thema sprechen
- Textsorten erkennen und beschreiben
- Feedback zu einem Kurzvortrag geben
- Textkohärenz erkennen
- Statistiken/Diagramme auswerten
- Futur I und Futur II

b) Sammeln Sie Beispiele zur Vielfalt in folgenden Lebensbereichen. Das Poster hilft.

Arbeit — Familie — Mode
Natur — Gesundheit — Alter

Gesellschaftliche Vielfalt? Da fällt mir gleich das Thema „Migration" ein.

2 Vielfältige Aussagen

Ü2

a) Wählen Sie ein Zitat aus. Begründen Sie Ihre Auswahl. Der Redemittelkasten hilft. Erklären Sie Ihrem Partner / Ihrer Partnerin, wie Sie das Zitat verstehen.

1 *Die Natur hasst die Gleichförmigkeit und liebt die Vielgestalt.*
J. W. von Goethe, dt. Dichter

2 Es ist darauf hinzuarbeiten, dass so etwas wie Pluralität, eine Assoziation freier einzelner Menschen doch einmal möglich wird.
Theodor W. Adorno, dt. Soziologe und Musiktheoretiker

3 *Vielfalt, die sich nicht zur Einheit ordnet, ist Verwirrung. Einheit, die sich nicht in Vielfalt gliedert, ist Tyrannei.*
Blaise Pascal, frz. Physiker und Philosoph

4 Multikulti ist ein viel strapaziertes Schlagwort, das in seiner Dimension noch immer unterschätzt wird. In die Unternehmenspolitik übersetzt heißt es „Diversity" und gilt mittlerweile als Wettbewerbsvorteil.
Monika Feiser, dt. Unternehmensberaterin

Redemittel

Auswahl eines Zitats/Textes begründen
Ich habe mich für das Zitat von ... entschieden, weil ...
Mich interessiert vor allem das Zitat ..., da, ... / Ich verstehe ... so: ...
Die Grundaussage des Zitats spricht mich besonders an, weil ...

b) Markieren Sie die Synonyme für Vielfalt in den Zitaten.

3 Vielfalt als Chance

Ü3

a) Lesen Sie den Artikel, markieren Sie Schlüsselwörter und erklären Sie sie.

Diversity (von lat. *diversitas*) wird mit Vielfalt, Unterschiedlichkeit oder Verschiedenheitsgrad übersetzt und beschreibt Gemeinsamkeiten und Unterschiede zwischen Menschen. Täglich treten mehr Menschen in Kontakt miteinander und sammeln Erfahrungen mit Vielfalt. Die Vielfalt kann äußerlich wahrnehmbar sein, wie z. B. Alter, Herkunft und Behinderung, oder auch subjektiv, wie Lebensstil, Mode oder Wertvorstellungen. Viele Unternehmen, aber auch die Politik und der Bildungsbereich haben erkannt, dass die in der Vielfalt steckenden Potentiale ein Wettbewerbsvorteil sein können. Beim Diversity Management überprüfen Organisationen ihre Strukturen und Prozesse im Hinblick auf Chancengleichheit. Gleichzeitig wollen sie ein Bewusstsein für Vielfalt schaffen und Kompetenzen für den erfolgreichen Umgang mit Vielfalt vermitteln.

b) Warum beschäftigen sich vor allem Unternehmen mit Diversity? Diskutieren Sie.

2 Bedrohte Vielfalt – Was tun?

1 Textsorten und ihre Eigenschaften

Ü4

a) Ordnen Sie die Eigenschaften den Textsorten zu.

Eigenschaften	1 Kommentar	2 Kurz-nachricht	3 Online-Katalog	4 Reportage
Sachbezogen, aktuell, kurz	☐	☐	☐	☐
Erläutert, wertet, kritisiert	☐	☐	☐	☐
Wirbt für etwas, kurz, stichwortartig, gibt Kontaktdaten	☐	☐	☐	☐
Ausführlich, vor Ort recherchiert, unmittelbar, Leser soll ins Geschehen eintauchen	☐	☐	☐	☐
Kurze Produktinformationen, notwendige Bestelldaten	☐	☐	☐	☐

b) Lesen Sie die Texte A–D. Um welche Textsorte aus a) handelt es sich jeweils? Ordnen Sie zu.

http://www.bpb.de

A ☐

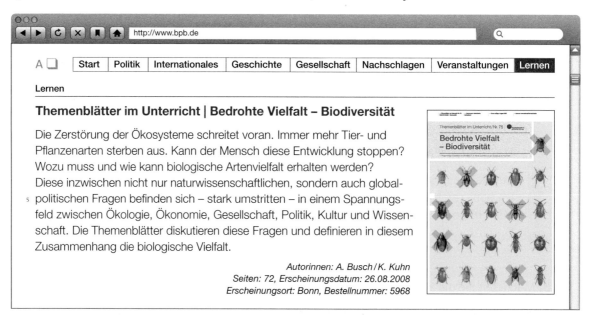

Start | Politik | Internationales | Geschichte | Gesellschaft | Nachschlagen | Veranstaltungen | Lernen

Lernen

Themenblätter im Unterricht | Bedrohte Vielfalt – Biodiversität

Die Zerstörung der Ökosysteme schreitet voran. Immer mehr Tier- und Pflanzenarten sterben aus. Kann der Mensch diese Entwicklung stoppen? Wozu muss und wie kann biologische Artenvielfalt erhalten werden? Diese inzwischen nicht nur naturwissenschaftlichen, sondern auch globalpolitischen Fragen befinden sich – stark umstritten – in einem Spannungsfeld zwischen Ökologie, Ökonomie, Gesellschaft, Politik, Kultur und Wissenschaft. Die Themenblätter diskutieren diese Fragen und definieren in diesem Zusammenhang die biologische Vielfalt.

Autorinnen: A. Busch / K. Kuhn
Seiten: 72, Erscheinungsdatum: 26.08.2008
Erscheinungsort: Bonn, Bestellnummer: 5968

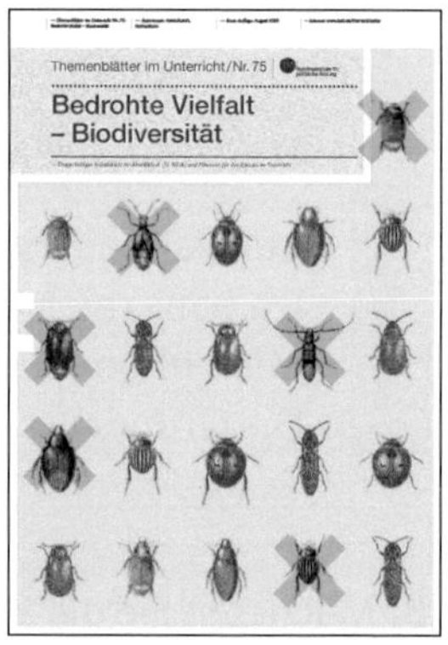

B ☐ **Marburger Abendblatt**

Die alternde Gesellschaft

von Andreas Dunkel

Deutschland wird älter. 2050 wird jede und jeder Dritte älter sein als 65 Jahre. Das liegt daran, dass weniger Kinder geboren werden, während gleichzeitig die Lebenserwartung steigt. Ein Junge, der heute zur Welt kommt, kann sich auf fast 76, ein Mädchen sogar auf 81 Lebensjahre freuen. Das heißt, es gab noch nie in der Geschichte so viele ältere Menschen, die so viel zu geben hatten wie heute. Noch nie waren Ältere so gesund, so gebildet, hatten so viel Zeit und so viel Geld. Das ist ein gewaltiges soziales Kapital unserer Gesellschaft. Angesichts dieser Situation sollten wir weniger die vermeintliche „Überalterung" der Gesellschaft beklagen, sondern diesen Wandel lieber aktiv gestalten. Mit Konzepten, die die Potenziale und Chancen einer Gesellschaft des langen Lebens mehr beachten und nutzen. Wie zum Beispiel durch Mehrgenerationenhäuser, in denen Alt und Jung zusammenleben und so voneinander profitieren. Auch neue Altersarbeitszeitmodelle sollten mehr individuelle Flexibilität erlauben. Wir können uns eigentlich gar nicht leisten, Menschen auf Grund ihres Alters auszugrenzen.

http://www.yahoo.de

C ☐

Home | Nachrichten | Sport | Wirtschaft ▼ | Stars | Lifestyle | Wetter | Mehr

Koalition einigt sich endlich auf Frauenquote in Aufsichtsräten

Berlin – Die große Koalition hat eine Einigung über die Frauenquote erzielt. Künftig müssen 30 Prozent der Posten in den Aufsichtsräten der größten Unternehmen in Deutschland mit Frauen besetzt werden. Dies gilt für 108 Großunternehmen ohne Ausnahmen. Sollte für einen Posten im Aufsichtsrat eines Unternehmens keine Bewerberin gefunden werden können, bleibe dieser unbesetzt, so die Familienministerin. „Das Gesetz ist ein wichtiger Schritt zu mehr Gleichberechtigung. In den Aufsichtsratsgremien und Vorständen werden wichtige Entscheidungen über Frauen getroffen, deshalb müssen dort auch Frauen mitsprechen können", betonte die Ministerin.

D ☐

Schulbildung

Chancengleichheit durch schulische Inklusion?

Es herrscht Einigkeit darüber, viel mehr Kinder mit und ohne Förderbedarf gemeinsam an Schulen zu unterrichten – aber die Art und Weise ist strittig.

Von Nina Belz

Donnerstagmorgen halb neun, eine Deutschstunde an der Roland-zu-Bremen-Oberschule im Bremer Stadtteil Huchting. Aus dem Zimmer im ersten Stock des gelben Schulgebäudes dringt munteres Stimmengewirr: Die 6a übt das Präteritum. Die 21 Kinder lösen Aufgaben in unterschiedlichen Schwierigkeitsstufen, alleine oder in der Gruppe, jedes in seinem Tempo. Sieben von ihnen haben eine Lernschwäche. Die 6a ist eine Inklusionsklasse. Sie wird fast in allen Fächern von zwei Lehrern unterrichtet, einer Sonderpädagogin und einem Regelschullehrer, doch wer wer ist, wissen die Kinder nicht so genau: Sie haben einfach zwei Klassenlehrer.

Wenn möglich, unterrichten sie die Kinder gemeinsam in einem Zimmer; in Fächern wie Mathe gibt es manchmal zwei Lerngruppen mit unterschiedlichem Tempo. Hierfür hat die Klasse ein zweites Zimmer, einen sogenannten Differenzierungsraum. Schulische Inklusion, zu der sich Deutschland mit der Unterzeichnung der Behindertenrechtskonvention der Vereinten Nationen verpflichtet hat, wird durch ähnliche Angebote immer weiter ausgebaut.

c) Welche Texte mussten Sie vollständig lesen? Welche Textsorten haben Sie sofort erkannt?

2 Die vielen Gesichter der Vielfalt

Ü5

a) Erstellen Sie eine Mindmap zum Thema Vielfalt. Vergleichen Sie im Kurs.

b) Sammeln Sie in den Texten Fakten, die gesellschaftliche Vielfalt zeigen. Was wird für die Erhaltung von Vielfalt getan?

3 Begriffe erklären

Ü6

a) Suchen Sie in den Texten A-D die folgenden Wörter und Ausdrücke. Erklären Sie sie in eigenen Worten.

biologische Artenvielfalt – soziales Kapital – Überalterung – Frauenquote – Inklusionsklasse

b) Markieren Sie in den Texten weitere wichtige Begriffe. Notieren Sie einen Begriff auf einem Zettel. Schreiben Sie eine Erklärung auf die Rückseite und hängen Sie den Zettel im Kursraum auf.

c) Wörtergalerie. Gehen Sie mit einem Partner / einer Partnerin durch den Kursraum und erklären Sie sich gegenseitig die Wörter.

4 Ü7 **Textkohärenz – Zusammenhänge in Texten erkennen. Lesen Sie die Regel. Auf welche Wörter oder Satzteile beziehen sich die auf S. 101 in Text D markierten Wörter? Finden Sie weitere Beispiele in den Texten.**

Regel Pronomen und (Verbindungs-)Adverbien bringen die einzelnen Satzteile oder Sätze in einen logischen Bezug (Kohärenz) zueinander, um Wiederholungen zu vermeiden.

> 6a übt das Präteritum. Die 21 Kinder lösen Arbeitsblätter in unterschiedlichen Schwierigkeitsstufen, alleine oder in der Gruppe, jedes in seinem Tempo. Sieben von ihnen haben eine Lernschwäche. Die 6a ist

5 **Gesellschaftliche Relevanz von Vielfalt – ein Kurzvortrag**

Soziologiestudent
Jan Köhler, 23 Jahre

a) 2.14 Der Student Jan Köhler hält einen Kurzvortrag zum Thema Vielfalt. Hören Sie zu und kreuzen Sie an: Welche Themen aus den Texten von S. 100–101 werden berücksichtigt?

1 ☐ Biodiversität
2 ☐ alternde Gesellschaft
3 ☐ Frauenquote
4 ☐ schulische Inklusion

b) 2.14 Was sagt Jan Köhler? Kreuzen Sie die richtigen Aussagen an.

1 ☐ Jan Köhler erklärt, was Vielfalt für die Gesellschaft in der Vergangenheit und Gegenwart bedeutet.
2 ☐ Vielfalt umfasst unterschiedliche Formen, Farben, Größen bzw. andere Eigenschaften.
3 ☐ Biodiversität bezieht sich auf Mikroorganismen und ihre Lebensräume.
4 ☐ Artenvielfalt steht unter strengem Schutz. Verletzungen werden bestraft.
5 ☐ In der Wirtschaft spielt Artenvielfalt keine Rolle.
6 ☐ Diversity-Management bündelt Maßnahmen zur Förderung von Vielfalt in Unternehmen.

c) Ergänzen Sie die Mindmap aus 2a) mit neuen Informationen.

d) Welche der genannten Aspekte der Vielfalt werden auch in Ihrem Land diskutiert?

Inklusion als Begriff kenne ich in unserer Gesellschaft nicht, aber an meiner Schule haben körperlich Behinderte einfach dazugehört.

Die Erhaltung der Biodiversität, d. h. Naturschutz ist bei uns sehr wichtig.

6 Ü8 **Ein Feedback zum Vortrag von Jan Köhler geben. Kreuzen Sie an (1 = sehr gut, 2 = gut, 3 = befriedigend, 4 = ausreichend, 5 = mangelhaft) und tauschen Sie sich aus.**

	1	2	3	4	5
1 Das Thema ist spannend dargestellt	☐	☐	☐	☐	☐
2 Der Vortrag ist gut strukturiert: Einleitung, Hauptteil und Schluss sind erkennbar	☐	☐	☐	☐	☐
3 Aussprache	☐	☐	☐	☐	☐
4 Lautstärke	☐	☐	☐	☐	☐
5 Tempo	☐	☐	☐	☐	☐
6 Weitere Bemerkungen:					

3 Vielfalt lohnt sich

1 Charta der Vielfalt

Ü9

a) Lesen Sie den Ausschnitt aus dem Vorwort. Was ist die Charta und worum geht es?

VORWORT

von Bundeskanzlerin Dr. Angela Merkel, Schirmherrin der „Charta der Vielfalt“

„Deutschland ist ein Land der Vielfalt. Für unsere Wirtschaft und Gesellschaft ist Vielfalt ein Erfolgsfaktor, den es zu nutzen gilt. Deshalb habe ich im Dezember 2006 die Schirmherrschaft über die Unternehmensinitiative „Charta der Vielfalt“ sehr gern übernommen. Sie ist ein wichtiger Beitrag für den Zusammenhalt unserer Gesellschaft. Denn die Unterzeichner der Charta verpflichten sich, ein Arbeitsumfeld zu schaffen, das unterschiedliche Talente in der Belegschaft anerkennt und fördert – unabhängig von Alter, Behinderung, Geschlecht und Nationalität, von ethnischer Herkunft, Religion und Weltanschauung. [...]

b) Formulieren Sie weitere W-Fragen und stellen Sie sie im Kurs.

2 Die Charta im Wortlaut

Ü10

a) Was glauben Sie, welche deutschen Unternehmen haben die Charta unterschrieben? Nennen Sie drei und überprüfen Sie Ihre Vermutung im Internet.

b) Lesen Sie den Eröffnungstext der Charta. Welche Ziele werden verfolgt und warum? Markieren Sie Belegstellen.

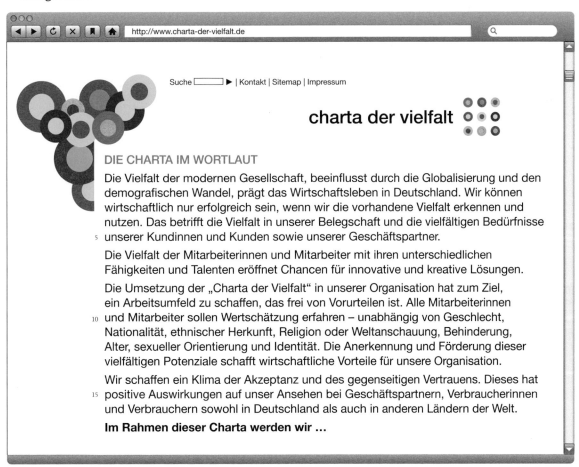

http://www.charta-der-vielfalt.de

Suche ► | Kontakt | Sitemap | Impressum

charta der vielfalt

DIE CHARTA IM WORTLAUT

Die Vielfalt der modernen Gesellschaft, beeinflusst durch die Globalisierung und den demografischen Wandel, prägt das Wirtschaftsleben in Deutschland. Wir können wirtschaftlich nur erfolgreich sein, wenn wir die vorhandene Vielfalt erkennen und nutzen. Das betrifft die Vielfalt in unserer Belegschaft und die vielfältigen Bedürfnisse unserer Kundinnen und Kunden sowie unserer Geschäftspartner.

Die Vielfalt der Mitarbeiterinnen und Mitarbeiter mit ihren unterschiedlichen Fähigkeiten und Talenten eröffnet Chancen für innovative und kreative Lösungen.

Die Umsetzung der „Charta der Vielfalt“ in unserer Organisation hat zum Ziel, ein Arbeitsumfeld zu schaffen, das frei von Vorurteilen ist. Alle Mitarbeiterinnen und Mitarbeiter sollen Wertschätzung erfahren – unabhängig von Geschlecht, Nationalität, ethnischer Herkunft, Religion oder Weltanschauung, Behinderung, Alter, sexueller Orientierung und Identität. Die Anerkennung und Förderung dieser vielfältigen Potenziale schafft wirtschaftliche Vorteile für unsere Organisation.

Wir schaffen ein Klima der Akzeptanz und des gegenseitigen Vertrauens. Dieses hat positive Auswirkungen auf unser Ansehen bei Geschäftspartnern, Verbraucherinnen und Verbrauchern sowohl in Deutschland als auch in anderen Ländern der Welt.

Im Rahmen dieser Charta werden wir ...

c) Welche konkreten Maßnahmen müssten Ihrer Meinung nach zur Förderung der Vielfalt in Unternehmen ergriffen werden? Diskutieren Sie.

3 Die Maßnahmen in Unternehmen

Ü12

a) Lesen Sie die Mitteilung aus dem Wirtschaftsblatt und beantworten Sie die Fragen.

1 Warum ist die Charta der Vielfalt ein voller Erfolg?
2 Verpflichten sich die Unterzeichner, die Aktivitäten zu veröffentlichen?
3 Wird die Charta nur intern oder auch außerhalb der Organisation propagiert?
4 Wie kann man sich über die Aktivitäten der Unterzeichner der Charta informieren?

WIRTSCHAFTSBLATT

Charta der Vielfalt ein voller Erfolg

Die 26 Neu-Unterzeichner/-innen der Charta der Vielfalt auf der Impulsveranstaltung zum 1. Deutschen Diversity-Tag in Berlin

Immer mehr Unternehmen unterzeichnen die Charta der Vielfalt. Mit über 100 Neuanmeldungen hat sie die 1000er-Marke überschritten. Die Unternehmen verpflichten sich zur Förderung der Vielfalt durch das Einhalten folgender Maßnahmen:

1. Pflege einer Unternehmenskultur, die von Wertschätzung und Respekt geprägt ist und damit Schaffung der Voraussetzungen für das Teilen und Leben dieser Werte im Unternehmen gleichermaßen durch Mitarbeiter wie Vorgesetzte.
2. Überprüfung der Personalprozesse und somit Sicherstellung, dass diese den vielfältigen Fähigkeiten und Talenten aller Mitarbeiterinnen und Mitarbeiter sowie ihrem Leistungsanspruch gerecht werden.
3. Anerkennung der Vielfalt der Gesellschaft innerhalb und außerhalb der Organisation; Wertschätzung der darin liegenden Potenziale und der gewinnbringende Einsatz derselben für das Unternehmen oder die Institution.
4. Thematisierung der Umsetzung der Charta im internen und externen Dialog mit Mitarbeitern, aber auch Geschäftspartnern.
5. Die jährliche Veröffentlichung über die Aktivitäten und den Fortschritt bei der Förderung der Vielfalt.
6. Information und Einbezug der Mitarbeiter über Inhalte und Maßnahmen zur Umsetzung der Charta.

b) Welche Maßnahmen, zu denen sich die Unternehmen verpflichten, finden Sie wichtig? Warum?

4 Nominal- und Verbalstil. **Ergänzen Sie den Satzanfang, indem Sie die Sätze aus dem Artikel in 3 in den Verbalstil setzen. Benutzen Sie dazu *indem* oder *dadurch, dass* ...**

1. Förderung der Vielfalt durch die Pflege einer Unternehmenskultur, die von Wertschätzung und Respekt geprägt ist und damit Schaffung der Voraussetzungen für das Teilen und Leben ...

↓

Wir fördern die Vielfalt, indem wir eine Unternehmenskultur pflegen, die ... und so die Voraussetzungen für ... schaffen

Wir fördern die Vielfalt dadurch, dass wir eine Unternehmenskultur pflegen, die ...

Minimemo

Nominalstil (Präpositionaladverb)
→ *durch + Akkusativ*

Verbalstil (modaler Nebensatz)
indem ...
dadurch, dass ...

4 Mit vielfältigen Konzepten in die Zukunft

1 Diversity – Zahlen und Fakten

Ü 13–14

a) Sehen Sie sich die Tabellen, Grafiken und Schaubilder an. Ordnen Sie jeder Darstellung einen Themenbereich zu. Manchmal passen mehrere.

a Frauenquote b Alter c Behinderung d Ausländer/Migration e Geschlecht

1

Anteil der Frauen in der Daimler AG ☐

Angaben in Prozent	Zielkorridore der BV (2011–2015)	Stand 31.12.09	Stand 31.12.10	Stand 31.12.11
Belegschaft	12,5–15	13,1	13,5	13,9
Angestellte	–	24,2	24,3	24,9
Ausbildung	22–26	20,7	20,6	20,4
Gewerblich-technische Berufsausbildung	13–16	11,7	11,3	11,3
Führungsfunktionen Ebene 4	14–18	11,7	12,4	12,9
Führungsfunktionen Ebene 5	4–6	3,5	3,5	4,0
Leitende Führungspositionen	–	8,3	8,9	10,6

Quelle: www.econsense.de

2

Diversity-Kennzahlen für die Daimler AG ☐

Angaben in Prozent	Stand 31.12.09	Stand 31.12.10	Stand 31.12.11
Anteil ausländischer Mitarbeiter			
Konzern Deutschland	11,4	11,1	11,1
Angaben in Jahren	**Stand 31.12.09**	**Stand 31.12.10**	**Stand 31.12.11**
Altersdurchschnitt			
Belegschaft, Konzern (weltweit)	41,4	41,9	41,9
Frauen, Konzern (weltweit)	39,2	39,7	39,8
Belegschaft, Daimler AG (Deutschland)	42,5	42,9	43,0
Frauen, Daimler AG (Deutschland)	39,9	40,3	40,4

Quelle: www.econsense.de

3

Anteil der Betriebe ohne Beschäftigte über 50 (2012) ☐

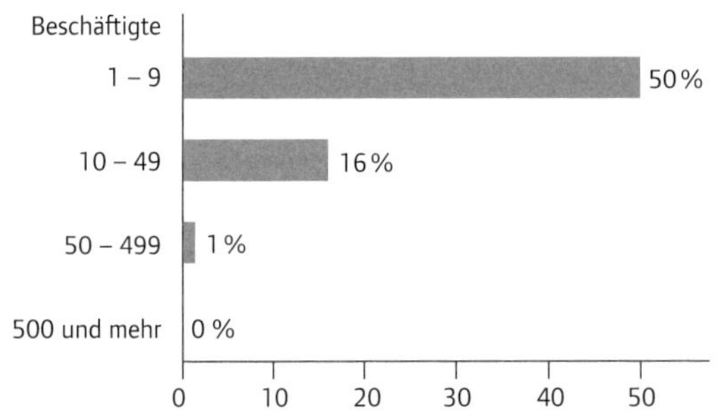

Quelle: www.bzo.de

4

Betriebe mit älteren Beschäftigten: Welche Maßnahmen werden eingesetzt (2012)? ☐

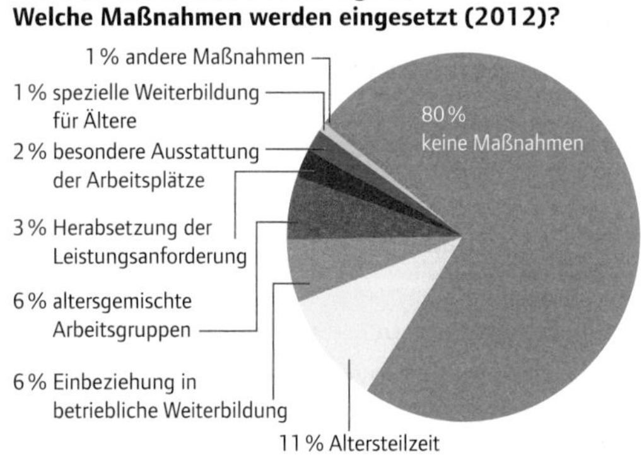

Quelle: www.bzo.de

5

Arbeitslosenquote behinderter Menschen zwischen 2005 und 2011 ☐

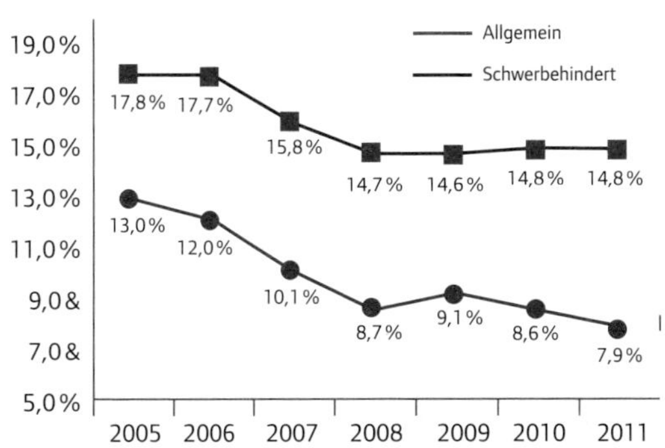

Quelle: www.igmetall.de

6

Voll- und Teilzeitquoten von erwerbstätigen Vätern und Müttern mit minderjährigen Kindern 2013 ☐

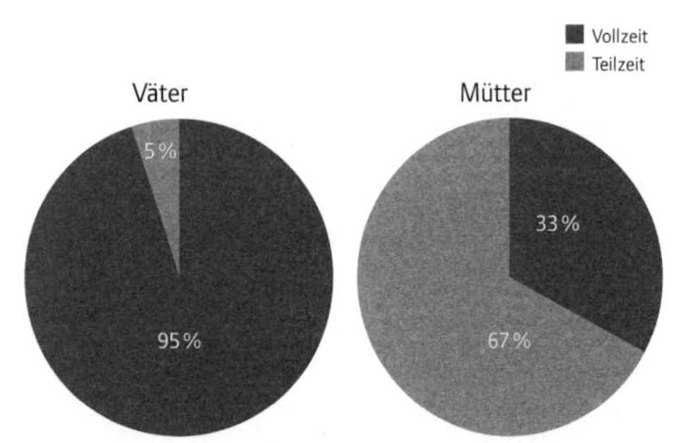

Quelle: Statistisches Bundesamt

b) Arbeiten Sie mit einer Darstellung aus a). Machen Sie sich Notizen zu den folgenden Punkten und stellen Sie Ihre Ergebnisse in der Gruppe vor.

1 Überschrift? 2 Diagrammtyp? (Kreis/Torten-, Kurven-, Balken-/Säulendiagramm)?
3 Quellenangabe? 4 Umfragedatum? 5 Angaben in der Legende? 6 wichtigste Aussage(n)?
7 Fragen an die Daten/Offenes 8 eigene Stellungnahme

c) Ordnen Sie die Aussage einer Tabelle/einem Diagramm zu und markieren Sie mit richtig (r) oder falsch (f)? Korrigieren Sie die falschen Aussagen.

1 ☑ ☑ Zu den altersspezifischen Maßnahmen zählt nicht die Altersteilzeit.
2 ☐ ☐ Im Mittel sind deutsche Mitarbeiter der Daimler AG im Jahr 2011 45 Jahre alt.
3 ☐ ☐ Die Arbeitslosigkeit ist seit 2009 unter Erwerbstätigen zurückgegangen. Dieser Trend gilt aber nicht für Schwerbehinderte.
4 ☐ ☐ Der prozentuale Anteil von Frauen in Führungspositionen hat in der Daimler AG bis 2011 zugenommen.
5 ☐ ☐ 16 % der Betriebe (10–49 Beschäftigte) haben keine Mitarbeiter über 50.

2 Ein Vortrag zum Thema Diversity

2.15 Ü15

a) Hören Sie die Einleitung des Vortrags und kreuzen Sie in 1 a) die Diagramme und Tabellen an, über die Frau Richter sprechen wird.

Dorothea Richter,
Expertin für
Diversity-Management

b) Hören Sie noch einmal den Vortrag und streichen Sie das Wort, das nicht passt.

1 ☑ Ich darf Ihnen mitteilen, dass weitere 120 *Unternehmen/Personen* planen, die Charta zu unterzeichnen.
2 ☐ Wenn die Zahl der Unterzeichner wächst, erwartet man, dass *die Auseinandersetzungen/die Chancen* für alle auf dem Arbeitsmarkt steigen.
3 ☐ Es gilt, den Arbeitskräftemangel zu überwinden, indem *arbeitsfähige/kranke* Menschen [...] gezielt integriert werden.
4 ☐ Nimmt also die Vielfalt mit der steigenden Zahl der Unterzeichner der Charta zu? Dies lässt sich schwer einschätzen, ohne die *Unternehmen/Statistiken* zu prüfen.
5 ☐ [...] – wenn sich die Unternehmen nicht zunehmend zur Vielfalt verpflichten würden, wäre die Situation mit Sicherheit noch weitaus *besser/unerfreulicher.*

c) Hören Sie noch einmal. Sammeln Sie Informationen zur Arbeitssituation von Frauen in Deutschland und der EU sowie zur Situation von Menschen mit Behinderung.

d) Wie ist die Arbeitssituation für diese beiden Gruppen in Ihrem Land? Recherchieren Sie und vergleichen Sie.

3 Stilfrage

Ü16

a) Nominalstil (N) oder Verbalstil (V)? Lesen Sie die Sätze in 2 b) noch einmal. Um welchen Stil handelt es sich? Notieren und begründen Sie.

b) Ergänzen Sie das passende Wort mithilfe der Sätze aus 2 b).

1 [...] dass weitere 120 Unternehmen die .... der Charta planen.
2 Bei .... der Zahl der Unterzeichner erwartet man, dass [...]
3 Es gilt, den Arbeitskräftemangel durch gezielte .... arbeitsfähiger [...]
4 Eine .... ohne .... der Statistiken, ist schwer.
5 Ohne die zunehmende .... der Unternehmen zur Vielfalt wäre die ...

c) Analysieren Sie 2 b) und 3 b). Markieren Sie die Unterschiede zwischen Nominal- und Verbalstil.

d) Suchen Sie in 2 b) die beiden konditionalen Nebensätze (Verbalstil) und ihre Entsprechungen im Nominalstil (3 b). Wie löst man konditionale Nebensätze auf? Formulieren Sie die Regel.

4 Frauenquote

P telc a) Lesen Sie das Interview und kreuzen Sie an. Markieren Sie die Belegstellen.

		richtig	falsch	nicht im Text
1	Die gesetzliche Quote bringt wirtschaftliche Vorteile.	☐	☐	☐
2	Die Rechte der männlichen Belegschaft werden gestärkt.	☐	☐	☐
3	Die Quote wird auch 2030 nicht umgesetzt worden sein.	☐	☐	☐

Management-Magazin 07/15 | 15

„Die Frauenquote wird 2020 umgesetzt worden sein."

Dorothea Richter, Diversity-Management-Beraterin für LPM Novak, über die Frauenquote.

MM: Frau Richter, wie sehen Sie die Zusammensetzung der Belegschaft in den Unternehmen im Jahr 2020?

Richter: Die Statistiken sprechen eine klare Sprache: der Anteil an Frauen in Führungspositionen wird bis 2020 signifikant gestiegen sein.

MM: ... was an der gesetzlich festgelegten Frauenquote liegt?

Richter: Ja, natürlich. Mit der Frauenquote wird Frauenförderung kein leeres Versprechen mehr sein. Mit den gesetzlichen Regelungen soll mittelfristig eine Verbesserung des Frauenanteils an Führungspositionen erreicht werden. Es ist davon auszugehen, dass diese Maßnahme den Wirtschaftsstandort Deutschland stärken und die Wettbewerbsfähigkeit der Unternehmen steigern wird.

MM: Sie gehen also davon aus, dass die Unternehmen schon in wenigen Jahren einen starken Wandel erfahren und vollzogen haben werden ...

Richter: Das hoffe ich doch! Die Quote wird die alten Strukturen aufbrechen und die Unternehmenskultur nachhaltig verändern. Entscheidend ist, dass mehr Frauen in Führungspositionen andere Frauen nachziehen werden. Es wird folglich mehr Frauen auf allen Hierarchieebenen geben.

MM: Wen betrifft die Quote?

Die großen Unternehmen mit mehr als 2000 Arbeitnehmer/innen, d.h. momentan also circa 100 Unternehmen.

MM: Wie ist die Transparenz des Verfahrens zu sichern?

Richter: Künftig werden die von der Quotenregelung betroffenen Unternehmen öffentliche Angaben zur Umsetzung machen müssen.

MM: Ab wann gilt die Quote?

Richter: Die fixe Geschlechterquote wird schon ab 1. Januar 2016 in Kraft getreten sein.

MM: Wie schnell wird Ihre Prognose eines Strukturwandels der Unternehmen wohl eingetreten sein?

Richter: Die Unternehmen werden die Frauenquote bis 2020 definitiv umgesetzt haben. In 10 Jahren wird jede 3. Führungsposition von einer Frau besetzt.

b) Machen Sie sich Notizen zu den Zahlen: 2020, 2000, 100, 01.01.16, 10. Berichten Sie.

5 Wird der Anteil von Frauen gestiegen sein?

Ü 17–18

a) Sammeln Sie im Interview Belegstellen für die drei Funktionen des Futurs:

1 Absicht/Versprechen/Verpflichtung 2 Prognose/Trend 3 Vermutung (Gegenwartsbezug)

b) Ordnen Sie den Zeitbezug zu und erklären Sie den Unterschied zwischen Futur I und II.

a Gegenwart b Zukunft c etwas ist in der Zukunft abgeschlossen d Vergangenheit

objektiv:	Futur I	Der Anteil an Frauen in Führungspositionen wird steigen. ☐
	Futur II	In 20 Jahren wird jede 3. Führungsposition von einer Frau besetzt sein. ☐
subjektiv:	Futur I	Mehr Frauenförderung? Das wird wohl ein leeres Versprechen sein. ☐
	Futur II	Er wird zu Lasten der Familie Karriere gemacht haben. ☐

c) Markieren Sie im Interview alle Sätze im Futur und analysieren Sie sie: Futur I oder II? Im Hauptsatz oder Nebensatz? Mit oder ohne Modalverb?

6 Diversity 2050? **Formulieren Sie Aussagen wie im Beispiel. Die anderen kommentieren.**

Frauen werden 2050 mehr verdienen als Männer.

Bis dahin werden wir das nicht erzielt haben.

5 Eine unverwechselbare Persönlichkeit

1 Die Vielfalt in Person

Ü19

a) Lesen Sie den Artikel. Was macht Dunja Hayali nach Meinung des Autors zu einer außergewöhnlichen Frau?

Kurze Haare und volltätowiert:

Dunja Hayali zählt zu den außergewöhnlichsten Moderatorinnen des ZDF

von Katja Mitic

Das öffentlich-rechtliche Fernsehen gilt in Deutschland häufig als bieder. Dass die Menschen, die dem Zweiten ein Gesicht verleihen, gar nicht so bieder sind, dafür steht Moderatorin Dunja Hayali. Mit ihrem raspelkurzen Haarschnitt fällt sie ohnehin schon aus dem sonst so üblichen Frauenbild vor der Kamera.

Nun zog die 36-Jährige bei der Verleihung des Deutschen Fernsehpreises unerwartet viele Blicke auf sich, weil sie ein schwarzes Abendkleid trug – und damit seltene Einblicke gewährte. So enthüllten Dekolleté und Rücken das, was die Moderatorin sonst sorgsam dem ZDF-Publikum vorenthält: große Tätowierungen. Am rechten Arm beispielsweise reichen die Bemalungen von der Schulter bis über den Ellenbogen.

„Jedes hat eine Bedeutung", sagte Hayali der „Bild"-Zeitung und erklärt die Motive. „Der Kreis auf meinem Arm zeigt ein Männchen vor einem Irrgarten. Soll heißen: der Mensch vor den Irrwegen des Lebens." Die Wellen stünden für Kraft, Dynamik und Veränderung. Auf der linken Hälfte ihres Rückens sind die polynesischen Zeichen der vier Elemente – Feuer, Wasser, Erde, Luft – verewigt. „Manche Menschen kaufen sich Kunstwerke und stellen sie in den Tresor oder hängen sie an die Wand. Andere tragen eben Kunst am Körper", erklärte sie dem Blatt ein andermal. Außerdem gibt es noch einen lauernden Tiger, Hayalis Geburtszeichen im chinesischen Horoskop, und einen Flötenspieler. „Er steht für die Muße und die Kreativität."

Als Moderatorin unter anderem für das „heute-journal" oder das „Morgenmagazin" ist von ihren Tätowierungen natürlich nichts zu sehen. Dort zeigt sich Hayali, das Kind eines irakischen Arztes, mit Bluse oft ganz zugeknöpft und im Hosenanzug. In einem Interview mit der Illustrierten „Bunte" sagte sie, dass die Körperkunst Privatsache sei. Im Job empfinde sie diese aber unpassend. [...] | DIE WELT 11.10.2010

b) Welche Konzepte von Diversity spiegeln sich im Artikel wieder? Sammeln und berichten Sie.

2 Gelebte Vielfalt. **Porträtieren Sie Personen aus Ihrem Lebensumfeld, die Vielfalt leben.**

Fit für Einheit 9?

Das kann ich auf Deutsch

▶ **über ein komplexes gesellschaftliches Thema sprechen (1.2, 1,3)**

Was bedeutet eigentlich der Begriff Diversity? Worin zeigt sich Vielfalt in der Gesellschaft?

…

Das kann ich ☺ ❑ ☹ ❑ ▶ Ü 2–3

▶ **Textsorten erkennen und beschreiben (2.1)**

Bei diesem Text handelt es sich um einen …

Lernen

Themenblätter im Unterricht | Bedrohte Vielfalt – Biodiversität

Die Zerstörung der Ökosysteme schreitet voran. Immer mehr Tier- und Pflanzenarten sterben aus. Kann der Mensch diese Entwicklung stoppen? Wozu muss und wie kann biologische Artenvielfalt erhalten werden?

Das kann ich ☺ ❑ ☹ ❑ ▶ Ü 4

▶ **Feedback zu einen Kurzvortrag geben (2.6)**

Haben Sie schon einmal einen sehr guten Vortrag gehört? Warum war dieser so gut?

…

Das kann ich ☺ ❑ ☹ ❑ ▶ Ü 6

▶ **Statistiken/Diagramme auswerten und vorstellen (4.1)**

Diagrammtyp?
Überschrift?
Quelle? Zeitraum? Legende?
Wichtigste Aussage? …

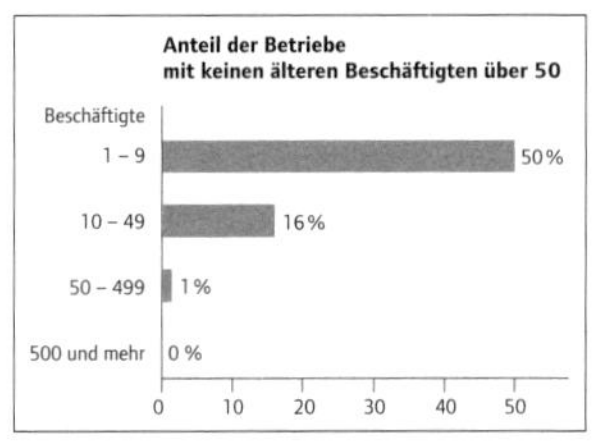

Das kann ich ☺ ❑ ☹ ❑

Grammatik

▶ **Textkohärenz erkennen (2.4)**

6 a übt das Präteritum. Die 21 Kinder lösen Arbeitsblätter in unterschiedlichen Schwierigkeitsstufen, alleine oder in der Gruppe, jedes in seinem Tempo. Sieben von ihnen haben eine Lernschwäche. Die 6 a ist

Das kann ich ☺ ❑ ☹ ❑ ▶ Ü 7

▶ **Nominal- und Verbalstil (3.4, 4.3)**

Weitere 120 Unternehmen planen
die Unterzeichnung der Charta.
Bei steigender Zahl berufstätiger Frauen […]

Weitere 120 Unternehmen …
Wenn die Zahl …

Das kann ich ☺ ❑ ☹ ❑

▶ **Futur I und Futur II (4.5)**

1 In zwei bis drei Jahren wird noch nicht jede 3. Führungsposition von einer Frau besetzt sein.
2 Die Angestellten vieler großer Unternehmen werden gealtert und meist über 55 Jahre sein.
3 In 20 Jahren werden sehr viel mehr Frauen Karriere gemacht haben.
4 Trotzdem wird wohl bis 2020 nicht ein Anteil von 20 Prozent Frauen in Führungspositionen erreicht worden sein.

Welcher Satz (1–4) ist subjektiv, welcher objektiv gebraucht?

Das kann ich ☺ ❑ ☹ ❑ ▶ Ü 17–18

9 UmWelt und Technik

1 Energieträger: Was der Mensch nutzt.

❑ [a] Mit **Kernenergie** (auch Atomenergie, Atomkraft, Kernkraft oder Nuklearenergie) wird die Energie bezeichnet, die, oberflächlich betrachtet, durch Kernspaltung freigesetzt wird. Der Anteil der Kernkraft an der weltweiten Stromerzeugung sank zwischen 1993 und 2011 grob gerechnet von 17 % auf 11 %. Mit Stand April 2013 waren 437 Reaktorblöcke mit einer Gesamtleistung von 373,2 Gigawatt in 31 Ländern in Betrieb. Die Sicherheit der zivilen Kernenergienutzung wird nach großen Reaktorunglücken (26. April 1986 in Tschernobyl, 11. März 2011 in Fukushima) kontrovers diskutiert.

❑ [b] **Erdgas** ist ein brennbares Naturgas, das in unterirdischen Lagerstätten vorkommt. Im Grunde genommen nutzten die Chinesen Erdgas schon vor etwa 2000 Jahren zur Salzgewinnung. Es tritt häufig zusammen mit Erdöl auf, da es auf ähnliche Weise entsteht. Erdgas wurde in den USA (seit Anfang der 1920er Jahre) und später in Europa (seit den 1960er Jahren) als Energierohstoff für die Wirtschaft genutzt. Es dient hauptsächlich zur Beheizung von Wohn- und Geschäftsräumen, als Wärmelieferant in Gewerbe und Industrie, zur elektrischen Stromerzeugung und in kleinem Umfang als Treibstoff für Kraftfahrzeuge.

❑ [c] Die **Sonne** ist eine riesige Energiequelle. Die gesamte auf die Erdoberfläche auftreffende Strahlung beträgt grob geschätzt im Tagesdurchschnitt (24 Stunden) 165 W/m^2 (mit erheblichen Schwankungen je nach Breitengrad, Höhenlage und Witterung). So gesehen ist die auf die Erdoberfläche auftreffende Energiemenge mehr als zehntausendmal größer als der Energiebedarf der Menschheit. Damit ist das Potenzial größer als das aller anderen erneuerbaren Energien zusammen. Wissenschaftlich gesehen spielen zur Zeit zwei Bereiche bei der Nutzung eine Rolle: Solarthermie, d. h. Wärmegewinnung, und Photovoltaik, d. h. Stromgewinnung aus der Sonneneinstrahlung.

1 Eine Woche ohne Strom? **Was würde Ihnen vermutlich am meisten fehlen?**
Ü1–2

Ich könnte wahrscheinlich noch ein, zwei Tage mit meinem Notebook arbeiten und dann hätte ich ein richtiges Problem.

Kein Kühlschrank und nicht kochen können, das finde ich ...

2 Energie aus ...
Ü3–5

a) Überfliegen Sie die Infotexte. Ordnen Sie die Bilder der Leiste den Energieträgern zu.

b) Lesen Sie die Infotexte. Sammeln Sie Informationen zu den Energieträgern in einer Tabelle.

Energieträger	Erzeugung von ...	Weitere Informationen
Kernenergie	*Strom*	*durch Kernspaltung, 437 ...*

a

b

c

Hier lernen Sie

- über Energieträger und Energiegewinnung sprechen
- Vor- und Nachteile abwägen
- Verlauf von Daten/ komplexe Abläufe darstellen
- feste Partizipialgruppen
- Textzusammenhänge herstellen (Demonstrativpronomen und -artikel)
- Wdh.: subjektiver Gebrauch der Modalverben

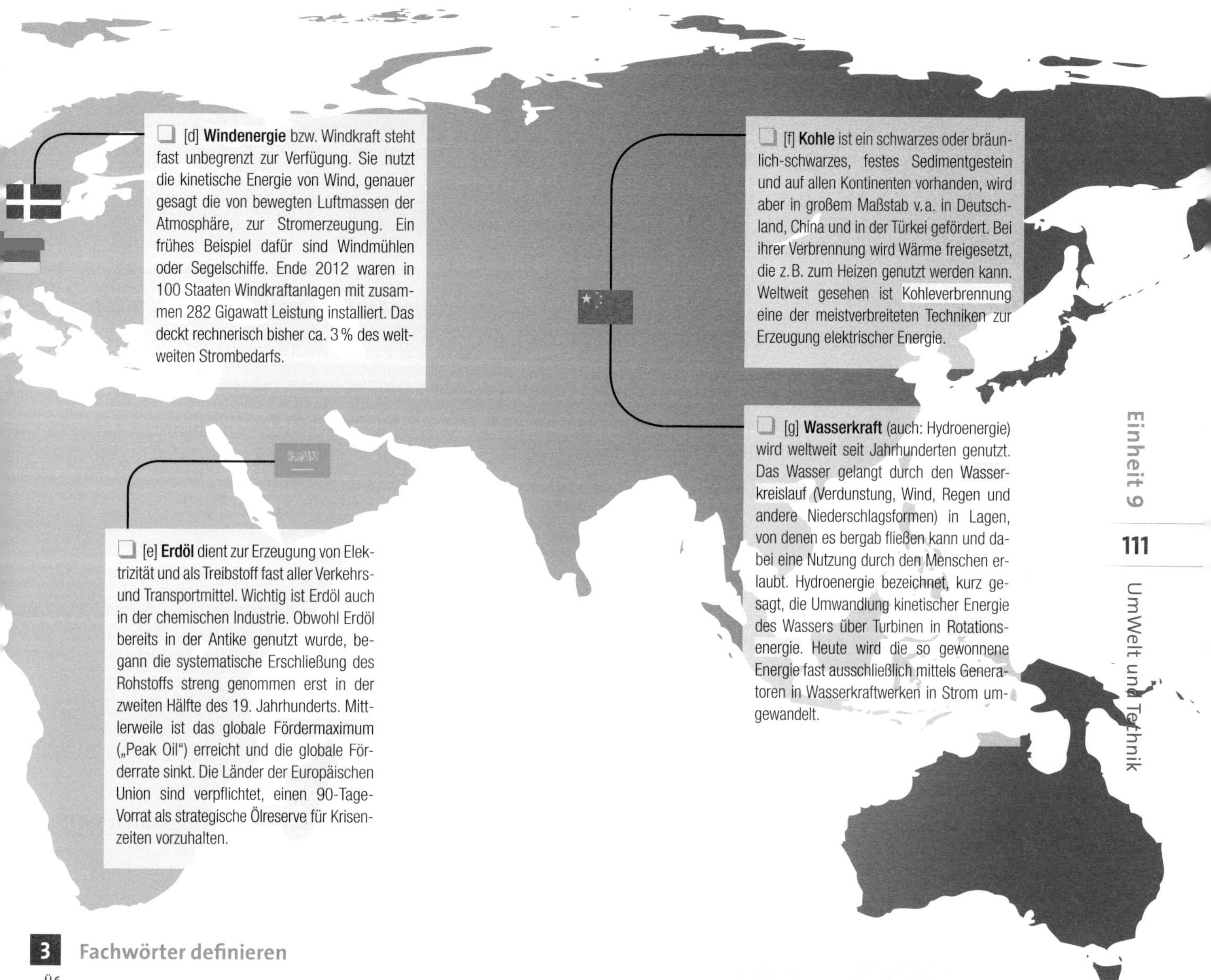

☐ [d] **Windenergie** bzw. Windkraft steht fast unbegrenzt zur Verfügung. Sie nutzt die kinetische Energie von Wind, genauer gesagt die von bewegten Luftmassen der Atmosphäre, zur Stromerzeugung. Ein frühes Beispiel dafür sind Windmühlen oder Segelschiffe. Ende 2012 waren in 100 Staaten Windkraftanlagen mit zusammen 282 Gigawatt Leistung installiert. Das deckt rechnerisch bisher ca. 3 % des weltweiten Strombedarfs.

☐ [e] **Erdöl** dient zur Erzeugung von Elektrizität und als Treibstoff fast aller Verkehrs- und Transportmittel. Wichtig ist Erdöl auch in der chemischen Industrie. Obwohl Erdöl bereits in der Antike genutzt wurde, begann die systematische Erschließung des Rohstoffs streng genommen erst in der zweiten Hälfte des 19. Jahrhunderts. Mittlerweile ist das globale Fördermaximum („Peak Oil") erreicht und die globale Förderrate sinkt. Die Länder der Europäischen Union sind verpflichtet, einen 90-Tage-Vorrat als strategische Ölreserve für Krisenzeiten vorzuhalten.

☐ [f] **Kohle** ist ein schwarzes oder bräunlich-schwarzes, festes Sedimentgestein und auf allen Kontinenten vorhanden, wird aber in großem Maßstab v. a. in Deutschland, China und in der Türkei gefördert. Bei ihrer Verbrennung wird Wärme freigesetzt, die z. B. zum Heizen genutzt werden kann. Weltweit gesehen ist Kohleverbrennung eine der meistverbreiteten Techniken zur Erzeugung elektrischer Energie.

☐ [g] **Wasserkraft** (auch: Hydroenergie) wird weltweit seit Jahrhunderten genutzt. Das Wasser gelangt durch den Wasserkreislauf (Verdunstung, Wind, Regen und andere Niederschlagsformen) in Lagen, von denen es bergab fließen kann und dabei eine Nutzung durch den Menschen erlaubt. Hydroenergie bezeichnet, kurz gesagt, die Umwandlung kinetischer Energie des Wassers über Turbinen in Rotationsenergie. Heute wird die so gewonnene Energie fast ausschließlich mittels Generatoren in Wasserkraftwerken in Strom umgewandelt.

3 Fachwörter definieren

Ü 6

a) Definieren Sie die gelb markierten Fachwörter wie im Beispiel.

Erdgas ist ein Gas, das in der Erde vorkommt.

b) Welche Wortteile können Sie erklären?

Hydroenergie Solarthermie Photovoltaik Nuklearenergie Gigawatt

Photo? Das hat doch was mit Licht zu tun!

4 Förderländer

a) Sehen Sie sich die Weltkarte an. Welche Energien werden wo gewonnen? Ergänzen Sie in 2 b).

b) Und Ihr Land? Recherchieren Sie Formen der Energiegewinnung und berichten Sie.

d

e

f

5 Fossile, nukleare und erneuerbare Energieträger

2.16 Ü7 **a)** Hören Sie den ersten Teil des Radiobeitrags. Machen Sie Notizen und erklären Sie die Termini *fossile (f)*, *nukleare (n)* und *erneuerbare (e) Energieträger.*

b) Welche Energieträger auf S.110/111 sind fossil, nuklear bzw. erneuerbar?

c) Ordnen Sie die Vor- und Nachteile erneuerbarer Energieträger zu.

keine direkte Freisetzung von Schadstoffen – Abhängigkeit von Witterungsbedingungen – Zwischenspeicherung – unbegrenzt vorhanden – Anreicherung von Flüssen mit Sauerstoff – Lautstärke – ...

Energieträger	Vorteile	Nachteile
Sonnenenergie	*unbegrenzt vorhanden*	

2.17 **d)** Hören Sie den zweiten Teil des Radiobeitrags und überprüfen Sie Ihre Zuordnung in c). Ergänzen Sie mit weiteren Informationen aus dem Radiobeitrag.

6 Wasser, Sonne oder Wind?

Ü8 **Diskutieren Sie die Vor- und Nachteile der erneuerbaren Energien mithilfe Ihrer Notizen.**

Im Vergleich zur Sonnenenergie ist Windenergie ...

Redemittel

etw. vergleichen und abwägen

An ... ist positiv/negativ, dass ... / Demgegenüber steht allerdings ...
Auf der einen Seite ... Auf der anderen Seite ... / Einerseits ..., andererseits ...
Die einen sind dafür, dass ... Die anderen lehnen ... ab, dass ...
Gegenüber ... hat ... den Vorteil, dass ... / Im Gegensatz zu ... /
Im Vergleich zu ... / Im Unterschied zu ... / Wenn man ... mit ... vergleicht, ...
Verglichen mit ... ist/sind ...

7 Partizipialgruppen. Markieren Sie Partizipialgruppen in den Infotexten auf S.110/111. Erklären Sie ihre Funktion(en).

Ü9

[b] **Erdgas** ist ein brennbares Naturgas, das in unterirdischen Lagerstätten vorkommt. Im Grunde genommen nutzten die Chinesen Erdgas schon vor etwa 2000 Jahren zur Salzgewinnung. Es tritt häufig zusammen mit Erdöl auf, da es auf ähnli-

Mithilfe von festen Partizipialgruppen *(kurz gesagt, im Grunde genommen etc.)* können Informationen betont oder auch verdichtet werden. Sie helfen bei deren Organisation *(z. B. etw. ein-/auszuleiten oder zusammenzufassen).* Im Mündlichen unterstützen sie flüssiges Sprechen.

8 Und bei Ihnen? Schreiben Sie einen Bericht. Gehen Sie auf Vor- und Nachteile der Energiepolitik Ihres Landes ein.

Ü10

Die wichtigste Energiequelle bei uns in Spanien ist das Erdöl. Insgesamt machen fossile Brennstoffe (Erdöl, Erdgas und Kohle) rund 77,2 Prozent der verbrauchten Primärenergie aus. Diese muss zu über 70 Prozent importiert werden. ...

2 Wirtschaftsfaktor Erdöl

1 Worin ist Erdöl enthalten? **Kreuzen Sie an und vergleichen Sie im Kurs.**

❑ Auto ❑ Hautcreme ❑ T-Shirt ❑ Computer ❑ Benzin ❑ Tablette ❑ Fußball ❑ Gummistiefel

2 Ein Nachruf auf das Erdöl

Ü11

a) Lesen Sie den Beitrag und überprüfen Sie Ihre Vermutungen aus 1. Machen Sie sich Notizen zu: Zusammensetzung von Rohöl, Verbrauch, Produkte, Nutzungsfelder, Zukunft von Rohöl.

03/15 **Wirtschaft**

Wir werden dich (nicht) vermissen – ein Nachruf auf das schwarze Gold

Erdöl ist der wohl wichtigste Rohstoff unserer modernen Industriegesellschaft, nicht nur weil man diesen als Treibstoff braucht, sondern als Ingredienz für eine schier endlose Liste von Produkten. Und die brauchen wir! Die Welt hängt am Erdöltropf, weiß aber, dass dieser Energieträger keine Zukunft hat. Ein Nach- und Weckruf von Britta Sanders

Rohöl ist ein Gemisch aus über 500 verschiedenen Stoffen, v.a. jedoch Kohlenwasserstoffen. In einer Raffinerie können aus ihnen mittels Destillation verschiedene Erdölprodukte gewonnen werden: Benzin, Heizöl, Diesel, Petroleum, Kerosin sowie die Gase Ethan, Propan und Butan. Diese werden über chemische Weiterverarbeitung zu Bausteinen für Kunststoffe und andere Produkte.

Weltweit werden täglich 80 Millionen Fass Rohöl, damit also rund 13 Milliarden Liter konsumiert. Deutschland hat einen täglichen Verbrauch von ca. 2,5 Millionen Fass pro Tag, aber lediglich 3 % dieses Bedarfs wird über deutsche Quellen gesichert. Wofür benötigen wir eigentlich diese riesige Menge an Rohöl? 90 % davon verpufft: So beansprucht der Verkehrssektor, das heißt Straßenverkehr, Luftverkehr und Binnenschifffahrt, über die Hälfte der Ölfertigprodukte. Ebenso dienen diese als Heizenergie für Privatpersonen und Unternehmen. Etwa 10 % werden zur chemischen Weiterverarbeitung genutzt, etwa zu Düngemitteln, Herbiziden, Schmierstoffen, zu Kunststoffen (u.a. Gummiartikel, Schaumstoffe und Textilfasern), zu Farben, Kosmetika, Lebensmittelzusatzstoffen, Medikamenten etc. verarbeitet.

Vor dem Hintergrund jener enormen Bedeutung von Rohöl ist Folgendes zu bedenken: Erdöl ist ein fossiler Brennstoff, der nicht unbegrenzt zur Verfügung steht. Dass ein jährlicher Verbrauch von ca. 5 Billionen Litern Konsequenzen hat, ist logisch. Ein Produkt, welches sich eines steigenden Bedarfes erfreut, dessen Reserven sich jedoch absehbar dem Ende neigen, wird marktbedingt teurer. Der derzeitige Preis von 110 $ pro Fass Rohöl dürfte selbst bei gleichbleibenden Förderkosten (zurzeit zwischen 30 und 40 $ pro Fass) absehbar ansteigen. Dies würde den gesamten Wirtschaftskreislauf beeinflussen, ggf. jedoch nicht nur negativ. So wäre es bspw. begrüßenswert, wenn dadurch weniger Erdöl verbraucht und umweltfreundlichere Energiequellen genutzt werden würden. Diese Wechselwirkung ist aber spekulativ. Und so rufen wir dem schwarzen Gold zu: Du wirst uns schmerzlich fehlen, wenigstens ein paar Jahre bis endlich ein neuer Wind durch unsere Windparks weht und du dich zur Ruhe setzen kannst.

Leserpost b.sanders@wirtschaft.de

b) Inhalte in einer Textgrafik zusammenfassen. Nutzen Sie auch Ihre Stichpunkte aus a).

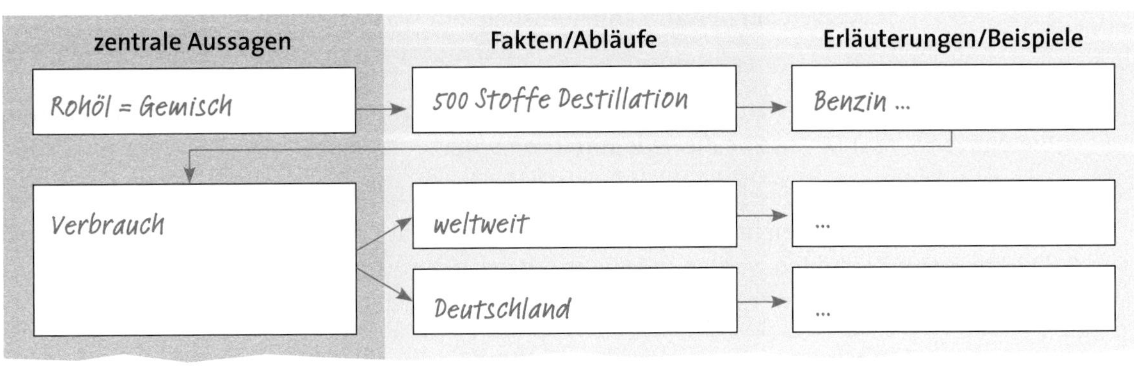

c) Vergleichen Sie Ihre Textgrafiken im Kurs.

3 Textzusammenhänge erkennen

Ü 12–13

a) Sehen Sie sich das Beispiel an und lesen Sie den Grammatik-Auszug. Markieren Sie im Beitrag auf S. 113 alle Demonstrativpronomen und -artikel und erklären Sie, worauf sie sich beziehen.

Demonstrativpronomen

Erdöl ist der wohl wichtigste Rohstoff unserer modernen Industriegesellschaft, nicht nur weil man diesen als Treibstoff braucht, sondern als Ingredienz für eine schier endlose Liste von Produkten. Und die brauchen wir! Die Welt hängt am Erdöltropf, weiß aber, dass dieser Energieträger keine Zukunft hat.

Demonstrativpronomen *Demonstrativartikel*

Demonstrativpronomen *(der, die, das; dies-/ jene-/solch-; die-/derjenige)* dienen der thematischen Fortführung im Text und verweisen auf Personen, Objekte oder Sachverhalte. Hinweis: Stehen *dies-/jene* anstelle eines Nomens sind es Demonstrativ*pronomen*. Werden *dies-/jene-* als Artikel verwendet, sind sie Demonstrativ*artikel*.

b) Wiederholung. Pronomen und Pronominaladverbien im Text. Worauf beziehen sie sich?

1 damit (Z. 13)
2 davon (Z. 21)
3 der (Z. 39)
4 welches (Z. 43)
5 dessen (Z. 44)
6 dadurch (Z. 55)
7 du (Z. 60)

c) Überarbeiten Sie Ihren Bericht aus 1.8. Verwenden Sie Pronomen und Pronominaladverbien.

4 Es wird knapp!

Ü 14

a) Sehen Sie sich das Diagramm zu Erdölfunden und -verbrauch weltweit seit 1960 an. Beschreiben Sie die Kurvenverläufe mithilfe der Redemittel auf S. 15.

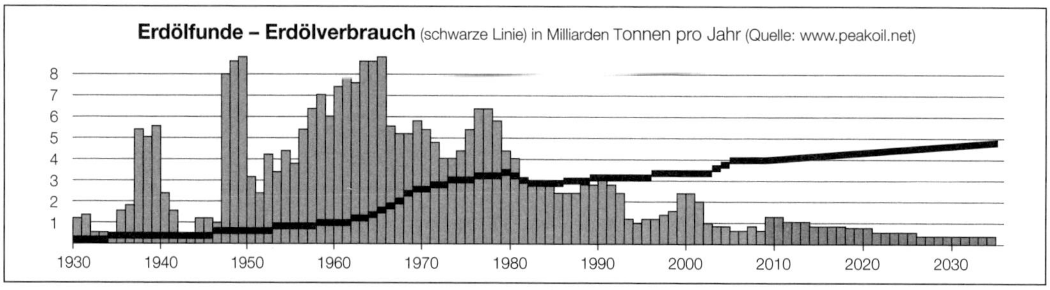

Redemittel

Verlauf von Daten darstellen

Rückgang: ... nimmt kontinuierlich/gleichbleibend/konstant ab/... fällt um/sinkt/reduziert sich von ... auf ... / x ist um z Prozentpunkte rückläufig/gesunken/zurückgegangen.

Konstant: Gegenüber (Zeitpunkt/Wert) verhält sich ... gleich/konstant/ ... bleibt unverändert / verändert sich nicht / stagniert.

Anstieg: ... ist um z Prozentpunkte gestiegen/hat um ... zugenommen/sich erhöht. ... verzeichnet/erfährt einen Anstieg / ein Wachstum / eine Steigerung von / um ...

b) Welche der Hypothesen halten Sie auf Grundlage des Diagramms für wahrscheinlich? Begründen Sie. Nutzen Sie zur Diskussion die Redemittel von S. 112.

1 Schon 2030 werden die fossilen Energieträger von erneuerbaren Energien abgelöst worden sein.
2 Es werden große Summen in Forschung und Entwicklung alternativer Energiegewinnung investiert.
3 Die Preise von Produkten werden steigen, da Alternativen zu Erdöl teurer sind.
4 Heiz- und Stromkosten werden im Vergleich zu heute ansteigen.

Auf der einen Seite ist klar, dass das Erdöl ausgeht.
Auf der anderen Seite sehe ich dazu noch keine Alternative.

3 Wie grün ist Ihr Fußabdruck?

1 Der ökologische Fußabdruck

Ü15

Es muss auf jeden Fall etwas mit Umweltbelastung zu tun haben.

a) Seit einigen Jahren spricht man vom „ökologischen Fußabdruck“. Sehen Sie sich die Zeichnung an und überlegen Sie, was damit gemeint sein könnte.

Na ja, da steckt mehr dahinter.

Der ökologische Fußabdruck

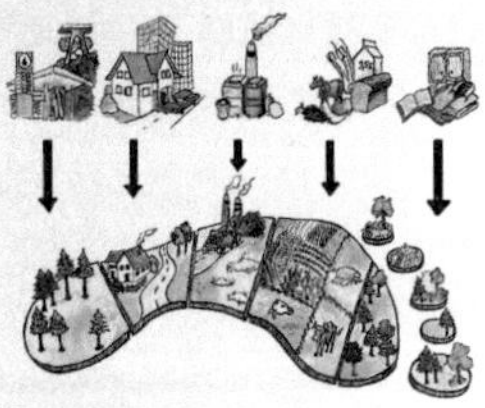

Was wollen wir?

- Grundbedürfnisse gegenwärtig lebender Menschen sichern
- gute Lebensbedingungen für zukünftige Generationen schaffen
- die ökologischen Lebensgrundlagen der Erde erhalten

Wie geht das?

... nur über die Balance zwischen ökologischen, ökonomischen und sozialen Bedürfnissen gegenwärtiger und künftiger Generationen

Ein Maß für Nachhaltigkeit

Der ökologische Fußabdruck stellt die Summe der Flächen dar, die wir für die Produktion und Entsorgung aller Rohstoffe und Güter (pro Person oder bezogen auf die Bevölkerung eines Landes) beanspruchen. Er setzt sich genau genommen aus vielen Teilflächen für alle Lebensbereiche zusammen. Je mehr wir für unseren Lebensunterhalt benötigen, umso größer wird der Abdruck. In den reichen Ländern ist er um ein Vielfaches größer, als das jeweilige Land an Produktionsfläche zu bieten hat. Die eigenen Flächen werden übernutzt, dabei geschädigt oder es werden Flächen in anderen Ländern beansprucht.

➔ Der ökologische Fußabdruck erklärt damit nachhaltige Entwicklung und ist auch Maßstab für deren Stand und deren Fortschritt.

Ein Maß für globale Gerechtigkeit

Bei 6 Milliarden Menschen bleibt für jeden streng betrachtet eine produktive Fläche von ca. 2 Hektar (ha). Die Ansprüche der Menschen schwanken jedoch von 0,8 ha bis über 10 ha! Insgesamt gesehen beansprucht die Weltbevölkerung 2,5-mal mehr, als die Erde dauerhaft zu bieten hat. Insbesondere die reichen Nationen leben weit über ihren Verhältnissen. So betrachtet stehen also vor allem sie, die die meisten Rohstoffe verbrauchen und über größere Handlungsspielräume verfügen, in der Verantwortung, rationell mit Gütern und Rohstoffen umzugehen und einen gerechten Ausgleich herzustellen.

➔ Der ökologische Fußabdruck kann – richtig verstanden – auch Handlungsmöglichkeiten für einen „nachhaltigen Konsum“ aufzeigen.

http://berlinagenda.de/auftakt/fussabdruck.html

b) Lesen Sie die Broschüre und beantworten Sie die folgenden Fragen:

- Auf welches Generationenproblem wird hingewiesen?
- Was ist der ökologische Fußabdruck?
- Was beinhalten die Konzepte „Nachhaltigkeit“ und „globale Gerechtigkeit“?

2 Wörter in Paaren. **Finden Sie die fehlenden Bestandteile der Wortverbindungen in der Broschüre und notieren Sie sie.**

Grundbedürfnisse ... – Lebensbedingungen ... – ... Generationen ... – ... Lebensgrundlagen ... – Bedürfnissen gegenwärtiger und künftiger ... – pro ... – für den Lebensunterhalt ... – etwas ist um ein ... höher – ... schwanken – über den Verhältnissen ... – über Handlungsspielräume ... – in der Verantwortung ... – ... Ausgleich ...

Tipp http://www.mein-fussabdruck.at

3 Über die eigenen Ansprüche nachdenken

Ü16

a) Diskutieren Sie die Punkte, die u.a. zur Berechnung des ökologischen Fußabdrucks herangezogen werden. Wie schätzen Sie Ihren eigenen Fußabdruck ein?

1. *Wie wohnen Sie?* (Wohnfläche pro Mitbewohner, Strom, Heizung, Wasser)
2. *Wie ernähren Sie sich?* (Konsum von Fleisch, (Bio?)-Produkten, Trinkgewohnheiten, Wegwerfen von Lebensmitteln)
3. *Wie mobil sind Sie?* (Fahrzeughalter, Verkehrsmittel zur Arbeit etc., Urlaubs-/Flugreisen)
4. *Wie viel konsumieren Sie?* (Ausstattung mit Wertgegenständen, Papierverbrauch, Restmüll)

Ich bin Vegetarier.

Aber ihr habt zwei Autos!

b) Worauf könnten Sie verzichten, um Ihren ökologischen Fußabdruck zu verbessern?

4 Ein Blick in die Zukunft

1 Ü17 **Ich seh' das so ...** Lesen Sie die Schlagzeilen. Was halten Sie heute schon für möglich, was ist eher unwahrscheinlich? Diskutieren Sie. Der Redemittelkasten hilft.

Endlich marktreif:
Energiesparhäuser, die sich zur Sonne drehen

Jetzt heizen Algen Ihrer Wohnung ein!

28-jährige Doktorandin will aus Pferdemist Energie machen

Es funktioniert!
Sprit aus Sonne und Wasser

http://www.guenstigestromquelle.de
Home | Themen | Forum | Abo | Shop
Wissenschaft
Günstige Stromquelle: Urin soll Energie fürs Handy liefern

Mit Urin Strom erzeugen? Niemals! Das kann nicht wahr sein.

Daran glaube ich auch nicht ernsthaft! Aber es könnte doch sein, dass ...

Redemittel

etwas annehmen	etwas in Frage stellen
Die Schlagzeile *muss* stimmen.	Daran glaube ich (nun wirklich/echt/gar) nicht.
Das *muss* so sein.	Ich bezweifle/bin nicht davon überzeugt, dass ...
Es *kann nicht* sein, dass ...	Es ist doch (eher/ziemlich/total) unwahrscheinlich, dass ... /
Es *müsste* (durchaus/schon) möglich sein, da ...	Ich glaube nicht daran, dass...
... *dürfte* (genau so/so) umsetzbar sein, weil ...	Das ist (doch) nicht dein/Ihr Ernst, oder?
Das *kann* (schon/durchaus/so) sein.	
... *könnte* (schon) realisierbar/denkbar sein, da ...	

2 Ü18–20 **Lösungen für die Zukunft: Kraftstoff aus ...**

a) Überfliegen Sie die drei Artikel. Zu welchen Überschriften aus 1 passen sie thematisch?

b) Lesen Sie den Beitrag, der Sie am meisten interessiert. Machen Sie sich Notizen. Berichten Sie dann im Kurs.

Umweltreport 07/15

1 (td) *Wasserstoff aus Urin.* Forscher von der Ohio University wollen einen Weg gefunden haben, Wasserstoff aus Urin zu gewinnen. In Verbindung mit einer Brennstoffzelle könnte dieser alternative Antrieb nach deren Meinung schon bald Verwendung in Autos finden. Wie die Versuche ergaben, soll sich der Wasserstoff mit nur einem Drittel des bisher benötigten Energieaufwandes gewinnen lassen. Nach Forscheraussagen soll es auf Basis der „Urin-Elektrolyse" ebenso möglich sein, Stadtabwässer zu reinigen und diese möglicherweise gleich als Kraftstoff weiter zu gebrauchen. Einzig der Umstand, dass Bakterien Urin sehr schnell zersetzen, soll nach Expertenaussage ein Problem darstellen.

Ich fahr auf Bakterien ab! Die liefern jetzt auch Sprit ...

Bakterien beim Futtern im Photobioreaktor

2 Die Entwickler der Firma Joule Biotechnologies haben eine geniale Idee, wie sich ohne Erdöl Sprit herstellen lässt.

Dabei lassen sie sich von genmanipulierten Bakterien helfen. Das sind minikleine Lebewesen, deren Erbbausteine verändert wurden, also so eine Art Super-Bakterie, die eine bestimmte Mischung „futtert" und aus dieser „Mahlzeit" Biosprit macht. Für alle Schlauberger unter euch, die es jetzt ganz genau wissen wollen, wie so etwas funktioniert: die genetisch veränderten Mikroorganismen werden in speziellen Behältern – man nennt diese Photobioreaktoren – angepflanzt und danach mit Kohlenstoffdioxid (dieser Stoff ist so ähnlich wie die spritzigen Blubberblasen in deiner Cola) und Wasser „gefüttert". Jetzt muss nur noch die Sonne strahlen und dann wandeln unsere Super-Bakterien diese Stoffe über Photosynthese (>schau in den Biolini-Artikel S. 23) direkt in Biosprit um. Dieser wird von den Organismen ausgeschieden, aufgefangen und muss nicht erst raffiniert (d. h. gereinigt) werden, um zu Biotreibstoff zu werden. Also ab damit zur Tankstelle!

ein Bericht von Sabrina Winter

Es soll sie geben, die eierlegende Wollmilchsau: Algen als Lösungsschlüssel für Energieprobleme

3 *Algenol Biofuels* und *Dow Chemical* bauen derzeit riesige Algenfarmen, die aus Salzwasser und CO_2 den Kraftstoff Ethanol und sauberes Trinkwasser erzeugen. Mit diesem Verfahren wollen sie die »eierlegende Wollmilchsau« erfunden haben, denn weder werden wie beim Biosprit Lebensmittel „verbrannt", noch wird viel Land oder Energie benötigt. Bei diesem Verfahren soll zudem noch das Klimagas CO_2 verbraucht und dabei Trinkwasser erzeugt werden. Das wäre die Lösung für viele unserer Klima- und Energieprobleme. Und das Prinzip will nach Aussage der Firmensprecher denkbar einfach sein: Die Algen werden in „Bioreaktoren" gezüchtet und CO_2 ins Wasser geleitet. Die Algen veratmen das Gas durch Photosynthese zu Ethanol, Trinkwasser und Sauerstoff. Letzterer kann weiterverwendet werden, zum Beispiel um Verbrennungsprozesse effizienter zu machen. Die beiden Firmen wollen nach erfolgreichen Tests in Versuchsanlagen nun auf 24 Hektar eine Großanlage bauen, die jährlich 370.000 Liter Ethanol erzeugen soll.

Algen im Bioreaktor

3 Sie wollen/sollen die eierlegende Wollmilchsau gefunden haben

Ü21

a) Was passt? Lesen Sie die Artikel noch einmal und ergänzen Sie den Satzanfang.

1 ❑ ... wollen einen Weg gefunden haben, aus Urin Wasserstoff zu gewinnen.
2 ❑ ... soll(en) mit weitaus weniger Aufwand gewonnen werden können.
3 ❑ ... soll(en) ebenso eine Nutzung von Abwässern als Kraftstofflieferant ermöglichen.
4 ❑ ... wollen die »eierlegende Wollmilchsau« gefunden haben.
5 ❑ ... wollen eine große Algen-Anlage in der Zukunft errichtet haben.
6 ❑ ... soll(en) gleichzeitig eine Lösung für das CO_2-Problem darstellen.

b) Analysieren Sie die Sätze in a). Wann handelt es sich um eine Behauptung einer fremden Person über sich *selbst* (s), wann um eine Behauptung *anderer* (a) über eine fremde Person/Sache?

c) Lesen Sie die Überschriften. Interpretieren Sie die beiden Lesarten (subjektiv vs. objektiv). Diskutieren Sie die Funktion objektiven und subjektiven Gebrauchs der Modalverben *sollen* und *wollen*.

„Urin soll Energie fürs Handy liefern!"

„Doktorandin will aus Pferdemist Energie gemacht haben."

4 Modalität und Verbstellung im Satz

Ü 22

a) Formulieren Sie Behauptungen. Lesen Sie dann laut und schnell.

Wasserstoff Ethanol Trinkwasser Biosprit	soll	mit weitaus weniger Aufwand mithilfe des Elektrolyse-Verfahrens mittels genmanipulierter Bakterien	produziert gewonnen hergestellt	werden können.

b) Analysieren Sie die Verbstellung in den Sätzen aus a). Ordnen Sie zu.

Modalverb (Infinitiv) – Modalverb (gebeugt) – Partizip II – werden (Passiv Hilfsverb)

c) Vergleichen Sie mit der Verbstellung in 3 a). Übersetzen Sie die Sätze in Ihre Muttersprache.

5 Spezielle Texte für spezielle LeserInnen

a) Welcher der drei Artikel auf S. 116/117 ist für eine junge Leserschaft geschrieben und an welchen (Stil-) Mitteln erkennt man das? Gehen Sie auf folgende Punkte ein und finden Sie Belegstellen.

Layout – Leseransprache – Wortwahl – Umgang mit schweren Wörtern – Nominal-/Verbalstil

b) Vergleichen Sie mit dem Stil der anderen beiden Artikel. Wer liest diese vermutlich?

6 Strategie: Informationen visualisieren

a) Sehen Sie sich die Skizze an. Zu welchen Texten passt sie? Begründen Sie.

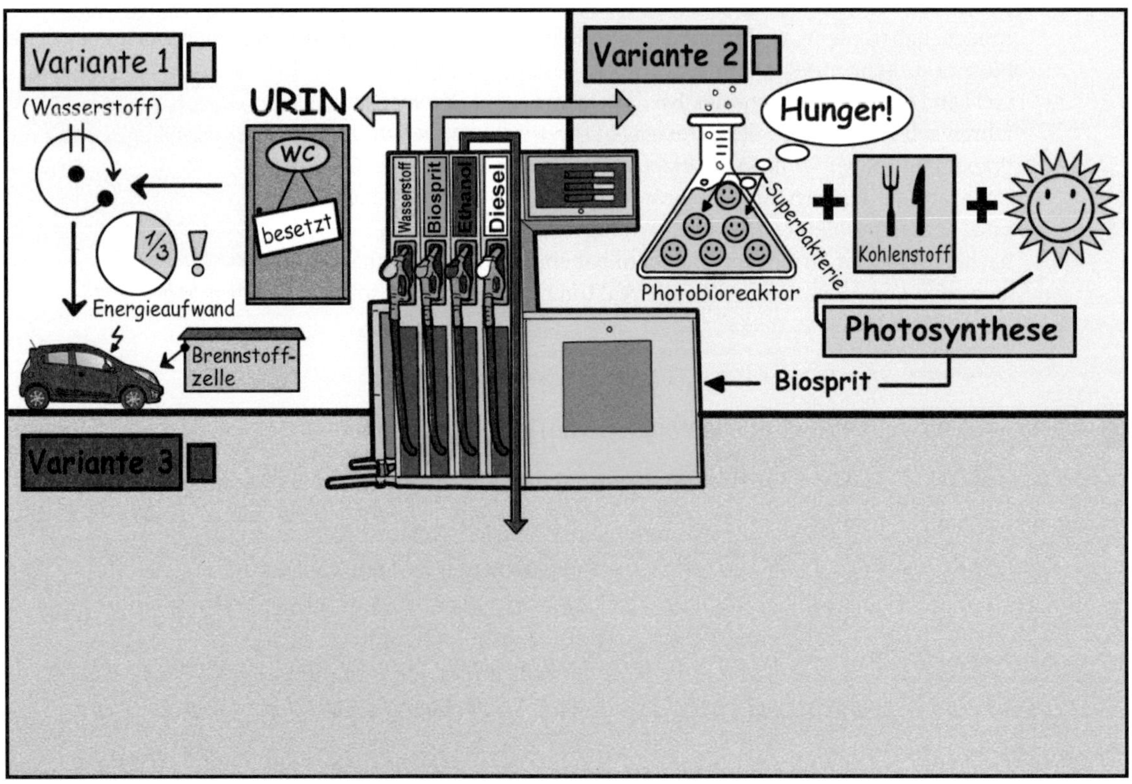

b) Vervollständigen Sie die Skizze mit den Inhalten des fehlenden Artikels von S. 116/117. Vergleichen Sie Ihre Varianten.

c) Berichten Sie über die alternativen Möglichkeiten der Herstellung von Biosprit. Verwenden Sie dazu die Skizze aus b).

7 Algen können noch sehr viel mehr ...

Ü 23

a) Lesen Sie den Internetbeitrag und beantworten Sie die folgenden Fragen.

1 ❑ Warum sorgt das Algenhaus für Wirbel?
2 ❑ Was liefert die Bioreaktor-Fassade?
3 ❑ Warum ist die Fassade innovativ?
4 ❑ Was sind „Smart Material"-Häuser?
5 ❑ Was ist „dynamisches Verhalten"?
6 ❑ Warum ist die Fassade ein multipler Energielieferant?

http://www.big-wilhelmsburg.de | Algenhaus

Home | Produkte und Systeme | Projekte | Service und Wartung | News | Presse

Algenhaus sorgt für Wirbel.

Das Algenhaus BIQ, das zur Internationalen Bauausstellung (IBA) 2013 in Wilhelmsburg bei Hamburg fertig gestellt wurde, sorgt noch immer für Wirbel in der Baufachwelt.

Es handelt sich bei diesem um das weltweit erste Gebäude mit einer Bioreaktor-Fassade: In plattenförmigen an der Südwest- und Südostfassade angeordneten Glaselementen werden Mikroalgen gezüchtet, die durch Photosynthese und Solarthermie Biomasse und Wärme produzieren. Gleichzeitig ermöglicht die grüne Fassade neue Perspektiven in der Steuerung von Licht und Schatten. Das BIQ war eines von mehreren „Smart Material"-Häusern auf der IBA. Als „Smart Materials" bezeichnet man Materialien, die sich im Unterschied zu herkömmlichen Baustoffen nicht statisch, sondern dynamisch verhalten. Bei den Mikroalgen handelt es sich um äußerst dynamische Organismen. Die Einzeller nutzen das Sonnenlicht für ihr Wachstum und wandeln im Zuge der Photosynthese CO_2 und Nährsalze in Biomasse um. Diese dient mit dem Kulturmedium (Nährlösung) später als Rohstoff für die Erzeugung von Biogas (Methan) als Energiequelle für ganz unterschiedliche Bedarfe. Und so funktioniert die Fassade: Um Biogas und Wärme zu gewinnen, bedarf es einiger technischer Komponenten. Zunächst werden die Bioreaktoren mit dem Kulturmedium (Nährlösung) in Reihe geschaltet, damit die Algen wachsen und zirkulieren können. Aufgrund des Lichteinfalls heizen sich die Bioreaktoren auf. Diese Wärme wird in der Energiezentrale über einen Wärmetauscher abgeleitet und anschließend im/am Gebäude gespeichert oder direkt für die Brauchwassererwärmung genutzt. In der Energiezentrale wird auch die beim Wachstum der Algen entstehende Biomasse entnommen. Dabei werden die Mikroalgen von dem Kulturmedium getrennt. Ein dicker Brei aus Algenbiomasse wandert in einen Sammelbehälter. Das Kulturmedium wird in den Kreislauf zurückgespeist. Die Biomasse kann dann zu Biogas umgewandelt werden, welches entweder ins öffentliche Erdgasnetz eingespeist, zur Betankung von Erdgas-Autos oder in Heizkraftwerken genutzt werden kann.

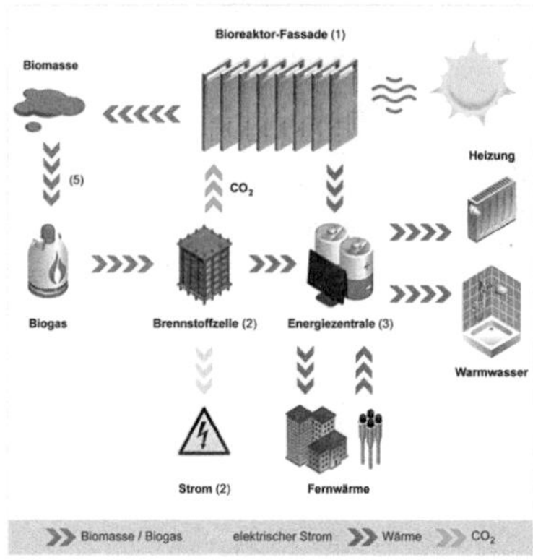

b) Erklären Sie die folgenden Wörter und Ausdrücke.

Algenhaus – Baufachwelt – Solarthermie – Mikroalgen – herkömmliche Baustoffe – Biogas – zirkulieren – Energiezentrale – Brauchwassererwärmung – Kulturmedium

c) Worauf beziehen sich die im Internetbeitrag markierten Pronomen und Pronomialadverbien?

d) Erklären Sie die Energiegewinnung über eine Bioreaktor-Fassade mithilfe der Grafik.

8 Einen Vortrag halten **Bereiten Sie einen fünfminütigen Vortrag zum Thema „Algen – die Alleskönner der Energiegewinnung" vor. Nutzen Sie dabei die Informationen der Einheit sowie Grafiken und Bilder.**

5 Teilen oder haben?

1 Ressourcen schonen – Kollektiver Konsum

Ü24

a) Auto, Handy, T-Shirt, Bohrmaschine – was würden Sie (nicht) verleihen? Begründen Sie.

b) Lesen Sie den Internet-Beitrag. Welche Punkte Ihrer Diskussion aus a) wurden auch/nicht angesprochen?

http://www.utopia.de/magazin/kollektiver-konsum-teilen-tauschen-leihen

Magazin | Kaufberatung | Meinung | Community | Aktionen

Konsum alternativ

Teilen, tauschen, leihen – Das ist kollektiver Konsum

Die Tage der Turbokäufer sind gezählt, „Kauf dich glücklich" gilt nicht mehr. Kollektiver Konsum spart Geld und vermeidet Verschwendung. Neue Webseiten und Apps helfen dabei. ***Simon Reichel***

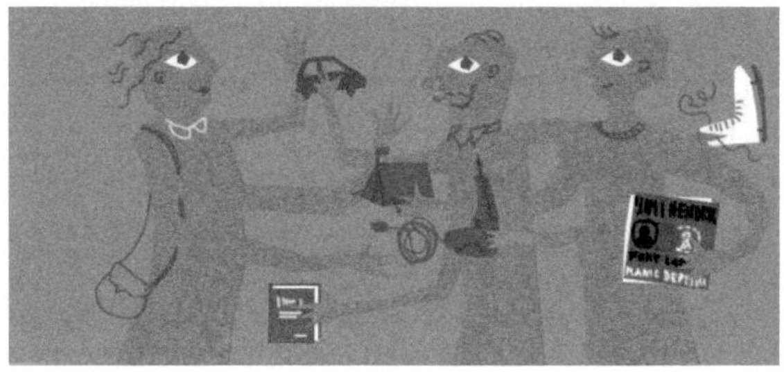

Mal ehrlich: Wer braucht seine Bohrmaschine schon öfter als dreimal im Jahr? Deutsche Haushalte sind überfüllt mit teuer gekauftem und kaum benutztem Eigentum. In Zeiten der Wirtschaftskrise geradezu paradox. Mein Haus, mein Auto, mein Boot – was noch vor zehn Jahren Lebensziel war, gilt heute mehr und mehr als Dekadenz. Immer öfter hört man die Frage: „Warum soll ich das eigentlich kaufen?" Die Lösung existiert bereits: kollektiver Konsum.

Wie funktioniert kollektiver Konsum?

Im Grunde ist kollektiver Konsum so einfach wie genial: Wenn Menschen etwas nur selten benötigen, können sie sich zu einer Gruppe zusammen tun und den Gegenstand gemeinsam benutzen. Damit sparen Sie nicht nur Geld und Platz, sondern schonen weitere Ressourcen. In Form von landwirtschaftlichen Genossenschaften und Verbrauchergemeinschaften existiert dieses Konzept schon lange. Eine größere Verbreitung, vor allem in private Haushalte, scheiterte aber bisher am Problem der Verständigung. Wie können sich Tauschpartner finden, wie kann der gemeinsame Gebrauch organisiert werden? Im Zeitalter von Internet und Smartphones scheint dieses Problem gelöst.

Die wichtigsten Webseiten und Apps für kollektiven Konsum

Heutzutage ist fast jeder mit jedem vernetzt. Man gibt einfach auf der richtigen Webseite ein Gesuch auf und ist bald kurzzeitiger Besitzer einer Heckenschere. Wir haben für Sie einige gute Webseiten und Apps recherchiert:

c) Welche Einstellung vertritt der Artikel-Autor Simon Reichel zum Thema kollektiver Konsum? Begründen Sie mithilfe von Textpassagen.

d) Wie funktioniert der Austausch? Welche Regeln gibt es? Recherchieren Sie im Internet. Berichten Sie.

2 Teilen – eine gute Sache?

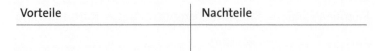

2.18

a) Sammeln Sie die Vor- und Nachteile des Teilens in dem Internet-Beitrag. Hören Sie dann die Radiosendung zum Thema und ergänzen Sie.

Vorteile	Nachteile

b) Wägen Sie die Vor-und Nachteile des Teilens ab. Die Redemittel auf S. 112 helfen.

3 Wir brauchen mehr Ideen! **Kennen Sie andere Projekte, die Umweltschutz oder einen sparsamen Umgang mit Ressourcen fördern? Berichten Sie.**

Fit für Einheit 10?

Das kann ich auf Deutsch

▶ **Vor- und Nachteile abwägen (1.6)**

Sonnenenergie hat doch auch Nachteile, oder?

...

Das kann ich ☺ ❑ ☹ ❑ ▶ Ü 8

▶ **den Verlauf von Daten darstellen (2.4)**

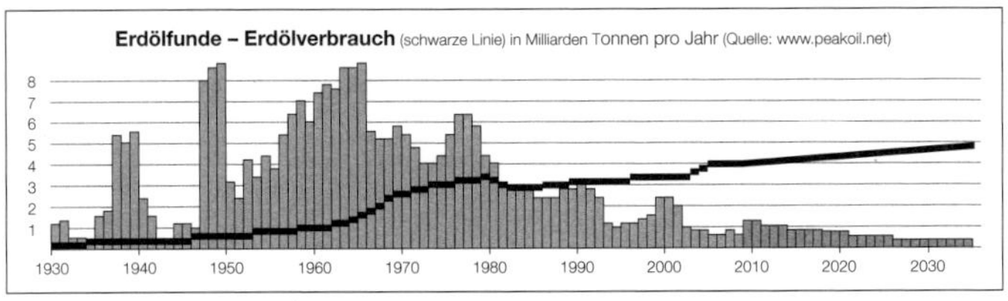

Man spricht von dem sogenannten „Peak Oil". Das bedeutet ...
Die Grafik zeigt ...

Das kann ich ☺ ❑ ☹ ❑ ▶ Ü 14

▶ **etwas annehmen bzw. in Frage stellen (4.1)**

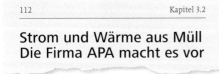

112 Kapitel 3.2

Strom und Wärme aus Müll
Die Firma APA macht es vor

Glaubst du, dass das möglich ist?

...

Das kann ich ☺ ❑ ☹ ❑ ▶ Ü 17

▶ **komplexe Abläufe darstellen (4.6)**

Aufsatzthema: Wie funktioniert eine Bioreaktor-Fassade? ...

Das kann ich ☺ ❑ ☹ ❑

Grammatik

▶ **feste Partizipialgruppen (1.7)**

Informationen betonen, verdichten oder etwas ein- bzw. ausleiten. Z. B.: streng genommen, ...

Das kann ich ☺ ❑ ☹ ❑ ▶ Ü 9

▶ **Textzusammenhänge herstellen (Demonstrativpronomen und -artikel) (2.3)**

Was ist denn der Unterschied zwischen Demonstrativartikel und -pronomen?

Das kann ich ☺ ❑ ☹ ❑ ▶ Ü 12–13

▶ **Wdh. subjektiver Gebrauch der Modalverben (*sollen/wollen*) (4.3)**

Eigene (e) und fremde (f) Behauptungen

❑ „Urin soll Energie fürs Handy liefern."

❑ „Doktorandin will aus Pferdemist Energie gemacht haben."

Das kann ich ☺ ❑ ☹ ❑ ▶ Ü 21

▶ **Modalität und Verbstellung im Satz (4.4)**

Wasserstoff soll mit sehr viel weniger Aufwand .... (werden produzieren können)

Das kann ich ☺ ❑ ☹ ❑ ▶ Ü 22

10 Kommunikation

1 Alles Sprache?

1 Sprache

Ü1

a) Sehen Sie sich die Collage an und ordnen Sie die Bildunterschriften zu.

a Kommunikation durch Tanz
b Alphabetisierung: lesen und schreiben lernen
c Original und Übersetzung
d Logopädin bei der Arbeit
e Sprachverwandtschaften
f meine Semmel ist deine ...

b) Welche Aspekte von Sprache und Kommunikation werden jeweils gezeigt? Sammeln Sie.

c) Welches Thema interessiert Sie besonders? Wählen Sie aus und begründen Sie.

2 Bedeutung von Sprache erfahren

Ü2

a) Führen Sie einen der beiden Selbstversuche durch und beobachten Sie sich selbst.

1. Sie geben Ihrem/Ihrer Partner/in einen einfachen Auftrag (z. B. Raum verlassen, Handy aus der Tasche holen, Jacke anziehen) ohne zu sprechen. Nutzen Sie ausschließlich Mimik, Gestik und Körpersprache.

2. Berichten Sie Ihrem/Ihrer Partner/in, was Sie gestern getan haben, ohne Unterstützung durch Körpersprache, Mimik und Gestik.

b) Was bedeutet für Sie, nicht alle Aspekte von Sprache nutzen zu können? Beschreiben Sie, wie das Experiment auf Sie gewirkt hat.

Redemittel

Wirkungen beschreiben

Zuerst/Besonders ist mir aufgefallen, dass .../Spannend/Merkwürdig/Eigenartig war ... Das Merkwürdigste/Spannendste/Nervigste war .../... hat mich irritiert/... war witzig/verwirrend/eigenartig/Ich habe mir bisher wenig Gedanken über die Wirkung von ... gemacht, aber .../wirkt fremd/aufgesetzt/... wirkt vollkommen anders als sonst/normal.

Hier lernen Sie

- über Sprache und Kommunikation sprechen
- Anforderungen an Übersetzungen diskutieren
- ein Lied interpretieren
- Alternativen ausdrücken
- modale Partizipien

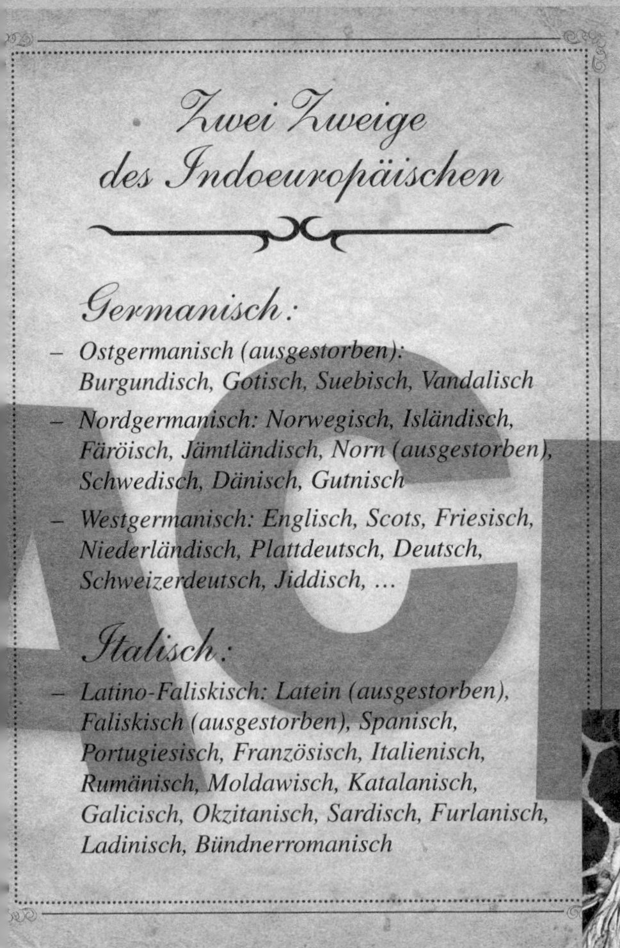

Zwei Zweige des Indoeuropäischen
Germanisch:
– Ostgermanisch (ausgestorben): Burgundisch, Gotisch, Suebisch, Vandalisch
– Nordgermanisch: Norwegisch, Isländisch, Färöisch, Jämtländisch, Norn (ausgestorben), Schwedisch, Dänisch, Gutnisch
– Westgermanisch: Englisch, Scots, Friesisch, Niederländisch, Plattdeutsch, Deutsch, Schweizerdeutsch, Jiddisch, …
Italisch:
– Latino-Faliskisch: Latein (ausgestorben), Faliskisch (ausgestorben), Spanisch, Portugiesisch, Französisch, Italienisch, Rumänisch, Moldawisch, Katalanisch, Galicisch, Okzitanisch, Sardisch, Furlanisch, Ladinisch, Bündnerromanisch

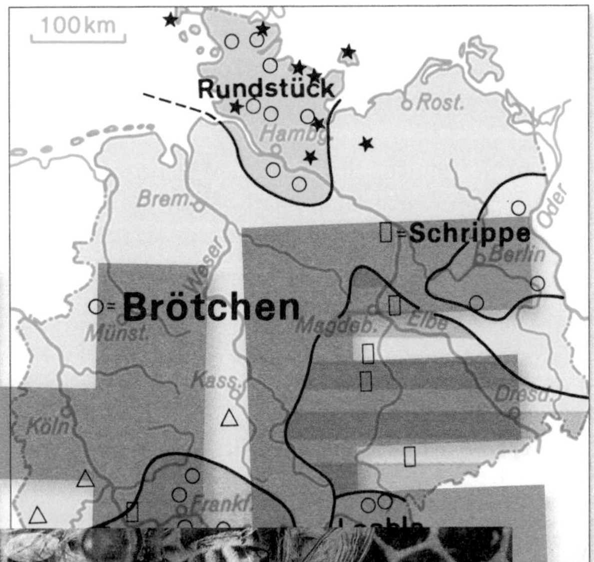

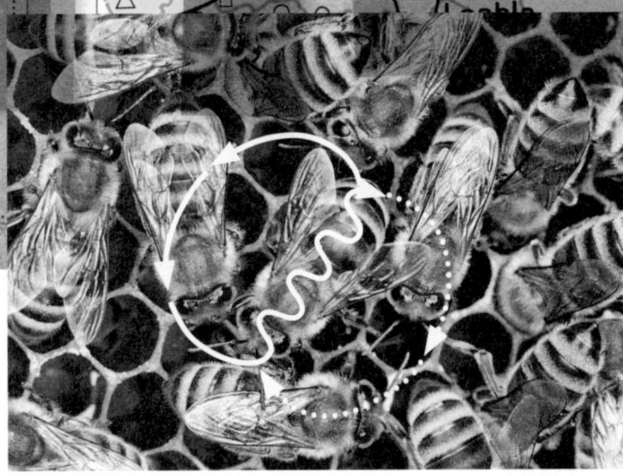

3 Ein Interview mit einer Kommunikationswissenschaftlerin

2.19 Ü 3

a) Hören Sie. Welche Themen aus 1 a) werden im Interview angesprochen?

b) Hören Sie noch einmal. Welchen Aussagen würde Frau Pfahl zustimmen? Kreuzen Sie an.

Prof. Elke Pfahl, 54, Universität Hamburg

1 ❑ Kommunikation ist ein allein menschliches Grundbedürfnis.
2 ❑ Sprache ist ein System von Zeichen, das man erlernen muss.
3 ❑ Wenn Menschen zusammenkommen, reden sie miteinander, auch wenn sie nicht sprechen.
4 ❑ Das Erfinden von Namen und Wörtern, also die Wortschöpfung, ist den Menschen vorbehalten.
5 ❑ Anstelle von Sprache nutzen Tiere Körperhaltung und Bewegungen zur Kommunikation.

4 Kommunikation, Sprache, Sprechen. **Welche Aussagen fanden Sie (un)interessant / (wenig) überraschend? Kommentieren Sie die Aussagen von Frau Pfahl unter Berücksichtigung Ihrer eigenen Erfahrungen.**

Tiere haben Dialekte? Das ist doch kaum zu glauben.

Ok, dann recherchier das doch!

Stimmt, Stimmprobleme können störend sein, z. B. wenn Lehrer …

2 Stimme und Stimmung

1 Stimmen wirken

Ü4 2.20

a) Schließen Sie die Augen. Sie hören vier Personen. Beschreiben Sie die Stimmen mithilfe von Vergleichen oder nutzen Sie die Adjektive in der Leiste.

Die Stimme von Sprecherin 1 klingt ...

... wie der Gesang einer Lerche. ... wie zerkratztes Glas ... so wie Sahne schmeckt.

... wie das Bellen eines Hundes. ... wie der Joker in «Batman». ...

b) Tief, dunkel, zittrig, fest ... Welche Stimmen sind für Sie eher (un)angenehm? Wie wirken diese Stimmen auf Sie? Beschreiben Sie.

Hohe Stimmen wirken oft ...

In Hörbüchern oder Filmen mag ich tiefe Stimmen wie z. B. die von ...

Schrille, laute Stimmen finde ich ...

c) Was glauben Sie, wie klingt Ihre eigene Stimme? Beschreiben Sie.

P GI 2 Die Stimme – ein Spiegel der Seele

Ü5 2.21

a) Hören Sie das Radiointerview mit der Stimmforscherin Anke Tanzer. Kreuzen Sie die richtige Antwort (a, b oder c) an.

Anke Tanzer, 55, Stimmforscherin

1 Welche Informationen liefert uns der Klang der Stimme?
- a ❑ Menschliche Stimmen klingen unsicher.
- b ❑ Männer, Frauen und Kinder haben unterschiedliche Stimmen.
- c ❑ Geschlecht, Alter und emotionale Lage sind an der Stimme erkennbar.

2 Was sind Eigenschaften der Stimme?
- a ❑ Sprechgeschwindigkeit, Artikulation, Rhythmik und Pause.
- b ❑ Tonhöhe, Satzmelodie und Stimmklang.
- c ❑ Trauer, Freude und Zweifel.

3 Was macht die forensische Phonetik?
- a ❑ Sie analysiert Stimmen von Straftätern, um Verbrechen aufzuklären.
- b ❑ Sie klärt über Straftaten auf, nachdem sie Stimmen analysiert hat.
- c ❑ Sie trägt durch Sprecheranalysen zu Straftaten bei.

4 Wodurch wird eine hohe Stimme erzeugt?
- a ❑ Durch sehr häufig schwingende Muskeln im Kehlkopf.
- b ❑ Durch die Größe des Kehlkopfes.
- c ❑ Durch die Erziehung des Menschen.

5 Was vermuten Soziologen?
- a ❑ Dass die tieferen Stimmen von Frauen wahrscheinlich eine Folge der Emanzipation sind.
- b ❑ Dass emanzipierte Frauen anstelle von piepsigen hohe Stimmen haben dürfen.
- c ❑ Dass Italienerinnen nicht emanzipiert sind.

6 Warum hat eine tiefe Stimme für Männer Vorteile?
- a ❑ Weil sie dominanter, attraktiver, kompetenter und vertrauenswürdiger wirken.
- b ❑ Weil Politiker bessere Chancen haben, gewählt zu werden.
- c ❑ Weil Führungsqualitäten in der Stimme liegen.

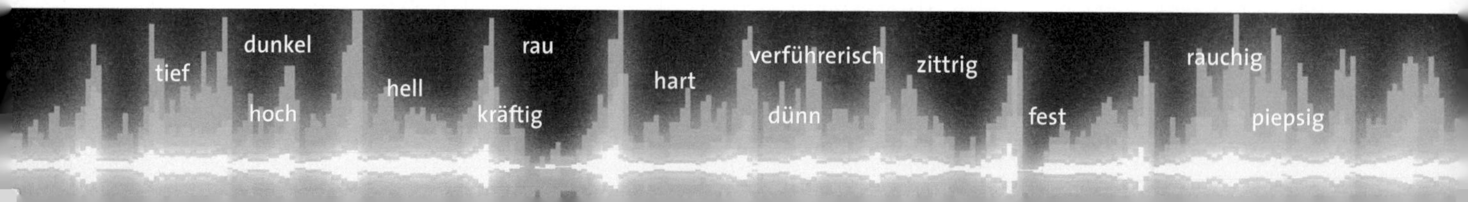

7 Warum spielen Lautsignale für uns „Augenmenschen" kaum eine Rolle?
- a ❑ Weil visuelle Reize mehr Aufmerksamkeit erfordern als stimmliche.
- b ❑ Weil wir gewöhnt sind, visuellen Reizen zu folgen.
- c ❑ Weil die Lautstärke anstelle des äußeren Eindrucks wichtig ist.

8 Wobei kann die Stimmanalyse möglicherweise in Zukunft helfen?
- a ❑ Dass Autofahrer häufiger Pause machen.
- b ❑ Dass sich Maschinen besser darauf einstellen, was ihre Nutzer gerade brauchen.
- c ❑ Dass Computer verhindern, dass Stimmen von Autofahrern müde klingen.

b) Sammeln Sie Informationen aus dem Interview zu folgenden Aspekten. Vergleichen Sie.

1 Warum die Stimme wie ein Fingerabdruck ist.
2 Faktoren, die die Stimme beeinflussen.
3 Von der Stimmforschung empfohlene Kriterien für die Partner- oder Mitarbeiterwahl.
4 Wozu sollen Computer menschliche Stimmen analysieren können?

3 Ü6 **Kurz gesagt, so gesehen – Wiederholung Partizipialgruppen. Markieren Sie sie im Hör-Transkript und bestimmen Sie ihre Funktion.**

4 Ü7–9 **Alternativen ausdrücken mit *(an)statt (dass), anstatt zu, anstelle (von).* Markieren Sie in 2 und im Hör-Transkript Beispielsätze und ordnen Sie sie in die Tabelle.**

als Präposition mit Genitiv/Dativ	als Infinitivkonstruktion	mit Nebensatz
Weil die Lautstärke anstelle des äußeren Eindrucks wichtig ist.		

5 Ü10 **Etwas Wichtiges hervorheben oder etwas für bedeutungslos erklären**

2.22 **a)** Hören Sie noch einmal einen Ausschnitt aus dem Interview und markieren Sie die Redemittel, die verwendet werden.

Redemittel

etwas hervorheben
Das Hauptproblem ist aus meiner Sicht / Der wichtigste Punkt ist ... /
Entscheidend ist hier für mich, dass ... / Ich halte ... für besonders wichtig. /
Man muss ... noch einmal unterstreichen / hervorheben/betonen / Von Bedeutung ist ...

etwas für bedeutungslos erklären
... halte ich für belanglos/bedeutungslos/(absolut) unwichtig/(völlig) nebensächlich/
nicht erwähnenswert / ... spielt für mich keine Rolle / ... hat (hier) keine Bedeutung /
steht an letzter Stelle / hat nichts zu sagen.

b) Welche Erkenntnisse aus der Stimmforschung waren für Sie besonders wichtig, welche eher bedeutungslos? Diskutieren Sie und nutzen Sie die Redemittel aus a).

6 **Freudig, außer Atem, müde oder ... Wählen Sie einen Zustand aus. Dann lesen Sie einen kurzen Text, (z. B. von S. 21) laut und nehmen sich dabei auf. Spielen Sie die Aufnahme ab. Die anderen erraten, in welcher Stimmung oder Situation Sie waren.**

3 Von der Kunst der Übersetzung

1 Erfahrungen. **In welchen Sprachen lesen Sie Literatur im Original? Warum? Haben Sie eigene Übersetzungserfahrungen? Berichten Sie.**

> Meine Muttersprache ist Russisch. Ich lese Literatur auch auf Deutsch. Aber russische Literatur auf Deutsch zu lesen, fühlt sich fremd an.

> Ich musste in meinem Übersetzungskurs an der Uni Texte übertragen. Das war ...

2 Übersetzen ist ...?

Ü 11–12

a) Welcher Aussage würden Sie zustimmen? Kreuzen Sie an. Diskutieren Sie.

1 ❑ Übersetzungen sind eine eigene Kunstform. Sie sind wie ein zweites Original.
2 ❑ Gute Übersetzungen müssen immer absolut wortwörtlich sein.
3 ❑ Übersetzungen haftet immer etwas Unauthentisches an. Sie reichen nie an das Original.

b) Lesen Sie das ZEIT-Interview mit Adam Thirlwell. Welche Position aus a) vertritt er (nicht)? Markieren Sie die Textpassagen und berichten Sie.

DIE ZEIT Nr. 8

„Übersetzer sollen Neues schaffen“

Das „Times Magazine“ nannte Adam Thirlwell „das Wunderkind der britischen Literatur“. Im Interview spricht der Literaturwissenschaftler und Schriftsteller über den Reiz und die Schwierigkeiten von Übersetzungen.

von Kaspar Heinrich

[...]
DIE ZEIT: In welchen Sprachen trauen Sie sich zu, Literatur zu lesen?
Thirlwell: Auf jeden Fall auf Französisch, auch auf Russisch. Spanisch halbwegs, weil es eine Kombination aus Französisch und Latein ist. Auf Deutsch kann ich einen Artikel lesen, aber keine Literatur. [...]
DIE ZEIT: Ist eine Übersetzung Fluch oder Segen?
Thirlwell: Sie ist eine merkwürdige Kunstform. Denn jeder große Roman existiert in Gestalt einer Übersetzung. Kunst tut das nicht. Wenn ich mir die Mona Lisa ansehe, ist es dieselbe, die auch ein Franzose sieht. Wenn er allerdings Madame Bovary liest, stimmt nicht ein Wort mit dem überein, was ich lese. Und trotzdem reden wir von demselben Buch. Das erscheint mir die grundsätzliche Absurdität, mit der wir seit 500 Jahren leben.
DIE ZEIT: Ihre Romane wurden in 30 Sprachen übersetzt.
Thirlwell: Und manchmal bekomme ich viele Fragen von den Übersetzern. [...] Ich schreibe in diesem merkwürdigen Ton, teils ironisch, teils ernsthaft. Wenn ich manche Übersetzung lese, merke ich, dass sie diese bestimmte Sanftmut im Ton verloren hat. Darauf achte ich am meisten bei meinen Romanen und auch bei den Essays: Auf die Erzählstimme, auf den Tonfall. Keine Ahnung, ob zum Beispiel die koreanische Version charmant klingt oder nicht. Vielleicht klingt sie ja ganz schrecklich.
DIE ZEIT: Was macht eine gute Übersetzung aus?
Thirlwell: Oh Gott, das ist eine gewaltige Frage. Ich glaube, wenn man das Schriftsteller fragt, werden sie weniger auf die Bedeutung der einzelnen Wörter fixiert sein als auf die Musikalität des Textes oder auf Wortspiele. Ich selbst streite mich auch häufig mit meinen Übersetzern über diese Dinge. In gewisser Weise versucht man mit einer Übersetzung ja, einen Ersatz zu schaffen – aber ganz offensichtlich kann es nie wirklich einer sein. Man kann nie alles übersetzen, es gibt keine Chance, eine perfekte Kopie herzustellen. Die wirklich guten Übersetzer sind auch immer richtig gute Leser, sie kennen die Essenz des Textes.
[...]
DIE ZEIT: Vladimir Nabokov verlangte von Übersetzungen absolute Wortwörtlichkeit.
Thirlwell: Mein Buchprojekt war der Versuch, ihn zu widerlegen und zu zeigen, dass dieses Ziel eigentlich verrückt ist: Denn es gibt keine perfekte Übersetzung.

Zumal Nabokov sich große Freiheiten erlaubt hat, wenn er seine eigenen Texte aus dem Russischen ins Englische übersetzt hat. Es geht also auch um eine ethische Frage, nach dem Motto: Ich darf mit meinen eigenen Romanen tun, was ich will – andere Übersetzer aber nicht. Ich halte diese Unterscheidung für weniger plausibel, als Nabokov das tat.

DIE ZEIT: Gibt es Fälle, in denen eine Übersetzung besser ist als das Original?

Thirlwell: Ja, das beste Beispiel sind die Gedichte von Edgar Allan Poe. In Großbritannien gelten sie immer noch als zweitklassig, als ein wenig zu kitschig. Aber in Frankreich nimmt man sie sehr ernst, durch die Übersetzungen von Baudelaire und Mallarmé. Sie wurden zu etwas völlig Neuem. [...] Ich bin mir sicher, der französische Poe ist der bessere Schriftsteller.

[...]

DIE ZEIT: Ihr neues Buch heißt im englischen Original *Miss Herbert* und ist benannt nach einer englischen Angestellten im Hause Flauberts. Was war so besonders an ihr?

Thirlwell: Sie ist für mich ein Sinnbild für die Unmöglichkeit der perfekten Übersetzung. Aus Briefen weiß man, dass Juliet Herbert *Madame Bovary* ins Englische übersetzt hat. Vom Manuskript fehlt heute aber jede Spur. Flaubert und Miss Herbert wurde eine enge Bindung nachgesagt, vielleicht gab es sogar eine Liebesbeziehung zwischen ihnen. Die Übersetzung, die ein Schriftsteller von seiner Geliebten anfertigen lässt, sollte doch gewissermaßen die ideale Übersetzung sein. Dass sie heute nicht mehr existiert, fühlte sich wie eine Metapher für das an, worüber ich schreiben wollte.

DIE ZEIT: Und das wäre?

Thirlwell: Ich wollte gegen die Meinung anschreiben, dass Übersetzungen etwas Fehlerhaftes sind. Wenn man über sie diskutiert, geht es immer um deren Makel und Probleme. Ich will zeigen, dass eine imperfekte Übersetzung immer noch eine gute und wirkungsvolle sein kann. Sie ist nicht einfach nur eine Kopie, sie ist ein zweites Original.

http://www.zeit.de/kultur/literatur/2013-11/adam-thirlwell-interview-uebersetzung-sprache

c) Sammeln Sie zu den folgenden Personen Informationen aus dem Interview. Berichten Sie.

1 Adam Thirlwell – 2 Vladimir Nabokov – 3 Edgar Allan Poe – 4 Juliet Herbert

d) „Übersetzer sollen Neues schaffen." Notieren Sie im Interview Aussagen und Argumente von Thirlwell, die diese Position unterstützen und nehmen Sie dazu Stellung.

Thirlwell bringt ein gutes Beispiel mit Edgar Alan Poe. ...

3 Mit Sprache spielen – das modale Partizip

Ü13

a) Kreuzen Sie die Aussagen an, denen Sie zustimmen.

1 ☐ Nur eine absolut wortgetreue Übertragung ist eine ernstzunehmende Übersetzung.
2 ☐ Übersetzertätigkeiten beruhen größtenteils auf intuitiv zu treffenden Entscheidungen.
3 ☐ Eine besonders kritisch zu diskutierende Frage betrifft die Tonalität des Textes.
4 ☐ Die am schwersten zu lösenden Probleme bei Übersetzungen betreffen Wortschatzfragen.
5 ☐ Die anzufertigende Kopie wird niemals die Qualität des Originals erreichen.

b) Lesen Sie die Regel und markieren Sie in den Sätzen in a) modale Partizipien.

Das modale Partizip (→ s. Gerundivum) ist eine Partizipialkonstruktion mit *zu*, die eine Möglichkeit/Unmöglichkeit oder Notwendigkeit ausdrückt. Es funktioniert wie ein Adjektiv vor dem Nomen und hat eine passivische Bedeutung. Es kann in einen Modalsatz umgeformt oder durch einen Relativsatz ausgedrückt werden.

Beispiel

Aktiv: Das ist eine Übersetzung, *die man nur schwer bewerkstelligen kann.*
Passiv: Das ist eine Übersetzung, *die nur schwer bewerkstelligt werden kann.*
sein + zu: Das ist eine Übersetzung, *die nur schwer zu bewerkstelligen ist.*
Modales Partizip: Das ist eine ***schwer zu bewerkstelligende*** Übersetzung.

c) Formen Sie die folgenden modalen Partizipien wie im Beispiel um.

a Idiome und Metapher sind oft schwer zu übersetzende Konzepte.
b Die Tonalität eines Textes ist eine schwer zu greifende Komponente.
c Übersetzungen sind eine nicht zu unterschätzende Herausforderung.

4 Leserreaktionen

a) Lesen Sie die Forumsbeiträge. Wer stimmt Thirlwell zu (+), wer nicht (-)?

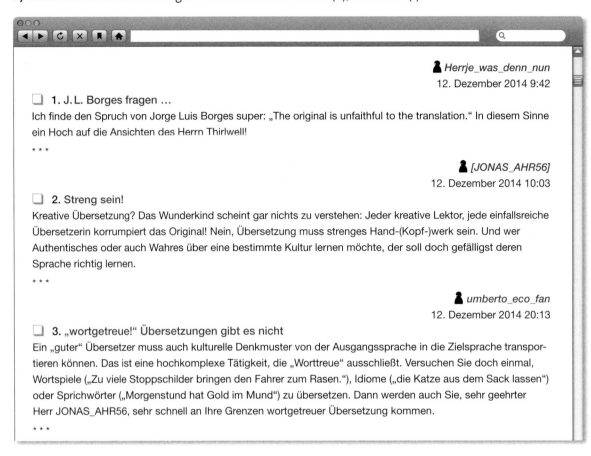

Herrje_was_denn_nun
12. Dezember 2014 9:42

☐ **1. J. L. Borges fragen ...**
Ich finde den Spruch von Jorge Luis Borges super: „The original is unfaithful to the translation." In diesem Sinne ein Hoch auf die Ansichten des Herrn Thirlwell!

* * *

[JONAS_AHR56]
12. Dezember 2014 10:03

☐ **2. Streng sein!**
Kreative Übersetzung? Das Wunderkind scheint gar nichts zu verstehen: Jeder kreative Lektor, jede einfallsreiche Übersetzerin korrumpiert das Original! Nein, Übersetzung muss strenges Hand-(Kopf-)werk sein. Und wer Authentisches oder auch Wahres über eine bestimmte Kultur lernen möchte, der soll doch gefälligst deren Sprache richtig lernen.

* * *

umberto_eco_fan
12. Dezember 2014 20:13

☐ **3. „wortgetreue!" Übersetzungen gibt es nicht**
Ein „guter" Übersetzer muss auch kulturelle Denkmuster von der Ausgangssprache in die Zielsprache transportieren können. Das ist eine hochkomplexe Tätigkeit, die „Worttreue" ausschließt. Versuchen Sie doch einmal, Wortspiele („Zu viele Stoppschilder bringen den Fahrer zum Rasen."), Idiome („die Katze aus dem Sack lassen") oder Sprichwörter („Morgenstund hat Gold im Mund") zu übersetzen. Dann werden auch Sie, sehr geehrter Herr JONAS_AHR56, sehr schnell an Ihre Grenzen wortgetreuer Übersetzung kommen.

* * *

b) Welche Argumente überzeugen Sie (nicht)? Begründen Sie.

5 Textsorte Forumsbeiträge

Ü14

a) Warum gibt es Foren?
Was sind deren Vor- und Nachteile?
Diskutieren Sie.

Seit es Internet gibt, kann man mit mehr Menschen in Kontakt treten.

Was aber nicht immer von Vorteil ist, weil ...

b) Analysieren Sie die Forumsbeiträge aus 5. Welche Eigenschaften treffen zu?

1 Meist handelt es sich um Gedanken, Meinungen und/oder Erfahrungen.
2 Die Kommunikation ist asynchron, d. h. es wird zeitversetzt kommuniziert.
3 Die Beiträge können in ihrer Länge sehr variieren. Das hängt von dem/der Verfasser/in ab.
4 Man bezieht sich auf einen Beitrag oder einen anderen Kommentar zum Beitrag.
5 Der Beitrag darf kritisch, dabei aber nicht beleidigend oder herabwürdigend sein.
6 Grundsätzlich ist auf Rechtschreibung und Stil zu achten.

c) „Der Ton macht die Musik." Lesen Sie die folgenden Sätze. Stufen Sie diese in einer Höflichkeitsskala von 1 (sehr höflich) bis 6 (sehr unhöflich) ein. Woran haben Sie das erkannt?

1 Dann werden auch Sie, sehr geehrter Herr JONAS_AHR56, sehr schnell an Ihre Grenzen wortgetreuer Übersetzung kommen.
2 Das „Wunderkind" scheint gar nichts zu verstehen [...]
3 Und wer Authentisches oder auch Wahres über eine bestimmte Kultur lernen möchte, der soll doch gefälligst deren Sprache richtig lernen.
4 In diesem Sinne ein Hoch auf die Ansichten des Herrn Thirlwell.

6 Und jetzt Sie. **Schreiben Sie einen Forumsbeitrag zum Interview mit Adam Thirlwell. Achten Sie auf die unter 6 b) genannten Eigenschaften.**

7 The early bird ... **Übersetzen Sie die drei genannten Beispiele aus dem Forumsbeitrag in 5 in Ihre Muttersprache. Hatten Sie Probleme wortgenau zu übersetzen? Berichten Sie.**

„Morgenstund hat Gold im Mund" dürfte bei uns mit „The early bird gets the worm" übersetzt werden. Das kann man nicht eins zu eins übersetzen.

Und die Katze aus dem Sack lassen? Geht das?

8 Projekt Rückübersetzung. **Suchen Sie die deutsche Übersetzung eines Schriftstellers/einer Schriftstellerin aus Ihrer Muttersprache. Wählen Sie eine Passage aus, analysieren Sie die Gemeinsamkeiten und Unterschiede von Original und Übersetzung. Stellen Sie Ihr Beispiel vor.**

9 Eine Diskussion vorbereiten. **Gesprächsstrategie: Gesagtes aufgreifen vs. jemanden (höflich) unterbrechen. Ordnen Sie die Redemittel in die Tabelle und lesen Sie sie laut und schnell.**

Gesagtes aufgreifen	jemanden (höflich) unterbrechen
Meinten Sie, dass ...	

Ich unterbreche Sie (wirklich/absolut) ungern, aber ... / Um das, was du/Sie gesagt hast/haben, aufzugreifen: ... / Entschuldigung, wenn ich dazwischen spreche, aber ... / Wenn ich Sie/dich richtig verstanden habe, dann ... / Meinten Sie, dass ... / Moment mal, ... / Wie mein Vorredner schon gesagt hat, ... / Ich möchte Ihre Ausführungen nicht unterbrechen, aber ... / Um Ihren/deinen Punkt aufzunehmen: ... / Entschuldigung, aber ...

10 Diskussionsrunde: Sind Übersetzungen meist mäßige Kopien brillanter Originale?

Ü15

a) Bilden Sie zwei Gruppen (pro und kontra) und notieren Sie in Ihrer Gruppe Argumente für Ihre These.

Gruppe A:
Übersetzungen sind meist mäßige Kopien brillanter Originale. Man sollte daher lieber die Sprache des Autors erlernen, als sich mit billigen Kopien zufrieden zu geben.

Gruppe B:
Übersetzungen sind nicht grundsätzlich schlechter als das Original. Es ist nicht nötig – und auch nicht möglich –, 20 Sprachen und mehr zu erlernen, um das Original lesen zu können.

b) Diskutieren Sie und halten Sie das Ergebnis fest.

4 Lass uns reden!

1 Kommunikation ist mehr als reden

a) Sehen Sie sich die Fotos an. Worum geht es jeweils?

b) Diskutieren Sie folgende Fragen zu den Bildern.

- Welche Rolle spielt das, was gesagt wird? Für wen ist es wichtig?
- Wie wird es durch Mimik, Gestik und Körperhaltung verstärkt?
- Welche Rolle spielen dabei möglicherweise die Stimme und die Lautstärke?

c) Warum ist Kommunikation mehr als Reden? Begründen Sie.

2 „Lass uns reden" von der Band EINSHOCH6

Ü16

2.23

a) Hören Sie die ersten beiden Strophen des Liedes. Wer oder was ist mit „sie" gemeint?

b) Können Sie den Aussagen zustimmen? Diskutieren Sie und finden Sie Beispiele.

2.24

c) Hören Sie das komplette Lied mindestens zweimal und notieren Sie zentrale Stichworte zur Rolle von „ihr".

3 Wendungen verstehen. **Ordnen Sie die Wendungen aus dem Liedtext den Bedeutungen zu. Das Wörterbuch kann helfen.**

rot sehen	1	a	etwas, das gesagt wird, ignorieren
ein Wörtchen mitzureden haben	2	b	viel über unwichtige Dinge reden
nur Bahnhof verstehen (ugs.)	3	c	an einer Entscheidung beteiligt sein
da rein und da raus (ugs.)	4	d	den Sinn von etwas nicht verstehen
labern/quasseln/quatschen (ugs.)	5	e	aufpassen, damit kein Schaden entsteht
auf jmdn. /etwas Acht geben	6	f	wütend werden

4 Einen Liedtext deuten

a) Lesen Sie die Aussagen und finden Sie inhaltlich ähnliche im Liedtext (S.157).

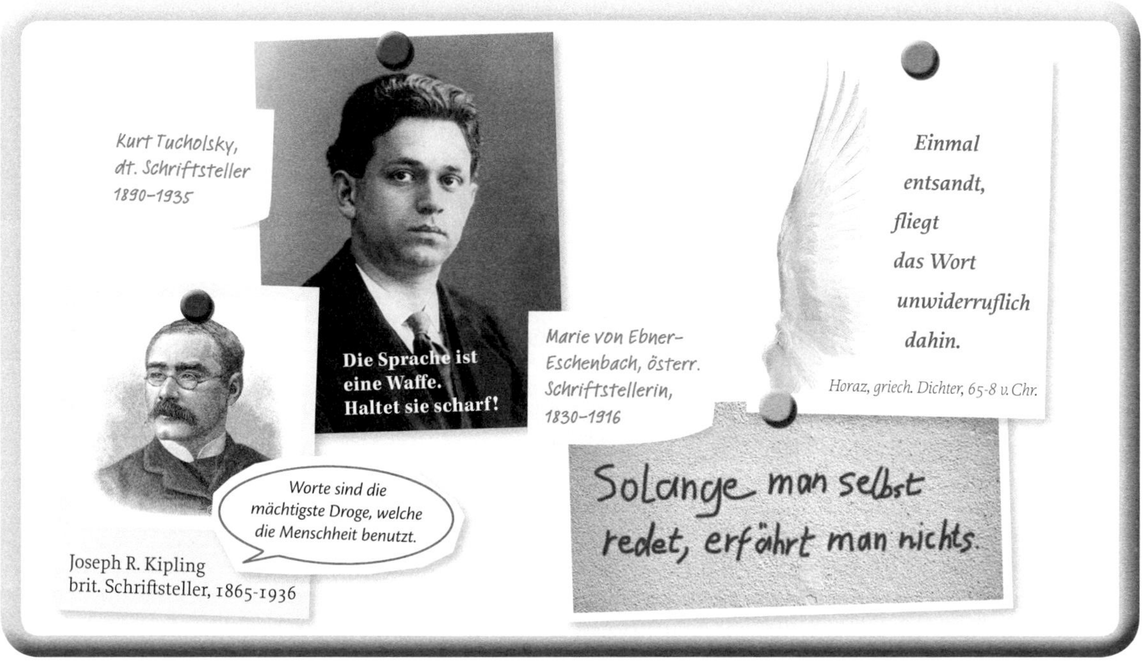

b) Was sind Ihrer Meinung nach die wichtigsten Gedanken, die im Lied angesprochen werden? Verwenden Sie die Formulierungsangebote.

... ist immer wichtig, egal ob ...	Ganz entscheidend ist doch ...	... ist die Basis für Veränderung, ...
Man sollte aufpassen, ...	Welche ... man wählt, ...	... bleibt nie gleich, ...

c) Wie wirkt das Lied auf Sie?

5 Infos über die Band

a) Sammeln Sie Informationen aus dem Online-Auftritt.

http://www.dw.de/deutsch-lernen/bandtagebuch/s-13891

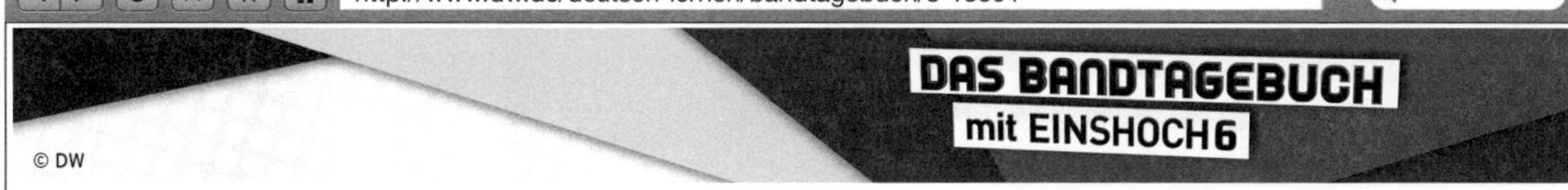

Seit mehr als 10 Jahren begeistern EINSHOCH6 aus München ihre Fans. 2004 trafen sechs klassisch ausgebildete Musiker auf drei Rapper (auch MCs, master of ceremonies). Der daraus resultierende Mix aus Hip-Hop und Klassik wird abgerundet durch Pop, Latin und ein wenig Rock und ist überhaupt kein bisschen langweilig. EINSHOCH6 rappt Mozart, Chopin und Rachmaninow und spielt mal mit Symphonie-Orchestern, mal über den Dächern von Berlin. Fans der Telenovela „Jojo sucht das Glück“ ist die von der Band komponierte und eingespielte Titelmelodie bekannt. In ihrem neusten Projekt nimmt EINSHOCH6 die Fans mit auf eine Reise durch verschiedene deutsche Städte. Mit dem Bandtagebuch im Video-Format bieten die Mitglieder Einblicke in ihren Alltag und vermitteln ihren Blick auf Deutschland und die deutsche Sprache. Präsentiert auf den Internetseiten der Deutschen Welle, ist es möglich, eine echte Band kennen zu lernen.

b) Recherchieren Sie das Bandtagebuch im Internet.

Von uns für Sie – Kurioses auf den Weg ...

17

Mark Twain über die Adjektive

Die Schrecken der deutschen Sprache

„[...] Sodann fasse man einmal die Adjektivformen ins Auge. Wenn irgendwo, wäre hier Einfachheit am Platz gewesen. Grund genug für die Erfinder dieser Sprache, die Sache erst recht zu erschweren. Wenn wir in unserer deutlichen englischen Sprache *von our good friend or friends* sprechen, so gebrauchen wir eine und dieselbe Adjektivform und das genügt vollauf; nicht so in der deutschen Sprache. Kommt ein Adjektiv unter die Zunge eines Deutschen, so dekliniert er es und dekliniert es fort und fort, bis er endlich allen gesunden Sinn herausdekliniert hat. Er dekliniert z.B. ›mein guter Freund, meines guten Freundes, meinem guten Freunde u.s.w.‹ Diese beständigen Änderungen möge ein Irrenhausaspirant auswendig lernen! Man thut wahrhaftig in Deutschland besser daran, sich ohne Freunde zu behelfen, als diese Plackerei mit ihnen in den Kauf zu nehmen [...]".

aus: Glanz&Elend
Magazin für Literatur und Zeitkritik

o

entfl gen

Konkrete Poesie, fliegendes O. 1966, entworfen im 5. Semester Kunstgewerbeschule St. Gallen, veröffentlicht im Harass Nr. 20; Verlag Signathur Schweiz

Da fehlen selbst dem Deutschen die Worte

der Plastikverschluss von Lebensmitteltüten
das Unterteil eines Wasserkochers
das Ding auf dem Band an der Supermarktkasse
die Wölbung im Löffel
der Ring zum Seifenblasen machen
Mulde über der Oberlippe
Das Ding, das die Seiten im Ordner zusammenhält

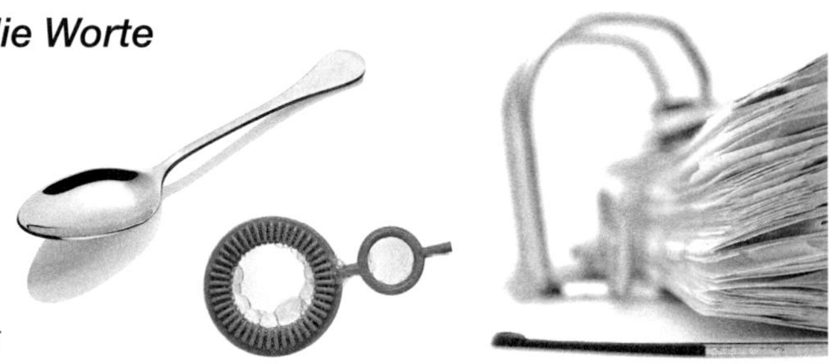

Konkrete Poesie

schweigen schweigen schweigen
schweigen schweigen schweigen
schweigen   schweigen
schweigen schweigen schweigen
schweigen schweigen schweigen

Eugen Gomringer: schweigen, 1969

Kühlschrankpoesie

ZUCKER MACHT
KAFFEE SÜSS
WURST MACHT
SCHWEIN E KALT

Eselsbrücken

- *„Gar nicht" wird gar nicht zusammengeschrieben*
- *Wer nämlich mit „h" schreibt, ist dämlich.*
- *Wer brauchen ohne „zu" gebraucht, braucht brauchen gar nicht zu gebrauchen.*
- *Doppel-A, das ist doch klar, sind in Waage, Haar und Paar.*

Ein Nachruf

Längstes deutsches Wort verschwindet – das RkReÜAÜG fliegt raus

Deutschlands Sprachwissenschaft trauert um einen Superlativ: Der Landtag von Mecklenburg-Vorpommern hat das Gesetz zur Etikettierung von Rindfleisch, das „Rinderkennzeichnungs- und Rindfleischetikettierungsüberwachungsaufgabenübertragungsgesetz" aufgehoben.
Das Gesetz - kurz RkReÜAÜG - wurde 1999 unter den zehn Wörtern des Jahres gewählt, weil es so schön lang war. Nun ist es überflüssig. Mit der Abschaffung des Gesetzes endet auch der Rekord als das zurzeit längste authentische Wort im deutschen Sprachgebrauch. Nun ergeht es dem ehemals längsten deutschen Wort wie seiner Vorgängerin, der noch vier Buchstaben längeren Grundstücksverkehrsgenehmigungszuständigkeitsübertragungsverordnung, die 2007 aufgehoben wurde. Aber die Liebe der deutschen Sprache zu zusammengesetzten Substantivketten lässt hoffen, dass schnell ein würdiger Nachfolger gefunden wird.

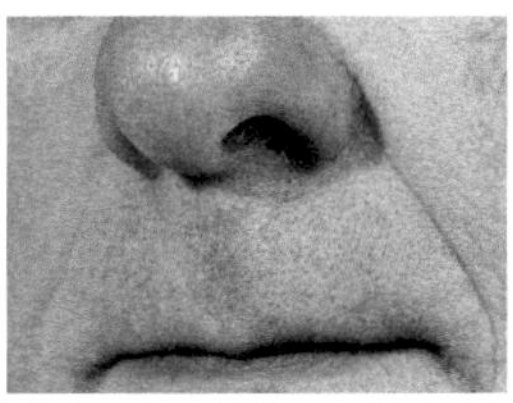
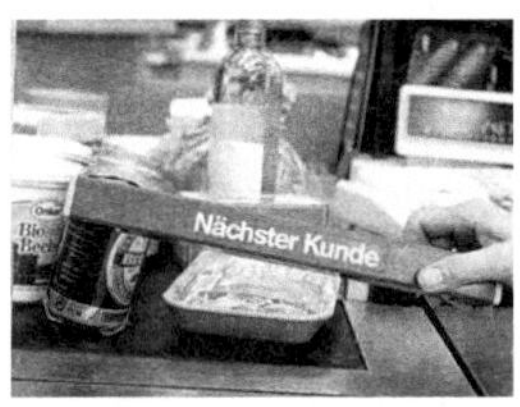

Kurioses aus der Sprache

Eine logische Frage:
Wieso sagt man bei Goethe "Göthe" und bei Poet nicht "Pöt" => Göthe war ein Pöt ;-)

Wer gegen ein Minimum Aluminium immun ist, besitzt Aluminiumminimumimmunität.

Sprachbilder

Auf dem Holzweg sein bedeutet so viel wie sich irren.

Ursprung: Der Holzweg ist ein Weg, der in den Wald führt und auf dem nur Holz geliefert wird – er verbindet also nicht zwei Städte miteinander und ist daher ein falscher Weg, wenn man ein Ziel vor Augen hat.

Jemanden links liegen lassen bedeutet so viel wie jemanden übersehen, sich um etwas nicht kümmern.

Ursprung: Volksglaube. Früher galt die linke Seite als unheilvoll und böse, als etwas, mit dem man nichts zu tun haben wollte.

Was man mit dieser Seite tun kann

- Lesen und genießen
- Über die deutsche Sprache nachdenken/diskutieren
- Schwierige, lange Wörter aussprechen
- Neue Wörter lernen
- Mark Twain kommentieren
- Mit der eigenen Sprache vergleichen
- Weitere Beispiele recherchieren

Kompetenztraining 2

1 Über Vorträge

1 In der Öffentlichkeit sprechen

a) Halten Sie gern Referate oder Vorträge? Warum? Warum nicht? Diskutieren und berichten Sie.

Ich möchte bei Themen, die mich interessieren, gern mitreden.

Ich bin immer sehr aufgeregt und habe Angst, mich zu blamieren.

b) Sprechen Sie über Ihre Vortragserfahrungen. Berücksichtigen Sie die Leitfragen:

1 In welchen Situationen haben Sie schon Vorträge gehalten? Wo? Worüber?
2 Haben Sie eher abgelesen oder frei mithilfe von Stichpunkten gesprochen?
3 Wie klingt Ihre Stimme für Sie? Haben Sie sich schon einmal auf Band/Video gehört oder gesehen?
4 Haben Sie Rückmeldungen zu Ihren Vorträgen erhalten? Welche?

c) Was möchten Sie üben, verändern oder verbessern? Wo sehen Sie Ihre Stärken / Ihre Schwächen? Diskutieren und begründen Sie Ihre Auswahl. Die Punkte helfen.

Anschaulichkeit   Argumentation   Aussprache   Ausstrahlung   Auftreten
Blickkontakt   Gestik   Gliederung   Intonation   Körpersprache   Mimik   Pausen
Sprache   Sprechtempo   Überzeugungskraft   Verständlichkeit   Wirkung   ...

2 Wege zum perfekten Vortrag

a) Wie sieht für Sie ein perfekter Vortrag aus? Welche Empfehlungen würden Sie geben? Sammeln Sie.

b) Lesen Sie den Ratgeber-Artikel. Welche Punkte aus 1c) werden berücksichtigt?

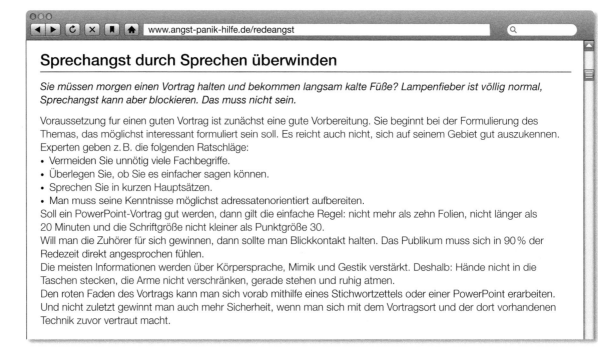

www.angst-panik-hilfe.de/redeangst

Sprechangst durch Sprechen überwinden

Sie müssen morgen einen Vortrag halten und bekommen langsam kalte Füße? Lampenfieber ist völlig normal, Sprechangst kann aber blockieren. Das muss nicht sein.

Voraussetzung fur einen guten Vortrag ist zunächst eine gute Vorbereitung. Sie beginnt bei der Formulierung des Themas, das möglichst interessant formuliert sein soll. Es reicht auch nicht, sich auf seinem Gebiet gut auszukennen. Experten geben z. B. die folgenden Ratschläge:
- Vermeiden Sie unnötig viele Fachbegriffe.
- Überlegen Sie, ob Sie es einfacher sagen können.
- Sprechen Sie in kurzen Hauptsätzen.
- Man muss seine Kenntnisse möglichst adressatenorientiert aufbereiten.

Soll ein PowerPoint-Vortrag gut werden, dann gilt die einfache Regel: nicht mehr als zehn Folien, nicht länger als 20 Minuten und die Schriftgröße nicht kleiner als Punktgröße 30.
Will man die Zuhörer für sich gewinnen, dann sollte man Blickkontakt halten. Das Publikum muss sich in 90 % der Redezeit direkt angesprochen fühlen.
Die meisten Informationen werden über Körpersprache, Mimik und Gestik verstärkt. Deshalb: Hände nicht in die Taschen stecken, die Arme nicht verschränken, gerade stehen und ruhig atmen.
Den roten Faden des Vortrags kann man sich vorab mithilfe eines Stichwortzettels oder einer PowerPoint erarbeiten. Und nicht zuletzt gewinnt man auch mehr Sicherheit, wenn man sich mit dem Vortragsort und der dort vorhandenen Technik zuvor vertraut macht.

c) Vergleichen Sie Ihre Empfehlungen mit den Ratschlägen im Online-Ratgeber.

3 Vortrag „Neue Unternehmenskultur"

2.25 **a)** Hören Sie den Vortrag. Welche Aspekte spricht der Unternehmensberater Frank Wedekind an? Kreuzen Sie an.

1. ❑ Veränderung von Leitungs- und Führungsstilen
2. ❑ aktuelle Anforderungen an die Personalführung
3. ❑ veränderte Konzepte zur Lebensarbeitszeit
4. ❑ Herausforderungen der Mobilität
5. ❑ Auswirkungen des demographischen Wandels im Unternehmen
6. ❑ Beitrag weiblicher Mitarbeiter zur Unternehmenskultur

Präsentation von Frank Wedekind in der Vortagsreihe „Zukunft der Arbeit"

2.25 **b)** Hören Sie noch einmal und machen Sie Notizen zu den angesprochenen Aspekten aus a).

4 Feedback zum Vortrag

a) Ergänzen Sie den Fragebogen um weitere Punkte aus dem Online-Ratgeber in 2.

	++	+	0	-	--
1 Das Thema ist spannend dargestellt.	❑	❑	❑	❑	❑
2 Der Vortrag ist gut strukturiert: Einleitung, Hauptteil und Schluss sind erkennbar.	❑	❑	❑	❑	❑
3 Aussprache	❑	❑	❑	❑	❑
4 Lautstärke	❑	❑	❑	❑	❑
5 Tempo	❑	❑	❑	❑	❑
6	❑	❑	❑	❑	❑
7	❑	❑	❑	❑	❑
8	❑	❑	❑	❑	❑
9 PowerPoint (Länge, Folienzahl, Schriftgröße)	❑	❑	❑	❑	❑
10 Körpersprache (Mimik, Gestik, Atmung)	❑	❑	❑	❑	❑

b) Beurteilen Sie den Vortrag mithilfe der Kriterien 1–8 im Feedbackbogen.

Einiges hätte einfacher formuliert werden können.

Findest du? Ich dachte ...

5 **Gliederungssignale in Vorträgen erkennen.** **Lesen Sie die Redemittel zur Gliederung von Vorträgen. Welche haben Sie im Vortrag gehört? Markieren Sie sie im Redemittelkasten.**

Redemittel

Gliederungssignale in Vorträgen

Funktion	Redemittel
Einleitung/Thema benennen	Unser Thema heute ist ... / In meinem Vortrag geht es um ... Wir wollen uns heute mit der Frage beschäftigen, ... / ...
Klärung des aktuellen Teilthemas	In meiner heutigen Präsentation werde ich ... vorstellen / folgende Fragen / Aspekte behandeln Wir setzen heute ... mit dem Thema / dem Schwerpunkt / mit der Frage ... fort. Dabei beziehe ich mich auf ...
Gliederung/Ablauf	Ich habe meinen Vortrag in ... Teile gegliedert. Folgende Punkte möchte ich ansprechen/aufgreifen/thematisieren. Zunächst spreche ich über ..., dann komme ich zu ... / Im ... Teil befasse ich mich mit ... / geht es um die Frage ... Dabei möchte ich ... herausarbeiten, dass ... / näher ausführen / beschreiben. Nach einem kurzen Überblick über ... werde ich mich ... zuwenden und abschließend ...
Vorgehen im Hauptteil	Ich möchte ... mit einigen Beispielen belegen/ veranschaulichen / anhand des folgenden Schaubildes erläutern. Als Beleg für ... möchte ich ... anführen.
Überleitung zu einem anderen Teilthema/ Punkt/Aspekt	Soweit zum Punkt ... Ich wende mich nun dem Aspekt ... zu. Damit komme ich zum nächsten Punkt / zur Frage ... / Kommen wir nun zu ...
Schluss/Zusammen-fassende Bemerkungen	Ich möchte noch einmal kurz die wichtigsten Punkte zusammenfassen ... / Zusammenfassend ist festzustellen, dass ...
Abschluss/Dank	Abschließend möchte ich sagen / kann gesagt werden, dass ... / Vielen Dank für Ihre Aufmerksamkeit! / Ich möchte jetzt überleiten in die Diskussion der Frage ...

6 **Einen Vortrag halten.** **Wählen Sie ein Thema und bereiten Sie einen Vortrag vor. Berücksichtigen Sie die Aspekte aus 2, 4 und 5.**

Stirbt die Platte?
Tonträger der Zukunft.

Kein Öl – was nun?
Alternativen zum „schwarzen Gold"

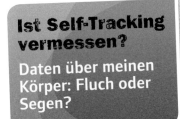

Ist Self-Tracking vermessen?
Daten über meinen Körper: Fluch oder Segen?

Zukunft der Arbeit –
zwischen Home-Office und Großraumbüro

Farbe und Gefühl
Autofarben in fünf Jahren

Die Stimme –
ein Spiegel der Seele?

2 Miteinander reden: Beratungsgespräche

1 Beratung: Dos und Don'ts

a) Lesen Sie den Internetartikel und beantworten Sie die Fragen.

1 In welchen Lebensbereichen wird häufig Beratung gesucht?
2 Welche Ziele verfolgen Beratungsgespräche?
3 Was sind die Dos und Don'ts in Beratungsgesprächen?

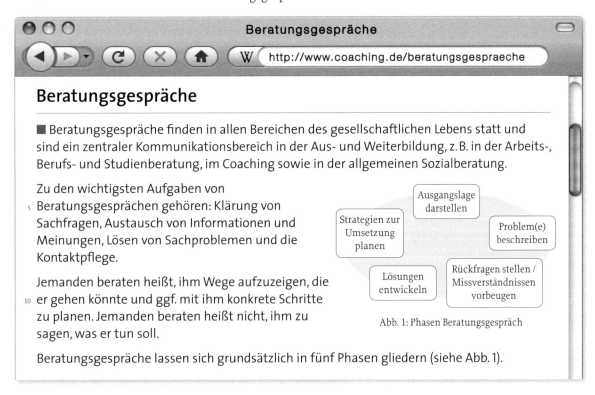

Beratungsgespräche

http://www.coaching.de/beratungsgespraeche

Beratungsgespräche

■ Beratungsgespräche finden in allen Bereichen des gesellschaftlichen Lebens statt und sind ein zentraler Kommunikationsbereich in der Aus- und Weiterbildung, z.B. in der Arbeits-, Berufs- und Studienberatung, im Coaching sowie in der allgemeinen Sozialberatung.

Zu den wichtigsten Aufgaben von Beratungsgesprächen gehören: Klärung von Sachfragen, Austausch von Informationen und Meinungen, Lösen von Sachproblemen und die Kontaktpflege.

Jemanden beraten heißt, ihm Wege aufzuzeigen, die er gehen könnte und ggf. mit ihm konkrete Schritte zu planen. Jemanden beraten heißt nicht, ihm zu sagen, was er tun soll.

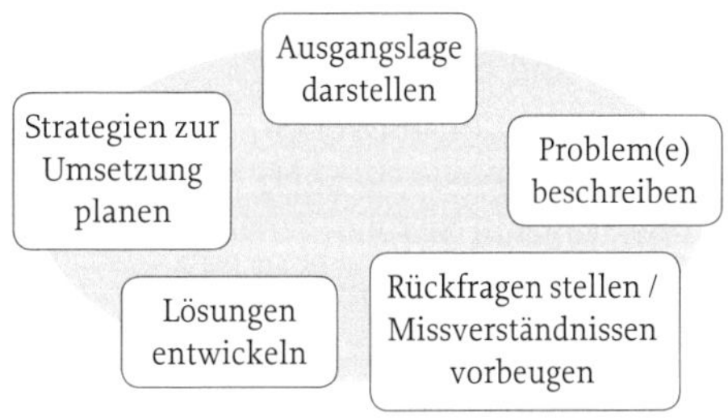

Abb. 1: Phasen Beratungsgespräch

Beratungsgespräche lassen sich grundsätzlich in fünf Phasen gliedern (siehe Abb. 1).

b) Ordnen Sie die fünf Phasen des Beratungsgesprächs dem Treppen-Schema zu.

		B	R
7 Ausstieg:	weitergehende Vereinbarungen treffen / neue Termine machen	❑	❑
6 ....:	gemeinsam erarbeitete Schritte und weiteres Vorgehen besprechen / gemeinsam Vor- und Nachteile abwägen	❑	❑
5 ....:	eigene Vorstellungen / Pläne / Erfahrungen ansprechen / sachliche Vorschläge machen / Lösungswege aufzeigen / konkrete Beispiele anführen	❑	❑
4 ....:	Bestätigung suchen / sich vergewissern / Missverständnisse ausschließen	❑	❑
3 ....:	Grund für den Beratungsbedarf darlegen / Problem oder Frage darstellen	❑	❑
2 ....:	Hintergrundinformationen geben / die persönliche / berufliche / familiäre Situation beschreiben	❑	❑
1 Einstieg:	Begrüßung, evtl. Kontakt erneuern / anknüpfen an früheres Gespräch / Mailkontakt	❑	❑

c) Wer ist in welcher Beratungsphase aktiv: Berater (B), Ratsuchender (R) oder beide? Kreuzen Sie im Treppen-Schema in b) an.

d) Diskutieren Sie die Voraussetzungen für ein erfolgreich verlaufendes Beratungsgespräch aus der Sicht von Beratenden und Ratsuchenden. Legen Sie eine Liste an.

Berater/in	Ratsuchende/r
Neutrale Haltung	*Vorbereitung auf das Gespräch*
Verschwiegenheit	...

Ein Berater muss auf jeden Fall ...

Ja, das gilt aber auch für Ratsuchende.

2 Über Beratungsangebote sprechen

a) Lesen Sie den Flyer. Was sind die Aufgaben eines Studentenwerks? Recherchieren Sie auch im Internet auf den Seiten von Studentenwerken. Sammeln Sie.

b) Bereiten Sie einen Kurzvortrag zum Thema Studentenwerk vor und präsentieren Sie.

2.26

c) Hören Sie den ersten Teil des Beratungsgesprächs zwischen Studienberaterin Ruth Lindner und Schülerin Janina Flechsig. Welches Angebot des Studentenwerks nimmt Janina wahr? Markieren Sie im Flyer.

Ruth Lindner (47) und Janina Flechsig (17) im Beratungsgespräch

STUDENTENWERKE
Wir sind für SIE da!
Jobs
Soziales
Wohnen
Essen
Finanzen
International students
Studentenwerke kümmern sich im Auftrag der Bundesländer um die soziale, gesundheitliche, wirtschaftliche und kulturelle Betreuung der Studierenden. Wir sind Dienstleister mitten auf dem Campus und bieten ein speziell auf die Situation und Wünsche der Studierenden abgestimmtes Angebot. Sie finden uns in den Mensen und Cafeterien, in den Beratungs- und Betreuungsstellen, in den Studentenwohnheimen, im BAföG-Amt und an den Info-Points.
Kommen Sie vorbei!

3 Ein Beratungsgespräch zur Studienfinanzierung

a) Wie kann man ein Studium finanzieren? Sammeln Sie Ideen.

b) Welche Fragen würden Sie in einem Beratungsgespräch zur Studienfinanzierung stellen? Sammeln und vergleichen Sie im Kurs.

2.27

c) Hören Sie jetzt das gesamte Beratungsgespräch zwischen Janina Flechsig und Ruth Lindner. Ergänzen Sie die Textgrafik.

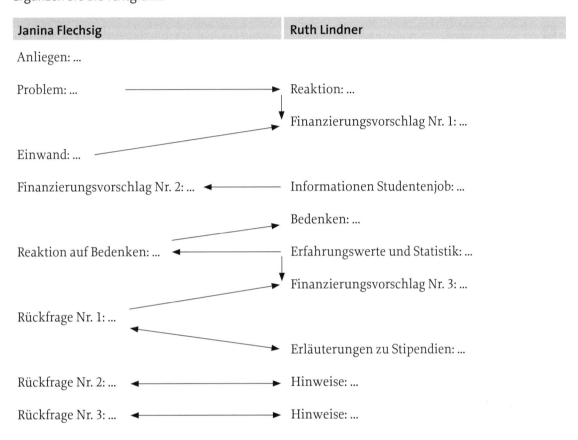

Janina Flechsig	Ruth Lindner
Anliegen: ...	
Problem: ...	Reaktion: ...
	Finanzierungsvorschlag Nr. 1: ...
Einwand: ...	
Finanzierungsvorschlag Nr. 2: ...	Informationen Studentenjob: ...
	Bedenken: ...
Reaktion auf Bedenken: ...	Erfahrungswerte und Statistik: ...
	Finanzierungsvorschlag Nr. 3: ...
Rückfrage Nr. 1: ...	
	Erläuterungen zu Stipendien: ...
Rückfrage Nr. 2: ...	Hinweise: ...
Rückfrage Nr. 3: ...	Hinweise: ...

d) Was glauben Sie: Warum ist dieses Gespräch erfolgreich verlaufen? Kreuzen Sie in der Checkliste an.

Checkliste

vor dem Gespräch:
- ❑ über die eigene Situation intensiv nachdenken
- ❑ erste Recherchen im Internet anstellen (Schlüsselwörter, Fachbegriffe suchen)
- ❑ Fragen formulieren, ggf. schriftlich

während des Gesprächs
- ❑ Beratungsbedarf/Fragen/Unsicherheiten deutlich formulieren (ggf. Notizen hinzuziehen)
- ❑ sich Notizen machen / Termine, Adressen, Namen und Quellen festhalten
- ❑ Sachverhalte nachfragen/ bei Nichtverstehen um Erklärung bitten
- ❑ sich im Gespräch rückversichern (Richtigkeit von Terminen, Quellen, Aussagen)
- ❑ Gesprächsergebnisse zusammenfassen und ggf. einen weiteren Termin vereinbaren

4 Finanzierungsmöglichkeiten recherchieren. **Wählen Sie einen Rechercheauftrag aus, recherchieren Sie im Netz und stellen Sie Ihre Ergebnisse im Kurs vor.**

1 Finden Sie in den Online-Jobbörsen der Studentenwerke einen für Sie passenden Job.
2 Recherchieren Sie auf www.stipendienlotse.de einen für Sie passenden Stipendiengeber.

Hörtexte

Hier finden Sie alle Hörtexte, die nicht oder nicht komplett in den Einheiten abgedruckt sind.

1 Klangwelten

3 2

a)

Katrin: Erzähl mal, wie bist du eigentlich zur Musik gekommen?

Philipp: Hm, ich hab als 6-Jähriger mit Klavierunterricht begonnen und auch im Schulchor gesungen, wie so viele. Weil mir das Singen aber sehr viel Spaß gemacht hat, bin ich dann so mit sieben, glaube ich, zu den Schöneberger Sängerknaben gegangen. Das war ja damals der berühmteste Chor in Berlin, wenn vielleicht auch nicht der beste ...

Katrin: ... und da wurde das Ganze etwas ernster, so mit richtiger Stimmausbildung?

Philipp: Nein, nein ... Stimmausbildung und Musiktheorie kamen dann im Knabenchor Bonn. Mittlerweile hab' ich fast 25 Jahre Klaviererfahrung und auch eine abgeschlossene Gesangsausbildung. Klassische Gitarre habe ich mir selbst beigebracht, und seit vier Jahren versuche ich nun auch noch Klarinette zu lernen. Und bei dir?

Katrin: Begonnen hat es bei mir mit der musikalischen Früherziehung. Etwas ernster wurde es aber erst mit dem Flötenkurs in der Heilbronner Musikschule. Die war verbindlich für alle, die ein „ordentliches" Instrument lernen wollten. In der Schule hatte ich dann Musik als Leistungskurs, und seit meinem sechsten Lebensjahr hab' ich Geigenunterricht. Ohne Musik kann ich nicht leben ...

Philipp: Stimmt, und da denkt man dann natürlich darüber nach, ob man nicht ...

Katrin: Ja klar, hab' ich natürlich.

3 3

a)

Philipp: Stimmt, und da denkt man dann natürlich darüber nach, ob man nicht ...

Katrin: Ja klar, hab' ich natürlich. Nach dem Abitur gab es einige aus meinem Leistungskurs, die Musiker werden wollten. Irgendwie hab' ich auch darüber nachgedacht, vielleicht auch weil mein Geigenlehrer gesagt hat, dass ich Talent habe ... und dass man da was draus machen kann ...

Philipp: Und du hast dich trotzdem dagegen entschieden?

Katrin: Na ja, ich hab' zwei Cousinen, beide Profimusikerinnen. Mit denen hatte ich ein paar intensive Gespräche. Mir wurde recht schnell klar, dass der klassische Orchestermusiker irgendwie wenig kreativ sein darf. Du spielst die Stücke, die angeordnet werden, alles in der Geschwindigkeit und Dynamik und auch im Ausdruck so, wie es halt der Dirigent möchte.

Philipp: Also Handarbeit ...

Katrin: Genau. Das trifft's. Es ist eben Handarbeit, aber vor dem Hintergrund eines wirklich extremen Wettbewerbsdrucks.

Philipp: Stimmt, der Konkurrenzdruck ist enorm, ich hab mich einfach nicht gut genug gefühlt, auch wenn ich immer wieder darüber nachgedacht habe, ob ich nicht vielleicht doch ... na ja ... Ich singe immer noch leidenschaftlich gerne in einem Gesangsquartett und wir verdienen da auch Geld. Das aber alles nebenberuflich.

Katrin: Wo tretet ihr auf?

Philipp: Ach, das ist recht unterschiedlich. Im Bundestag zum Beispiel ...

Katrin: Hört, hört!

Philipp: Akademie der Künste, ja – wir sind aber auch auf Hochzeitsfeiern. Aber wie gesagt: Musik mache ich nur noch zum Vergnügen. Ohne Musik geht's für mich auch nicht, aber von der Musik leben – das funktioniert nicht! Und es ist ja auch ein Privileg, Musik zum Spaß machen zu können. Sind wir doch mal ehrlich: der Job als Profimusiker ist manchmal auch eintönig, vor allem aber zeitlich anstrengend, man muss den Konkurrenzdruck aushalten lernen – und ich denke ... ja, ... das sind ziemlich viele Zugeständnisse für ein bisschen Aufmerksamkeit auf der Bühne.

Katrin: Und man braucht viel Disziplin, ein gesundes Selbstvertrauen, Ehrgeiz.

Philipp: Ja klar, und mich freut's auch, wenn ich auf Leute treffe, die Musik wirklich nur zum Ausgleich machen, zur eigenen Freude, ohne kommerzielle Gedanken.

3 7

Moderator: Liebe Hörerinnen und Hörer, ich begrüße Sie zu unserem Sonntagsgespräch bei Radio TNT. Heute haben wir Christian Goretzki, 43 Jahre, Toningenieur von Beruf bei uns im Studio. Schön, dass Sie hier sind, Herr Goretzki. Sie müssen sich doch in unserem Studio recht wohl fühlen, oder?

Goretzki: Das kann man so sagen, ja klar. Schönes Studio. Natürlich gibt's ein paar Unterschiede zwischen den Sachen, die Sie hier so machen und den Dingen, an denen ich arbeite, aber Studioarbeit ist toll. Ohne Frage.

Mod: Wie sind Sie denn zur Studioarbeit gekommen und warum wollten Sie Musik zu Ihrem Beruf machen?

Goretzki: Ich wollte das schon sehr früh. Ich war in einer Musik AG an der Schule. Mein Musiklehrer betrieb ein kleines Musikstudio. Das fanden wir natürlich total cool. Und dann kam eins zum anderen. Ein paar meiner Freunde gründeten'ne Band. Ich war da voll dabei. Und wir produzierten dann unsere eigenen Songs. Das hat mich damals völlig fasziniert. Ja und dann entstand daraus der Wunsch, Musik zu meinem Beruf zu machen, im Tonstudio als Produzent zu arbeiten.

Mod: Wie muss ich mir Ihren Arbeitsalltag vorstellen?

Goretzki: Hm, schwierig. Meine Tage sind recht abwechslungsreich. Ich nehme Aufträge für Film und Fernsehen an. Da vor allem im Bereich Sounddesign, Musikkomposition und -produktion. Ich arbeite natürlich auch klassisch technisch, also als Toningenieur. Tja, sagen wir mal, mein Alltag besteht zu circa 80 Prozent aus Studioarbeit und der Rest ist dann Akquise, Buchführung, Gespräche und Arbeitstreffen.

Mod: Was macht Ihnen besonders Spaß? Was ist eher eine Herausforderung?

Goretzki: Hm, das kann man nicht getrennt betrachten. Die kreative Herausforderung find' ich grundsätzlich spannend, aber auch ab und zu recht schwierig. Richtig Spaß habe ich bei der Entwicklung von Ton- und Musikkonzepten für Kino- oder Fernsehfilme. Wenn durch meine Musik die Emotionen und die Spannung unterstützt werden, ja, dann macht das richtig Spaß.

Mod: Was muss man mitbringen, um diesen Beruf auszuüben?

Goretzki: Man sollte sich mit Musikstilen und der Wirkung von Musik auskennen. Da war mein Musikwissenschaftsstudium schon hilfreich. Ja, und wenn man dann auch noch das eine oder andere Instrument beherrscht und ein gutes technisches Verständnis hat, dann ist man in meinem Job zumindest nicht völlig verkehrt.

Mod: Und Sie können von Ihrer Arbeit leben?

Goretzki: Ganz ehrlich, vom Musikmachen und Komponieren allein könnte ich es nicht. Das funktioniert nicht. Deshalb mache ich ja auch sehr viel Sounddesign für Filme und Audioproduktionen fürs Radio. Das sind die Aufträge, mit denen ich meine Miete zahle. Aber Musik machen ist meine Leidenschaft, und wer macht nicht gerne seine Leidenschaft zum Beruf? Klar ist aber: Musik ist ein Geschäft, an das sich wirtschaftliche Interessen binden. Man muss sich sehr oft den Meinungen und Wünschen der Auftraggeber beugen und ist eigentlich selten absolut frei in seiner Kreativität. Und von der Vorstellung geregelter Arbeitszeiten und einem festen Einkommen sollte man sich von Anfang an verabschieden. Es ist schon ein sehr hartes Geschäft und die Konkurrenz schläft nicht ...

Mod: Was würden Sie unseren jungen Zuhörerinnen und Zuhörern ...

2 Wer bin ich?

4 4

a)

Mod: Mittelaltermärkte sind Besuchermagnete. Allem Anschein nach strahlen die 1000 Jahre zwischen 500 und 1500 eine große Faszination auf die Besucherinnen und Besucher aus. Wir wollen der Frage nachgehen, was uns alle so am Mittelalter fasziniert und haben dazu Ritter Ulrich zu Hohenstein eingeladen. Im wirklichen Leben heißt er Julian Ott, ist Industriekaufmann und in seiner Freizeit im Mittelalterverein „ars et cultura" engagiert. Er kämpft zu Pferd auf Ritterturnieren. Guten Tag, Ritter Ulrich!

Ulrich: Seid gegrüßt, edle Dame! Dränget Euch eine Frage? Nur frisch heraus damit!

Mod: Oh, da fangen wir doch gleich mal mit der Sprache an. Warum sprechen die Akteure auf Mittelaltermärkten nicht ganz normal Hochdeutsch?

Ulrich: Wir versuchen den Alltag im Mittelalter so genau wie möglich nachzuempfinden. Auf dem mittelalterlichen Markte wird dem Auge gar vieles dargetan, das so schon lange nicht mehr üblich ist, z. B. mit authentischen Kostümen, Werkzeugen oder Waffen. Der Gaumen erfreuet sich an lang verschollenen Rezepturen, d. h. wir brauen Bier, backen Brot und bereiten Fleisch nach alten Rezepten zu. Und auch ans Ohr ward gedacht, wenn manches Stücklein alter Musik dargeboten wird. Ja, selbst die Füße erleben Stroh statt Asphalt. Doch ach, beim Ohre endet oftmals jäh die Zeitreise. Und das ist eigentlich verständlich, denn wenn sich alle Akteure nur noch auf Mittelhochdeutsch unterhielten, würden das die wenigsten im Publikum verstehen. Deshalb benutzen wir die etwas angepasste Marktsprache für unsere Zeitreise.

Mod: Und wie funktioniert die?

Ulrich: Wir siezen z. B. nicht, wir ihrzen und euchzen, das ist zwar historisch etwas ungenau, aber ein „Du" wäre einfach langweilig. Dann: Gebet ein „e" den Verben! Also statt „Kann ich Ihnen helfen?" Bedürfet Ihr eines Rates? Und am Ende „Habet Dank!" nicht vergessen.

Mod: Das ist gar nicht so einfach, ich denke da mal an die vielen englischen Ausdrücke, die wir benutzen ...

Ulrich: Stimmt, aber englische Ausdrücke vermeiden wir, indem wir z. B. statt Okay „Je, nun", „Nun, gut", oder „Wohl an" sagen. Aus Stopp! wird „Haltet ein!" Und: Des Genetivs Anwendung ist inzwischen rar geworden. Seine Verwendung am Satzanfang klingt für heutige Ohren wirklich alt. Und auch den Konjunktiv setzen wir ein: also nicht „das macht drei Euro", sondern: Dies wäre schon für drei Silbergulden wohlfeil!

Mod: Hört sich für uns alles total alt an, ich bin fasziniert ... Wie kommt man zu einem Hobby, das einen solch großen zeitlichen und wahrscheinlich auch finanziellen Einsatz erfordert – denn so eine Ritterrüstung und ein Pferd sind ja sicher nicht billig.

Ulrich: Also, ich reite schon lange, und nur in der Halle war mir das zu langweilig. Da ist ein Ritterturnier schon eine echte Herausforderung, auch körperlich, denn die Rüstung ist ziemlich schwer. Außerdem hab ich ein großes Interesse an Geschichte. Es gibt zwar zahlreiche Filme und Bücher über das Leben der Ritter im Mittelalter, doch ich wollte das auch selbst ausprobieren und mein Wissen weiter geben. Wir von *ars et cultura* zeigen Geschichte zum Anfassen und Erleben.

Mod: Woher wisst ihr denn, wie es war?

Ulrich: Wir recherchieren, lesen in alten Texten nach und lernen auch durch Ausprobieren dazu. Wir verkleiden uns nicht einfach mal so, sondern wollen möglichst authentisch sein. Klar, zu 100 % geht das sicher nicht, denn niemand weiß, wie es wirklich war, aber wir stellen dar, wie es gewesen sein könnte.

Mod: Worin liegt denn nun die Faszination für eine Zeit, in der es keine Heizung gab, und kein fließendes Wasser, aber viele Krankheiten, und die meisten Leute weder lesen noch schreiben konnten?

Ulrich: Also ich denke, es liegt an unserer schnelllebigen Zeit. Alles verändert sich ständig und der Mensch muss sich anpassen, flexibel sein. Mittelalter – das ist vielleicht die Sehnsucht nach einer überschaubaren Zeit, in der die Welt klein war, das Leben oft vorgegeben und die Rollen eindeutig waren: Frauen noch ganz Frau und Männer noch Helden, echte Kerle mit einer sehr direkten Sprache, auch körperlich, deshalb auch die Faszination für Waffen und Kämpfe zu Pferd und zu Fuß.

Mod: Aber ist das keine Flucht vor der Realität?

Ulrich: Es ist eher ein Ausgleich zur Realität. Mal eine fremde Rolle zu spielen und die Welt aus einer anderen Perspektive wahrzunehmen, hilft oft in der Gegenwart.

Mod: Ritter Ulrich, mich deucht, es wär wohl mählich an der Zeit ... habet Dank für diesen gar trefflichen Diskurs!

5 1

b)

Jens: Fünf Minuten nach sieben, guten Morgen! Jens Fey und Wiebke Weber für FTT-Radio. Also Wiebke, ich hab sie und ich pflege sie auch – meine kleinen Marotten. Und wir haben ja heute Morgen schon von unserem Experten Herrn Schmidtgruber gehört, dass ein Spleen etwas sehr Individuelles ist und durchaus sympathisch sein kann.

Wiebke: Klar Jens, und an welche „kleinen" Marotten hast du da gedacht? Welche hast du da so?

Jens: Ich muss immer zuerst die Socken anziehen und dann die Jeans. Andersherum – nee, das geht gar nicht. Und ich kann an keinem schiefen Bild vorbei, das muss ich dann gerade rücken, und du, Wiebke?

Wiebke: Also bei mir müssen Wäscheklammern immer farblich zusammenpassen, eine blaue und eine gelbe auf einem T-Shirt geht überhaupt nicht. Ich brauch immer zwei blaue *oder* zwei gelbe. Ja, und ich lese keine Anleitungen. Ich drücke die Knöpfe an den Geräten solange, bis es klappt, ganz schlimm, mein Freund kriegt da immer die Krise.

Jens: Oh oh, jetzt outen wir uns hier ganz schön. Aber es ist ja auch überhaupt nicht mehr peinlich, über seine kleinen Marotten zu sprechen. Viele tun's sogar in Blogs im Internet. Fragen wir doch noch einmal unseren Experten, den Kölner Psychologen Daniel Schmidtgruber, der gerade an einem Buch über Spleens arbeitet. Herr Schmidtgruber, warum müssen so viele Menschen freiwillig ihre seltsamen Angewohnheiten rausposaunen?

Schmidtgruber: Es ist ein gutes Gefühl zu sehen, „Ich bin damit nicht allein, den anderen geht es auch so". Die Blogeinträge zeigen, dass kleine Macken auch etwas Menschliches sind, fast jeder hat sie. Und indem wir sie zur Sprache bringen, sind sie nicht mehr länger ein Tabu. Müssen sie ja eigentlich auch nicht sein.

Jens: Und warum macht es soviel Spaß, über die Marotten der anderen im Blog zu lesen?

Schmidtgruber: Dass die Blogs so beliebt sind, liegt wahrscheinlich an einer Mischung aus Neugier und Beobachtung. Wir lesen über die Ticks der anderen und erkennen uns selbst. Und das Gute ist: Niemand muss sich mit Namen outen, kann aber mit dem „Gefällt-mir-Button" eine Bestätigung abgeben.

Jens: Jetzt gibt es aber auch Spleens, die finde ich grenzwertig, also etwa wenn jemand die Waschmaschine anhält, um die Socken auf die linke Seite zu drehen. Was ist denn nun, sagen wir, eine „liebenswerte Eigenart" und was ein ernsthaftes Problem?

Schmidtgruber: Es gibt meiner Meinung nach eine Faustregel für den Unterschied zwischen kleinem Tick und ernsthafter Störung. Wesentlich ist hier die Beeinträchtigung des täglichen Lebens. Zwangsgestörte leiden unter dem, was sie dauernd tun müssen und sind nicht mehr in der Lage, ihr Leben normal zu leben. Es ist nicht nur völlig sinnlos, alle zehn Minuten zu kontrollieren, ob der Herd in der Küche aus ist, es kostet auch unwahrscheinlich viel Zeit und lenkt von wichtigeren Dingen ab, die man tun muss. Wenn die kleine Marotte im Alltag aber nicht stört, dann muss ich mir auch keine Sorgen machen.

Jens: Danke an Herrn Schmidtgruber. Prima, dann mach ich mir auch keine Gedanken, wenn ich jetzt zwei rote Gummibärchen esse und dann zwei grüne, und dann zwei gelbe und dann zwei ...

3 Farbrausch

3 3

a)

Reporter: Frau Zell, welche Rolle spielt Farbe für ein gelungenes Produkt, sagen wir mal für ein Auto oder eine Handtasche?

Zell: Die Wahl der Farben ist nur eines von vielen Mosaiksteinchen, aus denen ein gelungenes Produktdesign entsteht, aber sie können sehr gezielt eingesetzt werden. Dass Farben bei Menschen Emotionen auslösen, liegt auf der Hand. Farben erzeugen beim Empfänger bestimmte Gefühle und Assoziationen. Schwarze oder rote Autos wirken einfach schneller und aggressiver als die eher eleganten blauen oder grauen. Gelungenes Design schließt also die Farbwahl voll und ganz mit ein. Selbstverständlich muss diese auch auf die Materialien und natürlich auch auf das Produkt selbst abgestimmt werden – egal ob es um ein Auto oder eine Handtasche geht.

Reporter: Zwischen dem Auto und der Handtasche besteht also kein Unterschied?

Zell: Grundsätzlich nicht, abgesehen davon, dass man ein Auto vielleicht eines Tages wieder verkaufen möchte. Deshalb ist für Neuwagenkäufer der Blick auf das Farbangebot des Herstellers wichtiger, als es auf Anhieb zu vermuten wäre. Farbe ist beim Wiederverkauf ein wichtiges Detail. Sie ist nicht nur mitverantwortlich dafür, wie frisch oder wie alt der Wagen aussieht, sie ist auch immer Ausdruck einer Zeit. So kommt es, dass einige Farben nur mit einer bestimmten Zeitspanne in Zusammenhang gebracht werden, später aber kaum noch auftauchen.

Reporter: Und dann habe ich ein echtes Problem, das Auto wieder loszuwerden?

Zell: Genau, das gilt z. B. für die grell-bunten Lacke der siebziger Jahre. Es brauchte schon eine gewisse Zeit, bis man erkannte, dass diese Autos ziemlich grausam aussahen. Pech für den, der zu spät versuchte, sein grell-oranges Auto zu verkaufen Dies zeigt aber auch, dass die Entwicklung von Autofarben nicht getrennt von anderen Lebensbereichen wie der Mode verläuft. Trends setzen sich aus vielem zusammen – dazu zählen etwa Mode und Möbel oder auch die Unterhaltungselektronik. Nachdem sie lange out waren, sind Handtaschen in Stil der 70er Jahre übrigens gerade wieder in.

Reporter: Und bei Autos?

Zell: Da ist der Silbertrend der vergangenen 10 bis 15 Jahre ein gutes Beispiel. Er kam mit dem allgemeinen Technik-Glauben. Silber erinnert an Technik. Außerdem ist es wenig schmutzempfindlich und betont die Konturen eines Autos. Nach vielen silbernen Jahren ist aber endlich eine Ablösung in Sicht, die wieder mit einem gesellschaftlichen Trend in Verbindung steht, diesmal mit der Diskussion um die Erderwärmung, dem wachsenden ökologischen Bewusstsein. Sauberkeit oder Reinheit taucht als Begriff auf und ist bereits auf den Straßen, aber auch bei Möbeln, Stoff- oder Wandfarben zu sehen, nämlich: das lange kaum existente Weiß, das sich zu einem echten Trend entwickelt hat.

Reporter: Dann spiegelt also die Farbigkeit von Industrieprodukten sozusagen den Zeitgeist wider?

Zell: Unbedingt. Es gibt unzählige Beispiele dafür. Gerade für die Zeit nach der mehr oder weniger globalen Finanzkrise erwarte ich, dass frische und leuchtende Farben ein *revival* erleben werden. Speziell bei Autos werden wir dann auch wieder warme Rot-, Orange- oder frische Grün- und Gelbtöne sehen, wie es sich schon jetzt für die Mode im nächsten Sommer abzeichnet. Vielleicht nicht so grell wie in den optimistischen 70er Jahren, in denen alles möglich schien, aber doch ganz klar: „Nach der Krise wieder Farbe". Etwas mehr Optimismus eben.

Reporter: Wenn ich überlege, dann war Blau schon als Kind meine Lieblingsfarbe. Folge ich keinem Trend?

Zell: Das überrascht mich jetzt nicht, denn Blau ist die Lieblingsfarbe fast aller Westeuropäer. Interessant wäre aber zu wissen, ob es bei Ihnen immer dasselbe Blau ist und war, oder mal heller, mal dunkler, mal eher ins Grünliche reingehend oder eher Violett, wobei dies, wie Pink oder Rosa, vor allem eine Frauenfarbe ist.

Reporter: Dann verändert sich also der Farbgeschmack im Alter?

Zell: Auf jeden Fall. Junge Menschen tragen eher mal grelle Farben, auch um sich abzugrenzen. Ab 60 sind dann helle Pastelltöne wie Beige, Hellblau oder Flieder beliebt, abgesehen von Schwarz, das auch viele Jugendliche tragen, im Alter aber eher auf Trauer hindeutet.

Reporter: Walter Gropius hat einmal gesagt: „Bunt ist meine Lieblingsfarbe." Welche Assoziationen weckt dieser Ausspruch bei Ihnen?

Zell: Für mich heißt das Lebensfreude und Zufriedenheit. Der Ausspruch lädt alle ein, flexibel zu sein und neue Akzente im Leben zu setzen. Das Leben bietet so viele Farben, so viele Möglichkeiten, die es zu entdecken gilt.

Reporter: Wenn Sie sich zwischen Rot, Blau, Gelb und Grün entscheiden müssten – welche Farbe würden Sie wählen?

Zell: Ganz klar Rot. Rot steht für das Feuer und ist beispielsweise in China traditionell die Farbe des Glücks und des Ruhmes. Rot strahlt für mich Wärme, Kraft und Dynamik aus. Rot ist immer ein Hingucker, es hat eine Signalwirkung, die nicht von der Hand zu weisen ist.

5 2

a)

Radiosprecher: Mal ehrlich: wenn eine Mannschaft in grünen oder gelben Fußball-Trikots gegen eine in roten oder gar schwarzen spielt – was glauben Sie, welche gewinnt? Wahrscheinlich die Schwarzen, denn die spielen schon aggressiver, oder? Und welchen Hund streicheln Sie lieber – einen ganz schwarzen oder einen hellen, weißen? Wahrscheinlich eher den hellen? Ja, das geht mir ja auch so, macht aber die Situation in den Tierheimen nicht einfacher.

Tierheimmitarbeiterin: Es ist immer schwierig, für einen schwarzen Hund ein neues Zuhause zu finden, vor allem, wenn er groß ist. Schwarze sitzen leider oft länger bei uns im Tierheim als helle Hunde. Dabei sagt die Fellfarbe doch gar nichts über den Charakter aus.

Radiosprecher: Stimmt, doch leider werden schwarze Hunde oft für aggressiver gehalten. Das hat auch der Psychologe Mark G. Frank von der Cornell University in New York gemerkt, als er mit seinem Hund, einem schwarzen Schäfer-Husky-Mischling, spazierenging.

Frank: When I would go out for walks with my black husky I noticed how people ...)

Synchsprecher: Wenn ich mit meinem Hund spazierenging, fiel mir auf, dass die Leute, die uns auf der Straße entgegen kamen, meistens einen großen Bogen um mich und meinen schwarzen Hund machten. Mich hat aber gewundert, dass niemand vor dem weiß-grauen Hund meines Freundes Angst hatte, obwohl der viel angriffslustiger war.

Radiosprecher: Frank war überzeugt, dass dies an der Farbe Schwarz lag. Und er meinte beobachten zu können, dass sein an sich braver Hund frecher wurde, wenn die Leute ihm auswichen. War dafür auch die Farbe verantwortlich? Flößt Schwarz also nicht nur Angst ein – macht es auch den Fußballspieler im schwarzen Trikot oder den schwarzen Hund aggressiver? Dieser Frage wollte er zusammen mit seinem damaligen Professor Thomas Gilovich in einer Reihe von Versuchen nachgehen.

5 2

b)

Radiosprecher: Zuerst mussten die beiden Forscher jedoch feststellen, ob Franks Beobachtungen überhaupt richtig waren. In einer von ihnen entwickelten Studie Ende der 1980er Jahre versuchten sie herauszufinden, ob Sportler in Schwarz als aggressiver wahrgenommen werden und ob diese Sportler sich auch auf dem Spielfeld aggressiver verhalten. Im ersten Teil der Studie haben 25 Versuchsteilnehmer Trikots verschiedener Mannschaften der National Football League und der National Hockey League beurteilt, ob sie eher zaghaft oder eher aggressiv wirkten.

Frank: We found that teams with black uniforms were consistently rated ...

Synchronsprecher: Wir stellten fest, dass die Versuchsteilnehmer Mannschaften, die in Schwarz spielten, als aggressiver beurteilten.

Radiosprecher: Im nächsten Schritt wollten Franks und Gilovich anhand von Strafstatistiken überprüfen, ob Mannschaften in Schwarz auch tatsächlich aggressiver spielten.

Frank: If you looked the number of penalties these teams received between 1970 and 1985 it became clear that ...

Synchronsprecher: Ein Blick in die Strafstatistiken von 1970 bis 1985 bestätigte, dass die Oakland Raiders, die Pittsburgh Steelers und die Philadelphia Flyers – alle drei Mannschaften spielten in Schwarz – tatsächlich mehr Strafen bekommen hatten als andere Teams.

Stadionsprecher: Another penalty against the Raiders. Unnecessary roughness against the quarterback. 15 yards penalty.

Synchronsprecher: Und wieder begehen die Raiders einen Regelverstoß. Unnötige Härte gegenüber dem Quarterback. Strafe: 15 Yards Raumverlust.

Radiosprecher: Ja, warum das denn? Spielten die Mannschaften in Schwarz wirklich aggressiver oder ließen sich die Schiedsrichter genauso von der Farbe täuschen, wie die Leute, die Franks schwarzem Hund lieber auswichen? Nahmen die Schiedsrichter also vielleicht die Spieler in Schwarz als aggressiver wahr? Auf diese Frage eine Antwort zu bekommen, war nicht ganz einfach, aber Mark Frank hatte eine Idee. Eine Gruppe College Studenten stellten exakt die gleichen Spielszenen nach. Mal trug die angreifende Mannschaft Schwarz, mal Weiß. Frank nahm die Szenen mit einer Video-Kamera auf und zeigte diese Szenen dann Football-Fans und -Schiedsrichtern, die nichts von dem Experiment wussten.

Frank: It was hard to believe, but the referees and fans ...

Synchronsprecher: Und man glaubt es kaum, aber die Schiedsrichter und auch die Fans beurteilten das Spielerverhalten der Schwarzen als aggressiver.

Radiosprecher: Jetzt war aber noch eine Frage offen, nämlich die, ob der schwarze Hund tatsächlich frecher wird, wenn Leute Angst vor ihm haben. Dass also nicht nur der, der Schwarz trägt, als aggressiver wahrgenommen wird, sondern sich dadurch auch aggressiver verhält? Im letzten Teil der Studie wurden Versuchsteilnehmer in Dreiergruppen eingeteilt. Sie mussten fünf Sportarten aussuchen, in denen sie gegen die anderen Gruppen antreten sollten. Sie bekamen entweder weiße oder schwarze Trikots.

Frank: Not surprisingly, the results were conclusive. ...

Synchronsprecher: Das Ergebnis war eindeutig und hat uns nicht überrascht. Sobald die Versuchsteilnehmer in einer Mannschaft mit schwarzen Trikots spielen sollten, wählte die Gruppe für den Wettbewerb aggressivere Sportarten.

Radiosprecher: Damit nicht alle Mannschaften in der nächsten Saison in Schwarz spielen, stellten die Forscher schnell in der Presse klar, dass die Ergebnisse nichts über die Gewinn-Chancen einer Mannschaft sagen. Die steigen nämlich, wenn eine Mannschaft rote Trikots trägt. Das ergab eine Analyse der Ergebnisse der Fußballeuropameisterschaft. Hier erzielten die in Rot spielenden Mannschaften 0,97 Tore mehr als die andersfarbigen. Warum Rot solch eine Wirkung hat, ist noch unklar. Aber wer sich für weitere Experimente interessiert, wer also z. B. wissen möchte, ob eine Maschine kitzeln kann, was einen Unsympathen sympathischer macht und was passiert, wenn man jemanden in der U-Bahn um seinen Platz bittet, dem sei „Das neue Buch der verrückten Experimente" von Reto Schneider empfohlen, das im Goldmann-Verlag erschienen ist. Und nun passend zum Thema „Lady in Red" von ...

4 Arbeitswelten

2 6

IT	Branche
Chancen	trendigen Coffice
Teambildung	Office
Teams	Coworking-Spaces
Mousepads	Brainstorming
chill out-Zone	

2 9

b)

Interviewer: Simon, du hast kein eigenes Büro, nicht mal einen eigenen Schreibtisch. Wie ist die Arbeit im Coworking-Space?

Simon: Eigentlich ganz normal. Wie alle, die im Coworking-Space arbeiten, bin ich selbstständiger Kleinunternehmer. Uns werden hier komplette Arbeitsplätze mit Internet zur Verfügung gestellt. Ich habe meinen Schreibtisch für vier Tage pro Woche gemietet. Drucker, Kopierer und die Kaffeeküche nutzen alle gemeinsam.

I: Mhm, warum hast du kein eigenes Büro?

Simon: Das brauche ich nicht. Bei Bedarf fahre ich zu meinen Kunden, sie müssen nicht zu mir kommen. Und dank Coworking spare ich die Miete für ein eigenes Büro.

I: Ist denn ein Telearbeitsplatz zu Hause nicht viel besser?

Simon: Gar nicht. Zuhause zu arbeiten, ist keine Alternative für mich. Dort werde ich dauernd abgelenkt und kann mich nicht konzentrieren.

I: Wann wirst du wieder in einer normalen Firma arbeiten? Gibt es da Pläne?

Simon: Das frage ich mich auch manchmal, aber nein: im Moment finde ich die Arbeit im Coworking-Space völlig in Ordnung. Die Leute sind echt o. k. hier, und bei Bedarf helfen wir uns gegenseitig. So entstehen viele neue Kontakte.

I: Dann kannst du die Arbeit am gemieteten Schreibtisch empfehlen?

Simon: Na klar, immer. Ich kann allen nur raten: Seid neugierig und guckt euch ein Coworking Space in eurer Nähe einfach mal an!

4 **4**

b)

I: Anja, du hast dich nach dem Abitur für ein duales Studium entschieden. Welche Gründe sprachen dafür?

Anja: Naturwissenschaften haben mich schon in der Schule interessiert, vor allem Chemie und Bio. In Mathe war ich auch nicht schlecht. Mir war also schon ziemlich früh klar, dass ich beruflich was mit Naturwissenschaften machen wollte. Ich wollte möglichst was Praktisches machen und mich nicht nur mit Theorien beschäftigen. Deshalb kam für mich ein Studium mit wenig Praxis nicht in Frage. Das duale Studium bietet da eine echte Alternative. Ich mache eine Ausbildung zur Chemie-Laborantin und bekomme eine Ausbildungsvergütung, ich verdiene also schon Geld. Nach acht Semestern habe ich einen Studienabschluss, einen Berufsabschluss und erste berufliche Erfahrungen. Theorie und Praxis sind so wirklich sehr eng miteinander verbunden und ich habe beruflich viele Chancen.

I: Wie hast du dich über die Studienmöglichkeiten informiert?

Anja: Vieles steht im Internet und die Berufsberatung der Arbeitsagentur und die Studienberatung an der Hochschule können helfen. Aber wichtig ist, dass man sich frühzeitig um alles kümmert. Ich habe noch während der Schule ein Praktikum in einem Chemie-Labor gemacht und durfte Laboranten über die Schulter schauen. Das hat mir sehr gefallen und ich habe mich sofort um einen Ausbildungsplatz beworben. Den brauchte ich, um mich dann für das Studium der technischen Chemie zu bewerben.

I: Eine Ausbildung und ein Studium parallel zu machen, das klingt sehr anstrengend. Wie müssen wir uns deinen Alltag vorstellen?

Anja: Die Ausbildung dauert insgesamt acht Semester, also vier Jahre. Nach einem Jahr lege ich den ersten Teil der Abschlussprüfung zur Chemie-Laborantin ab, ein Jahr später folgt dann der zweite und letzte Teil. Das dritte und vierte Jahr wird vollzeit studiert. Momentan bin ich zwei Tage in der Woche an der Fachhochschule, einen Tag in der Berufsschule und zwei Tage im Labor oder in der Werkstatt bei Bayer. An der Fachhochschule stehen morgens Vorlesungen und nachmittags Übungen auf dem Programm, außerdem mache ich einen Englischkurs. Meine Arbeitstage im Werk beginnen um 7 Uhr und enden um 15:30 Uhr. Hier lerne ich z. B. verschiedene Messgeräte in den Produktionsanlagen kennen oder erfahre, wie ich die Dichte von Lösungen bestimmen kann.

I: Aha, deshalb also technische Chemie?

Anja: Ja genau. Die Aufgabe der Technischen Chemie ist es, die in der Forschung entwickelten Reaktionen in einen technischen Maßstab zu übertragen, also z. B. die Serienproduktion von neuen Waschmitteln oder Medikamenten zu ermöglichen. Wir lernen, Produktionsabläufe zu steuern und zu verbessern, entwickeln Produkte für den Markt und müssen später auch Kunden beraten. Technische Chemikerinnen arbeiten dabei nicht nur in Laboren, sondern auch in der Produktion oder im Büro.

I: Frauen sind ja zur Zeit in den MINT-Berufen nicht so stark vertreten ...

Anja: Ja, das merkt man vor allem im Studium, da sitzen erheblich weniger Frauen in den Vorlesungen als Männer. In den Laboren ist das Verhältnis etwas ausgeglichener.

I: Was kann man deiner Meinung nach tun, um mehr Frauen für die MINT-Berufe zu begeistern?

Anja: MINT-Fächer halten viele Frauen für zu schwer und uninteressant. Das ist ein Vorurteil. Es gibt eine Vielzahl möglicher Berufe und wirklich interessante Arbeitsfelder. Darüber sollte man die Schülerinnen und Schüler schon in der Schule informieren, damit sie sich eine Vorstellung machen können. Denn insgesamt ist der MINT-Bereich für Frauen nicht schwerer als für Männer.

I: Was fasziniert dich an deiner Tätigkeit am meisten?

Anja: Am meisten die Vielfalt des Berufs. Und natürlich wie eine Reaktion im Reagenzglas mithilfe der chemischen Verfahrenstechnik zu einer großen Serienproduktion werden kann, also aus etwas ganz Kleinem wird etwas ganz Großes – das ist faszinierend.

I: Wie geht es nach dem Bachelor bei dir weiter?

Anja: Erstmal arbeiten und dann den Master machen. Ich möchte mich in Richtung Green Chemistry oder auch Grüne Chemie spezialisieren. Das ist die Art von Chemie, die versucht, Umweltverschmutzung einzudämmen, Energie zu sparen und so möglichst umweltverträglich zu produzieren.

I: Wenn du dir ein Produkt aussuchen könntest, das du entwickeln möchtest – welches wäre das dann?

Anja: Oh, da ich in meiner Freizeit gerne Laufe, ganz sicher die Serienproduktion von schmutzabweisenden Turn- oder Laufschuhen, die man nie wieder waschen muss. Der Lotuseffekt hilft da vielleicht.

5 Momentaufnahmen

1 **2**

c)

I: In unserer Reihe Kultur und Wissen haben wir heute Oliver Sens, Kurator am NRW-Kulturhaus in Bonn zu Gast. Sie haben die Fotoausstellung „Bilder, die bewegen" zusammengestellt. Danke, dass Sie sich Zeit für ein Gespräch mit dt-radio nehmen, Herr Sens!

Sens: Sehr gern.

I: Herr Sens, Sie haben gerade eine ganz besondere Fotoausstellung im Haus. Sie zeigen berühmte Fotografien aus über einem Jahrhundert Fotogeschichte. Spontan fällt mir das Titelbild der „National Geographic" aus dem Jahre 1985 ein. Steve McCurry fotografierte damals ein afghanisches Mädchen in einem pakistanischen Flüchtlingslager.

Sens: Ja, das ist ein ganz besonderes Bild, das um die Welt ging und viele Menschen berührt hat. Diese grünen Augen ... sie erzählen vom Leid der Flüchtlinge, vom Krieg. Niemand kannte ihren Namen, niemand wusste, was aus ihr geworden war. 2001 ging McCurry dann nach Pakistan, um das Mädchen mit den grünen Augen zu suchen.

I: Und fand sie schließlich auch. Dazu gibt es eine spannende Reportage. Welche anderen Fotos erwarten Ihre Besucher?

Sens: Wir haben eine, wie ich finde, ausgesprochen abwechslungsreiche Auswahl getroffen, zum Beispiel sehen Sie den berühmten Sprung des Volksarmisten Conrad Schumann.

I: Ah, der Mauerspringer. Er war im August 1961 bei der Bewachung von Bauarbeitern, die die Mauer errichteten, selbst vom Osten in den Westen geflüchtet.

Sens: Ja, das Bild ging damals durch die Medien. Wir haben in unserer Ausstellung das Foto mit einer Unterschrift von Schuman.

I: Aber zu noch größerer Berühmtheit kam sicherlich der sozialistische Bruderkuss, den Sie auch präsentieren.

Sens: Das ist ein Foto aus dem Jahr 1979, von Erich Honecker und Leonid Breschnew nach einer Rede anlässlich des 30. Jahrestages der DDR. Das Foto war später die Grundlage für das weltbekannte Bruderkussgemälde an der East-Side-Gallery. Der Moskauer Maler Dmitri Vrubel hatte es im Frühjahr 1990, also nur wenige Monate nach der Öffnung der Mauer, aufgetragen. Er und 117 weitere Künstler aus 21 Ländern gestalteten damals auf einem 1316 Meter langen Mauerabschnitt ihre Sicht auf den Fall der Mauer.

I: Mittlerweile ist die East-Side-Gallery die größte Freilichtgalerie der Welt. Doch zurück zu Breschnew und Honecker. Mich irritiert und fasziniert gleichermaßen die Symbolik dieser Aufnahme.

Sens: Der sozialistische Bruderkuss war sicherlich eine sehr drastische Form. Umarmungen oder Küsse auf die Wange waren ja normal und sind heute noch an der Tagesordnung, ein Kuss auf den Mund hingegen ist doch sehr speziell.

I: Was ist das Ziel ihrer Ausstellung? Geht es Ihnen um die Geschichten hinter den Fotos – um Politik, um die Darstellung von Macht?

Sens: Sicherlich das, aber wir wollen mehr. Wir betreiben mit dieser Ausstellung vor allem aktive Erinnerungskultur. Es ist die Möglichkeit, die Perspektive zu erweitern, also weg vom aktuellen tagespolitischen Geschehen hin zu den ganz großen Fragen.

I: Und daher haben Sie in Ihrer Auswahl nicht nur Fotos mit politischer Aussage ... es sind ja auch Hollywood-Größen wie zum Beispiel Marylin Monroe vertreten.

Sens: Wer behauptet denn, dass dieses Foto nicht auch eine politische Dimension hat?

I: Die Monroe ist eine Hollywood-Ikone, sie ist Filmstar, Fotomodell ...

Sens: Wenn Sie sich für dieses Foto des „Time-Magazins" aus dem Jahr 1953 etwas Zeit nehmen, dann sehen Sie bestimmt noch sehr viel mehr als Hollywood. Dieser spezielle Blick der Monroe fordert doch geradezu auf, über Weiblichkeit, das Rollenverständnis der Geschlechter, ja über unsere Gesellschaft nachzudenken.

I: Ja, und ein ganz anderes Thema greifen Sie mit den Katastrophen-Fotos auf ...

Sens: In den letzten Jahren häufen sich Naturkatastrophen. In Japan, Chile, Haiti, China, in Indien und Pakistan kosteten Beben und Flutwellen immer wieder unzählige Menschenleben.

I: Einige Fotos der Ausstellung zeigen zum Beispiel Überlebende des Taifuns Haiyan.

Sens: Ja. Das war 2013 einer der stärksten tropischen Wirbelstürme, der seit Beginn der Wetteraufzeichnungen beobachtet wurde. Haiyan verursachte große Schäden und eine große Zahl von Opfern auf den Philippinen.

I: In der Provinz Leyte waren 10.000 Tote zu beklagen. Über vier Millionen Menschen waren obdachlos und benötigten dringend Hilfe. Das sind jedoch nicht die einzigen Katastrophenbilder Ihrer Ausstellungen. Kommen wir zu ...

4 6

c)

Moderator: Herr Kiontke, vielen Dank, dass Sie sich die Zeit für unsere Hörerinnen und Hörer nehmen.

Kiontke: Das mache ich gern.

Mod: asphericon ist eine Ausgründung aus der Friedrich-Schiller-Universität Jena, das heißt Ihre Diplomarbeit war Grundlage einer Geschäftsidee. Mittlerweile haben Sie mehr als 100 Mitarbeiter. Sie sind kein Jungunternehmer mehr.

Kiontke: Ja, wir sind seit über zehn Jahren erfolgreich am Markt.

Mod: Was treibt Sie an, was fasziniert Sie an der technischen Optik?

Kiontke: Der Anspruch, in diesem Feld mitspielen zu können. Genauigkeit, Sauberkeit in der Fertigung, die vielfältigen physikalischen Effekte, die es zu kontrollieren gilt. Das sind Herausforderungen, die Spaß machen.

Mod: Sie schauen immer so nach vorn, wirken optimistisch. Ist die Optikbranche ein Feld mit Zukunft?

Kiontke: Optimismus gehört zum Job. Die Optikbranche ist Grundlage für viele andere Branchen, man spricht deshalb auch von *enabeling technology*. Ohne Optik läuft heutzutage nicht mehr viel und das wird zukünftig eher zunehmen. So gesehen brauchen wir uns keine Sorgen zu machen.

Mod: Das Wort Photonik scheint Konjunktur zu haben. Wie ist das Verhältnis zwischen asphericon und Photonik?

Kiontke: Ja, wir sind ein Teil der Photonik. Es geht ja dabei um die Wissenschaft vom Licht. Und wir stellen Produkte her, die die Nutzung von Licht ermöglichen.

Mod: Sie fertigen aber keine normalen Linsen, sondern sogenannte Asphären. Können Sie das unseren Hörern und Hörerinnen möglichst einfach in zwei, drei Sätzen erklären?

Kiontke: Die Oberfläche gewöhnlicher Linsen, also sogenannter Sphären ist wie ein Teil einer Kugel – überall gleich rund und gleich gekrümmt. Asphären hingegen ändern ihre Oberflächenkrümmung von der Mitte zum Rand.

Mod: Also eine Art Berg-Tal-Landschaft, die Sie fertigen, oder?

Kiontke: Ja genau.

Mod: Worin liegt der konkrete Vorteil von Asphären gegenüber normalen Linsen? Und welche Einsatzgebiete eröffnen sich mit diesen?

Kiontke: Man kann Linsen einsparen, das heißt Geräte werden kompakter und leichter, beim Beamer ist das beispielsweise der Fall. Heutzutage sind die recht leicht und damit auch transportabel. Das liegt v. a. an der Einsparung von Linsen. Es gibt hunderte Technologien, die nur mit Asphären funktionieren – wer sich die Retina im Auge anschauen will, der braucht zum Beispiel Asphären. Es gibt so viele Einsatzgebiete, das lässt sich hier gar nicht aufzählen ...

Mod: Darauf gehen wir vielleicht später etwas genauer ein. Zurück zur Firma. Sie sitzen ja in einer Stadt, die jedem technischen Optiker, nicht nur in Deutschland bekannt sein dürfte. Ihr Standort ist in Jena. Hat das Vorteile und gibt es Kontakt zu den anderen Firmen vor Ort, also zu Zeiss, Jenoptik, ...

Kiontke: Wir profitieren davon, alle gemeinsam am Standort zu sitzen. Da gibt's gemeinsame Projekte, Austausch, das passt schon. Nicht zu unterschätzen ist der Punkt, dass es viel Fachpersonal anzieht, wovon wir wiederum als mittelständische Firma profitieren.

Mod: Merken Sie den Fachkräftemangel?

Kiontke: Wir merken das tagtäglich. Das Problem ist nicht neu und Optonet, das Bildungszentrum, die Universität hier in Jena, natürlich auch die Fachhochschule und die Firmen vor Ort arbeiten gemeinsam daran. Das Thema wird uns in den kommenden Jahren noch sehr beschäftigen.

Mod: Bilden Sie auch aus?

Kiontke: Ja, natürlich. Derzeitig sind es fünf Auszubildende als Feinoptiker und eine große Anzahl Studierende, die wir bei Praktika, Bachelor- und Masterarbeiten betreuen. Und mittlerweile haben wir auch eine Kooperation mit einer Schule.

Mod: Aber wahrscheinlich ziehen Sie eher männliche Interessenten an?

Kiontke: In Ausbildung sind derzeitig tatsächlich eher die Männer vertreten, was mich auch etwas verwundert, da wir normalerweise nicht diese Verteilung haben. In der Firma haben wir einen vergleichsweise hohen Frauenanteil.

Mod: Wie sind die Berufsperspektiven als technischer Optiker bzw. Optikerin?

Kiontke: Fachpersonal ist schon extrem gefragt. Das steht außer Frage und diese Branche hat einiges zu bieten, auf jeden Fall sehr gute berufliche Perspektiven.

Mod: Und wie sehen Sie Ihre Perspektiven? Also lassen Sie uns in die Zukunft schauen, vielleicht so zehn Jahre. Wo sehen Sie asphericon?

Kiontke: Auf jeden Fall in Jena.

Mod: Ok. Sie sind ja recht schnell ...

4 7

Mod: Ok. Sie sind ja recht schnell gewachsen. Am Anfang waren Sie sicherlich für alles zuständig, d. h. Sie haben in der Fertigung und im Vertrieb gleichzeitig gearbeitet.

Kiontke: Ja, am Anfang war das schon so.

Mod: Und jetzt? Aus welchen Abteilungen setzt sich denn die Firma aktuell zusammen?

Kiontke: An der Spitze steht die Geschäftsführung, bestehend aus zwei Geschäftsführern. Untergeordnet sind Produktion, Vertrieb, Verwaltung und F&E, also Forschung und Entwicklung.

Mod: Und diese Abteilungen sind natürlich nochmals aufgegliedert, richtig?

Kiontke: Ja, natürlich. Der Vertrieb setzt sich u. a. aus Marketing und Kundenbetreuung zusammen, die Produktion besteht aus Fertigung und Versand und so weiter und so fort.

Mod: Lassen Sie uns über Forschung und Entwicklung ...

Kompetenztraining 1

2 1

a)

Hoffmann: Studienberatung, Hoffmann am Apparat.

Ruffo: Guten Tag Frau Hoffmannn. Hier spricht Stefano Ruffo. Ich möchte mich an Ihrer Universität bewerben und habe gesehen, dass ein Motivationsbrief verlangt wird. Dazu habe ich ein paar Fragen.

Hoffmann: Prima, bitte fragen Sie.

Ruffo: Also, ich habe so einen Brief noch nie geschrieben. Was muss ich denn da schreiben?

Hoffmann: Im Motivationsbrief haben Sie die Chance, sich selbst, Ihre Studien- und späteren Berufsziele und Ihre Motivation für den Studienplatz darzustellen.

Ruffo: Muss ich formal etwas beachten?

Hoffmann: Nein, eigentlich nicht. Es gibt keine formalen Kriterien. Sie können also alles frei gestalten und haben damit die Möglichkeit, sich von anderen abzuheben.

Ruffo: Wozu braucht die Hochschule eigentlich den Motivationsbrief?

Hoffmann: Wir überprüfen mithilfe des Briefes neben der Motivation auch die Argumentationsfähigkeit, den schriftlichen Ausdruck und die Rechtschreibung. Das hilft bei der Entscheidung, wer den Studienplatz erhält – und wer nicht. Aus dem Brief sollten also eine deutliche Motivation und klare Studien- und Berufsziele hervorgehen.

Ruffo: Was heißt das konkret?

Hoffmann: Sie sollten auf jeden Fall darstellen, warum Sie sich z. B. für den Master entschieden haben und welche Studieninhalte Sie interessant finden. Außerdem auch, welche Fähigkeiten und praktischen Erfahrungen Sie bisher erworben haben, beispielsweise in Praktika. Vielleicht haben Sie ja auch schon spezielle Interessen oder Themen in der Bachelor-Arbeit bearbeitet und möchten sie jetzt gerne im Master vertiefen? Wichtig ist auch, welche beruflichen Ziele Sie mit dem Studium verfolgen. Schön ist es auch, wenn Sie persönliche Interessen einfließen lassen.

Ruffo: Oh je, das klingt schwer.

Hoffmann: Ja, das ist auch gar nicht so einfach. Sie sollten sich ein bisschen Zeit dafür nehmen.

Ruffo: Gibt es dazu gute Seiten im Internet, die Sie empfehlen können?

Hoffmann: Es gibt sicher viele nützliche Tipps, die Sie sich anschauen können, aber bitte: schreiben Sie die Formulierungen auf keinen Fall ab, sondern formulieren Sie alles selbst. Briefe mit Textbausteinen fallen auf und werden in der Regel sofort aussortiert. Niemand möchte so etwas lesen. Gut ist es, wenn Sie sich zuerst ein paar zentrale Fragen überlegen und Argumente dazu sammeln: Was qualifiziert mich z. B. für den Master? Warum passe ich in das Studienprogramm? Was motiviert mich wirklich? Welche Ziele möchte ich erreichen?

Ruffo: Hm, gut, danke erstmal für die Infos. Das hilft mir schon sehr weiter.

Hoffmann: Bitte, gerne.
Ruffo: Tschüß und einen schönen Tag.
Hoffmann: Danke, Ihnen auch. Auf Wiederhören.

4 **1**

c)

Interviewer: Frau Prof. Dr. Fuchs, seit wann gibt es die Shell-Jugendstudie und was ist das Anliegen?
Fuchs: Die Shell-Jugendstudie gibt es schon seit 1953. Im Auftrag des Unternehmens erforschen unabhängige Institute die Lebenssituation von Jugendlichen, ihre Gewohnheiten, ihr Verhalten und ihre Einstellungen.
I: Was sind denn die wichtigsten Ergebnisse der 16. Shell-Jugendstudie?
Fuchs: In der neuen Studie präsentiert sich eine Generation von Jugendlichen mit einer sehr optimistischen Grundhaltung. Trotz der Wirtschafts- und Finanzkrise sind diese Jugendlichen sehr zuversichtlich und gehen mit Lebensmut und Energie an ihre Aufgaben heran.
I: Welches Ergebnis hat Sie persönlich am meisten überrascht?
Fuchs: Hm, dass trotz der Krisen Jugendliche keine Angst vor der Zukunft haben, sondern sich den politischen, gesellschaftlichen und wirtschaftlichen Aufgaben stellen. Man spürt den Lebensmut dieser Generation.
I: Wie stehen denn die Jugendlichen gegenwärtig zum Thema Klimawandel und wie gehen sie damit um?
Fuchs: Das Thema ist im Bewusstsein der Jugendlichen angekommen. Viele wollen etwas zum Schutz des Klimas tun, z. B. Energie sparen, vielleicht ein kleineres Auto fahren, das weniger Benzin verbraucht. Es ist interessant, dass sich diese Haltung durch alle sozialen Schichten von Jugendlichen zieht.
I: Gibt es seit der 15. Shell-Jugendstudie Veränderungen in der Lebenseinstellung?
Fuchs: 2006 hatten die Jugendlichen mehr Ängste und sie fühlten sich einem stärkeren Druck ausgesetzt. Heute ist es der Optimismus und das Gefühl, Chancen zu haben, etwas aus sich machen zu können. Die jetzige Generation ist leistungsorientiert und hat einen ausgeprägten Sinn für soziale Beziehungen.
I: Wie wird so eine Studie überhaupt durchführt?
Fuchs: Es wurden Jugendliche im Alter von 12 – 25 Jahren befragt. Von 2600 Jugendlichen wurde eine repräsentative Stichprobe gebildet. Außerdem wurden 20 Portraits gemacht, d. h. Jugendliche erhielten die Möglichkeit, sich selber darzustellen. Zu diesem Zweck wurden sie in ihrem Lebensumfeld besucht.
I: Wo kann man sich über die Ergebnisse informieren?
Fuchs: Schauen Sie im Netz unter www.shell.de.
I: Vielen Dank für das Interview.

6 Global handeln

3 **1**

b)

Moser: Hallo zusammen. Wir vom Schülerrat freuen uns sehr über euer Interesse an *Jugend debattiert.* Bevor wir in die Fragerunde gehen, möchte ich euch gern ein paar Informationen zu Jugend debattiert geben. Keine Angst – ich fasse mich kurz und dann geht's auch gleich los mit konkreten Aufgaben. Bei einer Debatte sind die Redebeiträge organisiert, es gibt also feste Regeln. Erstens: Nicht jeder kann sprechen, wenn er Lust dazu hat ... genau und zweitens: man muss auch nicht unbedingt die eigene Meinung vertreten.
Schüler 1: Was soll'n das bringen?
Moser: Durch eine Debatte kann man herausfinden, was für oder auch gegen eine Entscheidung spricht und welche Argumente am meisten überzeugen. Außerdem ist es wirklich wichtig, dass man sich auch mal in eine andere Position reindenken und diese dann auch noch vertreten muss. Das macht nicht nur Spaß, sondern erweitert vor allem eure Perspektive. Und darum geht es halt bei *Jugend debattiert.*
Schüler 2: Soll es heute in der Caféte Spaghetti Bolognese oder Pizza geben? Ich bin zwar nicht für Pizza, aber lasst uns doch gleich mal darüber debattieren.
Moser: Na ja, ist schon richtig. Nicht jede Frage löst gleich 'ne Debatte aus. Aber wenn es um wirklich wichtigen Fragen geht, weil die Antwort viele Menschen betrifft oder diese nicht sofort auf der Hand liegt, dann lohnt es sich schon zu debattieren. Ich gebe am besten Mal ein kleines Beispiel: Sollte es Noten in der Schule geben? Ja oder Nein?
Schüler 1: Nein! Abschaffen!
S2/S3/S4: Abschaffen, abschaffen.
Schüler 6: Aber hallo! ... und wie willst du dann zum Studium zugelassen werden?
Schüler 5: Das ist sinnlos, denk doch mal nach ...

3 **1**

c)

Moser: Stopp, Stopp, Stopp. Und genau deshalb gibt es Regeln. Ich erkläre euch jetzt nur noch den Aufbau und dann könnt ihr Fragen stellen. Also eine Debatte, die im Rahmen von *Jugend debattiert* durchgeführt wird, besteht gewöhnlich aus drei Teilen: In der Eröffnungsrunde beantwortet jeder Teilnehmer die Streitfrage aus seiner Sicht. Jeder Sprecher hat maximal zwei Minuten.
Schüler 1: Das ist ja gar nichts.
Schüler 3: Sei doch mal ruhig...
Moser: Dann kommt die freie Aussprache, so ca. zwölf Minuten. Hier werden weitere Argumente gebracht und miteinander abgeglichen. Und in der Schlussrunde hat dann jeder Teilnehmer noch einmal die Möglichkeit, die Streitfrage ein zweites Mal zu beantworten: Diesmal im Kontext all der Argumente, die er gehört hat. Es dürfen aber keine neuen Argumente vorgebracht werden.

Schüler 1: Und was, wenn einfach jemand weiterspricht?
Moser: Auch dafür gibt es Regeln. Da passt ein Schüler oder eine Schülerin auf. Fünfzehn Sekunden vor Ablauf der Redezeit wird ein Signal gegeben. Im Wettkampf bei *Jugend debattiert* ist das ein Klingelzeichen. Ihr könnt euch aber auch etwas anderes einfallen lassen. Ja und wenn dann die Redezeit überschritten wird, dann kommt ein weiteres Klingelzeichen und wenn das auch nicht hilft ...
Schüler 1: ... tragen wir ihn raus
Schüler 2: ... oder machen das Licht aus.
Moser: Keine schlechte Idee, aber dann verpasst du den Hauptteil. Bei *Jugend debattiert* wird das Weitersprechen einfach mit einem andauernden Klingelzeichen unterbunden.

3 1

d)
Schüler 1: Und was machen wir am Montag beim ersten Treffen? Geht's da gleich richtig zur Sache?
Moser: Geplant ist die Arbeit an einer Eröffnungsrede, na ja und wir starten auch schon erste kleine Debattierversuche. Aber dazu kann Frau Kiefner, die unsere Ansprechpartnerin und Betreuerin im Debattierclub sein wird, mehr sagen.
Kiefner: Schön, dass so viele von euch gekommen sind. Ich bin richtig stolz, dass unsere Schule am Wettbewerb teilnehmen will und dass wir das auch bewerkstelligen können – bei so viel Interesse. Also, lange Rede, kurzer Sinn. Am Montag starten wir mit dem ersten Teil der Debatte, der Eröffnungsrede. Wir halten dann auch schon nach ein, zwei Stunden Vorbereitung – ja so lange wird's dauern – unsere erste Eröffnungsrede. Wir arbeiten in Gruppen. Immer vier Schüler und Schülerinnen bekommen eine ganz bestimmte Aufgabe. Rede und Gegenrede wechseln dabei einander ab. Konkret heißt das, dass der erste Pro-Redner zunächst einmal die Entscheidungsfrage und dabei auch gleich das wichtigste Argument darlegt. Die Person führt also ins Thema ein. Es folgt dann der erste Contra-Redner und ihr könnt euch sicherlich denken, was der macht ... Was meint ihr?
Schüler 1: Na, der sucht die Schwachstellen des Vorredners, ganz klar.
Schüler 2: Ja, und der geht vor allem kritisch auf das Argument ein. Das will er ja entkräften.
Kiefner: Genau, darum geht's. Das bedeutet also, dass man als erster Contra-Redner nicht schlafen darf. Man muss sehr genau zuhören, um eine passende Stelle zu finden, wo man ein Gegenargument platzieren kann. Und man muss natürlich auch das Hauptargument durchdenken und möglichst eine Strategie finden, dieses zu entkräften. Ihr müsst euch also Notizen machen. Es lässt sich nicht alles im Vorfeld vorbereiten.
Schüler 2: Ja, aber da hat's ja der dritte Sprecher noch schwerer ...
Kiefner: Stimmt. Der darf auch nicht schlafen ... Du hast natürlich vollkommen Recht. Der zweite Pro-Redner muss nicht nur auf Fehlendes aufmerksam machen, sondern geht auch auf Schwächen bzw. Ungenauigkeiten in der Argumentation des Vorredners ein. Dazu muss er sich während der Rede Notizen machen und überlegen, wie er die Zuhörer am besten überzeugen kann. Aber wie gesagt – nur zwei Minuten für jeden. Da muss man sich kurz fassen. Es geht aber auch in der Eröffnungsrede nicht darum, alle Argumente anzubringen oder diese umfassend zu diskutieren. Das ist nämlich das Ziel der freien Aussprache. Aber jetzt erst einmal zurück zur Eröffnungsrede. Der zweite Gegenredner schließt die Runde, indem er den strittigsten Punkt anbringt und einen Abschlusssatz formuliert.
Schüler 1: Und was soll das für ein Satz sein?
Kiefner: Das nennt sich bei *Jugend debattiert* Zielsatz. Den leitest du zum Beispiel so ein: In einem Satz ließe sich die Frage wie folgt formulieren ... ja und dann formulierst du die Frage. Das klingt sicherlich alles recht schwierig und das ist es auch am Anfang. Eure Köpfe werden glühen, aber ihr lernt dabei, schnell zu denken, euch gut auszudrücken und Argumente zu verkaufen.

3 2

a)
Lukas: Weltweit haben 2,4 Milliarden Menschen einen Internetzugang, das entspricht in etwa einem Drittel der Weltbevölkerung. Das Internet ist damit das wichtigste Kommunikationsmedium. Daraus ergibt sich zwangsläufig die Frage, wie Schulen mit dieser Entwicklung umgehen. Wie viel Internet brauchen wir und in welcher Form? Sind internetfähige Smartphones eine Bereicherung für den Unterricht oder nicht? Dies stellt eine offene Frage dar. Ich spreche mich für den Erhalt eines Smartphone-Verbotes in den Klassenräumen aus ...

b)
Lukas: Weltweit haben 2,4 Milliarden Menschen einen Internetzugang. Das entspricht in etwa einem Drittel der Weltbevölkerung. Das Internet ist damit das wichtigste Kommunikationsmedium. Daraus ergibt sich zwangsläufig die Frage, wie Schulen mit dieser Entwicklung umgehen. Wie viel Internet brauchen wir und in welcher Form? Sind internetfähige Smartphones eine Bereicherung für den Unterricht oder nicht? Dies stellt eine offene Frage dar. Ich spreche mich für den Erhalt eines Smartphone-Verbotes in den Klassenräumen aus, da nur auf diese Weise das konzentrierte Arbeiten und auch ein kooperatives Miteinander möglich sind. Die Vorteile, die das Internet bietet – also zum Beispiel der Zugang zu Informationsquellen – können gern genutzt werden. Dies im Unterricht zu organisieren, ist jedoch die Aufgabe der Lehrkraft. Internetfähige Handys werden von Schülern und Schülerinnen – hier spreche ich auch aus eigener Erfahrung – gern für die Interaktion in den sozialen Netzwerken, wie Facebook oder Instagram, genutzt, so dass die Aufhebung des Handyverbotes vor allem dazu führen würde, dass man sich von den eigentlichen Lerninhalten ablenken lässt.

Anna: Die Behauptung, dass ein Handyverbot in der Schule nötig ist, ist aus meiner Sicht nicht haltbar. Wirtschaftliche, vor allem doch aber auch geistige Entwicklungen werden mittlerweile immer stärker vom Netz getragen. Der Teil der Welt, der nicht an der digitalen Entwicklung teilhat, muss wirtschaftliche und geistige Nachteile hinnehmen. Das heißt für mich konkret: Das Smartphone-Verbot an Schulen hat nachteilige Auswirkungen, weil Schüler und Schülerinnen nicht auf die digitale Welt vorbereitet werden. Worauf mein Vorredner bewusst nicht eingegangen ist, was ich an dieser Stelle aber aufzählen möchte, sind all die vielfältigen Möglichkeiten, die internetfähige Handys bieten: Das Internet erlaubt einen schnellen Zugang zu Informationen jeglicher Art und erleichtert die Kommunikation. Ideen und Meinungen können ausgetauscht werden. Auch gemeinsame Aktionen lassen sich planen und durchführen. Der Schnellzugriff auf Bibliotheken, Online-Datenbanken und Unterlagen ist möglich und unterstützt die Arbeit im Klassenzimmer! Wer das ernsthaft in Frage stellt, der ist noch nicht im 21. Jahrhundert angekommen und schreibt noch 100 Jahre auf Kreidetafeln. Wir leben aber im digitalen Zeitalter! Ich vertrete daher im Gegensatz zu meinem Vorredner die Meinung, dass Handys das Lernen im Unterricht fördern und die Medienkompetenz trainieren und bin daher strikt gegen das Verbot von Handys in der Schule.

Niklas: Die eben genannten Punkte, die gegen das Handyverbot sprechen, mögen an der ein oder anderen Stelle durchaus begründet sein, zu ergänzen ist aber, dass es hier doch gar nicht darum geht, über das Potenzial des Internets im Klassenraum zu debattieren. Natürlich bietet das Internet sehr viele Möglichkeiten – im Übrigen weit mehr Möglichkeiten, als meine Vorrednerin dargestellt hat – und diese sollten auch in der Schule genutzt werden. Das dann aber in Abstimmung mit der Lehrkraft und im Sinne der Lernziele. Sollten Smartphones im Klassenraum toleriert werden? Ich sage nein! Kommunikation im Zeitalter der Globalisierung kennt keine Pausen. Der Mensch braucht aber beim Lernen Ruhe, um sich konzentrieren zu können. Viele Menschen halten sich immer häufiger gleichzeitig an mehreren Orten auf: Sie sitzen im Wohnzimmer, im Café oder eben in der Schule, sind aber gleichzeitig auch „im Netz". Dadurch sind sie eigentlich nie irgendwo 100 %, was der Konzentration entgegensteht. Unsere reale Präsenz überschneidet sich mit der virtuellen. Im Hinblick auf die Schule ist das hochproblematisch. Warum gehen wir zur Schule? Nicht, um im Netz zu sein, sondern um reale Menschen in einem wirklichen Umfeld zu treffen. ... Um mit ihnen zu reden, sich auszutauschen, um voneinander zu lernen. Ich komme daher wie Lukas zu dem Schluss, dass das Handy dem Konzept Schule zuwider läuft, da es eher Ablenkung schafft, als wirkliches Lernen anzuregen.

4 6

c)

Interviewer: Herr Schätzing, Sie sind Werbefachmann. Wie finden Sie diese Mineralwasser-Werbung? Was sagt Ihr professioneller Blick?

Schätzing: Wirklich gute Werbung lebt von den unterschiedlichsten Aspekten und deren Zusammenwirken. Sprache, Bild und Szene bilden eine Einheit. Im besten Falle erreicht man den potenziellen Käufer auf einer emotionalen Ebene, bindet seine Aufmerksamkeit und schafft einen Kaufwunsch. Und diese Werbung ... nun ja. Wofür wird eigentlich geworben? Das Produkt steht zwar im Fokus, aber sind wir ehrlich – in Deutschland assoziiert man mit Wasserflaschen weder diese Form noch die Farben Braun-Orange.

I: Was hätte den anders gemacht werden müssen?

Schätzing: Alles. Zunächst: Die Werbebotschaft hätte sehr viel besser formuliert werden können. Dieses „Ich habs immer dabei" ist zu salopp und funktioniert eigentlich auch nicht. Die Schriftart ist eine Katastrophe, auch die Farbwahl – quietsch-bunte Flasche vor grauer Szenerie. Die Schrift hätte außerdem anders im Bild verortet werden müssen. Und das Produkt hätte erheblich weniger massiv in den Vordergrund gebracht werden dürfen.

I: Aber wieso? Letztendlich geht es doch um das Produkt ...

Schätzing: Natürlich tut es das – aber sehen Sie sich das Bild an. Man sieht eine riesige Flasche im Regen. Im Hintergrund erkennt man eine Bushaltestelle. Eine Person, mit der ich mich nicht identifizieren kann, trinkt Wasser. Das ergibt alles keinen Sinn. Waren Sie schon einmal bei Regen durstig?

I: Stimmt ...

Schätzing: Gute Werbung zeigt Szenen oder Menschen, mit denen ich mich identifizieren kann oder auch möchte. Die Personen hätten also viel interessanter und sympathischer in Szene gesetzt werden müssen. Und nebenbei bemerkt – die Szene hätte sehr viel sinnvoller ausgewählt werden können.

I: Ein Mann in der Wüste, kurz vorm Verdursten?

Schätzing: Nein, das wäre viel zu plakativ. Wann stehen Sie schon mal in der Wüste? Das hat doch nichts mit Ihrer Lebenswelt zu tun. Aber ich glaube, dass das eigentliche Problem beim Produkt selbst liegt. Die Farben hätten sehr viel weniger dominant eingesetzt werden dürfen. Die Flaschenform hätte ganz anders konzipiert werden müssen. Sie sehen, da gibt es einige Probleme ...

7 Das richtige Maß?

2 2

b)

Sprecher 1: Medizinische Informationen waren lange Zeit nur Ärzten und Experten vorbehalten. Die so genannte Self-Tracking-Bewegung will nun das Wissen über unseren Körper und unsere Gesundheit demokratisieren und das mithilfe neuer Technologien.

Sprecher 2: Es ist fast schon komisch: Ich weiß, wie viele Gigabyte Daten auf die Festplatte meines Computers passen: 1000. Ich weiß auch wie viele PS mein Auto auf die Straße bringt: 140. Und: Ich weiß sogar, wie das Wetter morgen wird: mäßiger Schneefall, 2 bis 3 Grad. Ich weiß so gut wie alles über die Welt, die mich umgibt. Aber wie es in mir drinnen aussieht, in meinem Körper, den ich jede Sekunde meines Lebens mit mir herumtrage, darüber weiß ich eigentlich ... nichts.

2 3

b)

Spr 2: Ich kenne nicht einmal meine Blutgruppe. Kennen Sie Ihre?

Spr 1: Wie sieht es mit Ihrem Blutzuckerwert aus oder dem Puls?

Spr 2: Wie haben Sie sich am Abend des fünften Januar 2014 gefühlt und wie hat sich Ihr Befinden seitdem verändert?

Spr 1: Fühlt sich Ihr neuer Job stressig an?

Spr 2: Wie wirkt sich das, was Sie essen, Ihre Aufenthaltsorte, Ihre Bewegung, Ihr Schlafrhythmus auf Ihren Blutdruck, die Atmung, Ihren Schlaf oder einfach nur auf Ihr allgemeines Glücksgefühl aus?

Spr 1: Das sind Fragen, die uns interessieren sollten. Das Merkwürdige ist: Wir produzieren all diese Daten. Unser Körper besteht gewissermaßen aus Daten. Wir haben allerdings nur ein vages Gefühl davon, verstehen können wir unseren Körper nur begrenzt. Zumindest nicht ohne Hilfsmittel. Die Self-Tracking-Bewegung will Abhilfe schaffen.

Spr 2: Was lässt sich alles über intelligente Anwendungen mit dem Smartphone vermessen? Welche Möglichkeiten haben wir schon heute?

Spr 1: Ruhezeiten, Stress, Temperatur.

Spr 2: Schlafzyklen, Blut-Sauerstoffgehalt, Kalorienverbrauch.

Spr 1: Sehstärke, Blutdruck, Stimmung.

Spr 2: Herzfrequenz, Bewegung, Gewicht.

Spr 1: Körperfettanteil, Hirnströme, Pulsschlag.

Spr 2: ... und das ist erst der Anfang.

Spr 1: Schon bald werden „Breathometer" – also Smartphones mit Geruchssensor – Mundgeruch, Unterzuckerung, verschiedene Allergene und andere krankmachende Substanzen über eine einfache Analyse der Luft detektieren.

Spr 2: Habe ich Krebs, Diabetes oder eine Allergie? Pusten Sie Ihr Handy an und es wird Ihnen eine erste Diagnose stellen.

3 1

b)

Alle WHO-Mitglieder treten jedes Jahr im Mai in Genf zusammen, um den finanziellen Rahmen sowie künftige Programme festzulegen. Das Sekretariat der WHO mit dem Hauptbüro in Genf und sechs Regionalbüros setzt dann die Aktivitäten der WHO um. Es wird seit dem 4. Januar 2007 von der Generaldirektorin Margaret Chan geleitet.

Es gibt sechs Verwaltungsregionen der WHO, entsprechend unterhält die Organisation sechs Regionalbüros. Ihr Sitz ist in den folgenden Städten: Für die Region Afrika befindet sich ein Büro in Brazzaville, von Kairo aus wird die Region Östliches Mittelmeer verwaltet. In Kopenhagen befindet sich das Regionalbüro für Europa, in Manila für die Region Westlicher Pazifik. Neu-Delhi unterhält ein Regionalbüro für die Region Südostasien und in Washington, D.C. befindet sich das Regionalbüro für die Region Amerika.

Die WHO ist natürlich auch bestrebt, ihre Präsenz in den Mitgliedstaaten zu verstärken. Etwa 200 Kooperationszentren und Forschungseinrichtungen unterstützen durch ihre Tätigkeiten die laufenden Programme der WHO. In Deutschland sind das zum Beispiel das Deutsche Krebsforschungszentrum in Heidelberg, das Bernhard-Nocht-Institut für Tropenmedizin in Hamburg. Außerdem gibt es zahlreiche Kooperationen mit Universitäten, so zum Beispiel mit München, Berlin, Bielefeld, Dortmund und Jena. Auch mit den Bundesämtern arbeitet die WHO in Deutschland eng zusammen. Zu diesen gehören u. a. das Bundesamt für Strahlenschutz, das Umweltbundesamt und das Bundesamt für Verbraucherschutz und Lebensmittelsicherheit.

Die WHO hat viele Welttage beschlossen oder sie unterstützt von anderen internationalen Organisationen initiierte Welttage. Zu diesen zählen u. a. der 7. April – das ist der Weltgesundheitstag, der 31. Mai – der Weltnichtrauchertag, der 14. Juni – das ist der Weltblutspendetag, der 14. November – Weltdiabetestag ... und auch der 1. Dezember – der Welt-Aids-Tag.

4 1

b)

Interviewer: Entschuldigung, haben Sie kurz Zeit?

Maik: Natürlich, wofür denn?

I: Wir sind von Radio FTM und sammeln Erfahrungen und Meinungen zum Thema Lernen.

Maik: Okay.

I: Uns interessiert, warum man auch noch im mittleren und höheren Alter Dinge lernt, vor allem auch, was und wie.

Maik: So ein Zufall, ich lerne nämlich gerade etwas, was mir sehr den Alltag erleichtert und mich zugegebenermaßen auch fasziniert.

I: Worum geht's?

Maik: ... um's Thema Klarträumen. Das ist eine spezielle Technik, die zum einen Entspannung verspricht und daher therapeutisch genutzt wird, zum anderen hat sie Eingang in den Leistungssport gefunden. Ich selbst hatte viele Jahre lang Schlafstörungen aufgrund unangenehmer Albträume. Letztes Jahr war ich dann in Berlin im Schlaflabor der Charité und habe einen interessanten Arzt kennengelernt, der mir die Technik näher gebracht und sehr empfohlen hat.

I: Was ist Klarträumen?

Maik: Man lernt, Träume bewusst zu steuern. Man ist sich sozusagen klar darüber, dass man träumt und kann dann die Situation aktiv umgestalten. In meinem Fall war es wichtig, aus dem Albtraum herauszufinden. Mittlerweile schlafe ich viel besser ...

I: Entschuldigung, haben Sie kurz Zeit? Wir sind von Radio FTM und machen eine Umfrage zum Thema Lernen.

Lernen Menschen auch im mittleren und höheren Alter? Was lernen sie und warum?

Sylvia: Na logisch lernen auch Ältere! Komische Frage. Ich hab zum Beispiel mit 40 begonnen, Gitarre zu spielen.

I: War das ein lang gehegter Wunsch?

Sylvia: Ja, ein Kindheitstraum, der sich jedoch in meiner Familie nicht umsetzen ließ. Meine Eltern waren und sind sportbegeistert. Bei uns gab es nur Sport, aber keinen Musikunterricht. Dann hatte ich selbst erst einmal mit meinen Kindern zu tun. Da war einfach wenig Zeit für Hobbys, aber jetzt leiste ich mir das.

I: Wie geht es Ihnen mit Ihrem neuen Hobby?

Sylvia: Zum einen ist das Spielen sehr entspannend. Zum anderen fördert es auch meine Konzentration. Es sind ja völlig neue Bewegungsmuster, die man erlernt. Mir tut das gut!

I: Es gibt ja Studien, die besagen, dass man bereits nach einer Stunde Üben ...

I: Und was meinen Sie zum Thema Lernen im Alter?

Sieglinde: Ich finde nicht, dass Lernen nur der Jugend vorbehalten ist! Ich bin jetzt 82 Jahre alt und hab mir das Ziel gesetzt, jeden Tag was Neues auszuprobieren.

I: Aha, und was ist das heute?

Sieglinde: Ich geh gerade zum Computerkurs.

I: Toll. Warum tun Sie das?

Sieglinde: Ich möchte den Kontakt zu meiner Familie und meinen Freunden so eng wie möglich halten und dazu gehört eben heute, dass man skypt oder mailt. Ich verwalte Fotos online in einer Cloud, ich bin bei Facebook – nur Selfies finde ich ziemlich komisch, weil das alle machen.

I: Wie kommen Sie mit der Technik klar?

Sieglinde: Ach, mittlerweile erstaunlich gut. Aber ich bin von Natur aus eben auch neugierig.

8 Vielfalt im Wandel

2 5

a)

Student: Hallo zusammen! Ich bin Jan Köhler und in meinem Referat geht es zunächst um den Begriff „Vielfalt“ – dabei will ich erläutern, was damit gemeint ist und welche Aspekte von Vielfalt besondere Relevanz für die Gesellschaft von heute haben.

Vielfalt bezeichnet, ich zitiere, „eine Fülle verschiedener Ausprägungen wie Form, Farbe, Größe oder anderer Eigenschaften eines Konzepts oder einer Objektklasse“. Das klingt ziemlich abstrakt. Deshalb hier einige Beispiele: In der Natur spricht man von Artenvielfalt oder auch Biodiversität. Gemeint sind alle Lebewesen unseres Planeten im Großen oder die Lebewesen eines einzelnen Lebensraums im Kleinen. Seit man mehr über die Abhängigkeiten aller Lebensformen weiß, gilt die Artenvielfalt als schützenswert. Leider nehmen die Beschädigung und der Abbau der Artenvielfalt in den meisten Lebensräumen zu. Das bedeutet, statt mehr Beachtung zu finden, werden die Umwelt und viele Lebensformen zerstört.

Auch in der Wirtschaft wird über Vielfalt diskutiert. Hier taucht sie vor allem unter dem Begriff „Diversity-Management“ auf. In der Vergangenheit haben Qualitätsstandards und die Suche nach den idealen Mitarbeiterinnen und Mitarbeitern für eine zunehmende Konformität in der Arbeitswelt gesorgt. Heute beschäftigen sich große Unternehmen damit, Maßnahmen zur Förderung der Vielfalt der Beschäftigten zu entwickeln. Um mehr Frauen in Führungspositionen zu bringen, haben sie z. B. eine Frauenquote eingeführt, d. h. im Management müssen mehr Posten mit Frauen besetzt werden. Oder die Unternehmen stellen gezielt 50-plus-Bewerberinnen und -bewerber, also ältere Menschen ein. Die Gründe dafür sind auch wieder „vielfältig“: zum einen spielen Überlegungen eine Rolle, wie möglichst viele Menschen ins Arbeitsleben integriert werden können. Und vor allem, wenn Fachkräfte fehlen, geht es sicher auch darum, die Produktivität eines Unternehmens zu erhalten, indem Männer und Frauen, ältere und jüngere, aus dem In- oder Ausland an Arbeitsprozessen beteiligt werden.

Schon dieser kurze Überblick zeigt, dass der Begriff Vielfalt viele Aspekte hat und damit Diskussionen zu ganz unterschiedlichen gesellschaftlichen Phänomenen eröffnet ...

4 2

a)

Sehr geehrte Damen und Herren, meine Name ist Dorothea Richter, ich arbeite seit 2007 als Diversity-Management-Beraterin für LPM Novak und freue mich, heute zu einigen ausgesuchten Aspekte von Vielfalt im Unternehmen vortragen zu können.

Das wichtigste vorab: Immer mehr Unternehmen unterzeichnen die Charta! Wie Sie wissen, fing alles im Jahre 2006 mit vier Gründungsunternehmen an. Gegenwärtig sind es 1250 Unterzeichner. Ich darf Ihnen mitteilen, dass weitere 120 neue Unternehmen planen, die Charta zu unterzeichnen.

Natürlich fragt man sich vor dem Hintergrund dieser Zahlen, ob Menschen tatsächlich bessere Chancen auf dem Arbeitsmarkt dank der Initiative haben? Folgen der Unterschrift in der Charta Veränderungen in der Zusammensetzung der Mitarbeiterinnen und Mitarbeiter in den Unternehmen? Wenn die Zahl der Unterzeichner wächst, erwartet man, dass die Chancen für alle auf dem Arbeitsmarkt steigen. Das wäre auch wegen der demographischen Entwicklung in Deutschland dringend notwendig.

Ich möchte also statistische Daten zu den erwerbsfähigen Menschen und zu ihrem Zugang zum Arbeitsmarkt analysieren und dabei Ihr besonderes Augenmerk auf die Faktoren Geschlecht und Behinderung richten. Die genauso bedeutsamen Merkmale wie Migrationshintergrund oder Religion lasse ich heute unberücksichtigt. Zum Schluss möchte ich einige Anregungen für die Inklusionspraxis formulieren und beantworte dann gern Ihre Fragen.

Zunächst zur Ausgangslage und den demographischen Zahlen: Bei einem alternden und schrumpfenden Arbeitskräfteangebot wie in Deutschland geht es darum,

Personal unabhängig von Geschlecht, Alter, Behinderung oder ethnischer Herkunft zu gewinnen, kontinuierlich zu qualifizieren und in den verschiedenen Lebensphasen arbeitsfähig zu halten. Dabei ist zu beachten: Den Unternehmen, die sich um Vielfalt bemühen, geht es nicht um soziale Gerechtigkeit. Sie verfolgen ganz klar ökonomische Ziele. Es gilt, den Arbeitskräftemangel zu überwinden, indem arbeitsfähige Menschen, die bisher weniger Chancen auf dem Arbeitsmarkt hatten, gezielt integriert werden.
Zurück zu meiner Eingangsfrage. Wird die Chancengleichheit am Arbeitsmarkt durch die Charta größer? Nimmt also die Vielfalt – wie eingangs erwähnt – mit der steigenden Zahl der Unterzeichner der Charta zu? Dies lässt sich schwer einschätzen, ohne die Statistiken zu prüfen. Lassen Sie uns also dies an einigen ausgesuchten Zahlen überprüfen:
Kinder und Karriere miteinander zu vereinbaren, stellt für viele Mütter und Väter eine große Herausforderung dar. Wie Sie in der Grafik sehen können, beträgt der Anteil der erwerbstätigen Frauen mit Kindern in Vollzeitbeschäftigung gerade mal 33 Prozent. Dahingegen arbeiten fast 95 Prozent der Männer mit Kindern in Vollzeit. Was können wir daraus ablesen? Erstens: Frauen sind nach wie vor hauptverantwortlich für die Kindererziehung. Zweitens: Mütter verzichten auf Karriere und arbeiten – wenn überhaupt noch – dann oft in Teilzeitmodellen. Tatsache ist auch, dass dieses Ungleichgewicht der Geschlechter nicht vornehmlich auf persönlicher Entscheidung beruht, sondern vielmehr gesellschaftliche Missstände widerspiegelt: Zum einen verdienen Frauen in Deutschland deutlich weniger als Männer – und daraus folgt, dass der besserverdienende Mann im Beruf bleibt, während die Frau mit den Kindern zu Hause ist. Zum anderen fehlen oft Betreuungsangebote, die eine Vollzeitbeschäftigung möglich machen, vor allem in den alten Bundesländern. Erwähnenswert ist jedoch, dass Frauen mit Kind 2013 in Deutschland häufiger als im EU-Durchschnitt arbeiteten, dies dann aber – wie gesagt – in Teilzeit. Mehr Mütter, die in Teilzeit beschäftigt waren, gab es EU-weit nur in den Niederlanden mit 86 Prozent.
Kommen wir zur Zahl der Arbeitslosen mit Behinderung. Es zeigt auch hier eine deutliche Chancen-Ungleichheit. Sie sehen in diesem Kurvendiagramm, dass diese Bevölkerungsgruppe mit fast 15 Prozent fast doppelt so oft von Arbeitslosigkeit betroffen ist wie Nichtbehinderte. Dabei wurden in der Statistik nur arbeitsfähige Behinderte berücksichtigt. Wie Sie dem Verlauf der beiden Kurven entnehmen können, sinkt die Zahl der Arbeitslosen in Deutschland seit 2009 kontinuierlich, bei Arbeitnehmern mit Behinderung zeichnet sich jedoch eine Stagnation ab und dies – das möchte an dieser Stelle betonen – TROTZ des Umstandes, dass im März 2009 die UN-Behindertenrechtskonvention in Deutschland in Kraft getreten ist und als geltendes deutsches Recht eigentlich umgesetzt werden müsste. Die gesetzlichen Vorgaben sind klar: Unternehmen in Deutschland mit mehr als 20 Mitarbeitern müssen mindestens 5 Prozent ihrer Arbeitsplätze mit Menschen mit Behinderung besetzen. Während große Unternehmen häufig einen deutlich größeren Anteil als 5 Prozent vorweisen können, besetzen kleine und mittelständische Unternehmen gerade mal die Hälfte ihrer Pflichtarbeitsplätze.
Circa 37.000 der deutschen Arbeitgeber haben keinen einzigen Mitarbeiter mit Behinderung. Das entspricht einem Anteil von 26 Prozent.
Zufriedenstellend sind diese Zahlen definitiv nicht. Und dennoch – wenn sich die Unternehmen nicht zunehmend zur Vielfalt verpflichten würden, wäre die Situation mit Sicherheit noch weitaus unerfreulicher. Was ist zu tun? Dem Versprechen der Unterzeichner müssen konkrete Maßnahmen folgen. Das heißt, die Unterzeichner der Charta müssen bessere Bedingungen für Frauen mit Kindern und für Menschen mit Behinderung in ihren Unternehmen schaffen, dazu gehört zum Beispiel ...

9 UmWelt und Technik

1 5

a)

Moderator: Nach den Nachrichten kommen wir nun zu unserem Gespräch mit Frau Wertner-Scholl, kommissarische Leiterin der Abteilung Klimapolitik am Wuppertal-Institut. Schön, dass Sie zu uns ins Studio kommen konnten.

Wertner-Scholl: Danke, ich freue mich hier zu sein.

Mod: Bevor wir im Detail auf das Potenzial erneuerbarer Energien eingehen, sollten wir uns doch erst einmal einen kurzen Überblick verschaffen, was denn überhaupt fossile, nukleare und erneuerbare Energieträger sind.

WS: Grundsätzlich unterscheidet man drei große Gruppen von Energieträgern, die uns zur Deckung unseres Energiebedarfs, also zur Stromerzeugung, zur Verfügung stehen. Sie haben es erwähnt, man unterscheidet zwischen fossilen, nuklearen und regenerativen Energien.

Mod: Gut, aber Sie sprechen von regenerativ, nicht von erneuerbar? Ist das synonymisch zu verstehen?

WS: Ja, man verwendet auch den Begriff der alternativen Energie. Ob nun regenerativ, erneuerbar oder alternativ – wir sprechen, glaube ich, von derselben Sache. Unter den regenerativen bzw. erneuerbaren Energien versteht man Energieformen, die sich, wie der Name ja sagt, selbst erneuern und die unbegrenzt zur Verfügung stehen. Dazu zählt man Sonnenenergie, Wasserkraft und Windkraft.

Mod: Und die beiden anderen Gruppen ...

WS: Ja, zu den fossilen Brennstoffen zählen, ganz klar, Kohle, Erdöl und Erdgas. Wenn diese Stoffe verbrannt werden, sind sie verloren. Die beiden nuklearen Brennstoffe sind Uran und Plutonium. Uran ist ein radioaktives Schwermetall, was natürlich in der Umwelt vorkommt, Plutonium muss künstlich erzeugt werden.

d)

Mod: Liegt die Zukunft wirklich in den erneuerbaren Energien?

WS: Ich glaube das, ja. Bei der Nutzung dieser Energiequellen werden keine Schadstoffe direkt freigesetzt. Das ist die Zukunft.

Mod: Ich glaube Ihnen nicht ganz, dass Wind-, Wasser- und Sonnenenergie keinerlei Nachteile bringen.

WS: Das habe ich auch nicht gesagt, ich sage nur, dass darin die Zukunft liegt.

Mod: Dann werden wir doch gleich einmal konkret. Vorteile der Sonnenenergie?

WS: Sie ist gratis, permanent da, das heißt es gibt keine Versorgungsprobleme.

Mod: Größter Vorteil?

WS: ... dass durch die Nutzung keine Stoffe abgegeben werden, die die Umwelt und damit unsere Gesundheit schädigen.

Mod: Was sind die Nachteile der Sonnenenergie?

WS: Es sind vor allem zwei „nachteilige" Punkte: Wetterabhängigkeit und Speicherung. Bei starker Bewölkung, Regen und dichtem Nebel kann mit den Kollektoren fast keine Wärme aufgefangen werden. Die Sonne scheint außerdem im Sommer am stärksten, also genau dann, wenn wir am wenigsten Wärme benötigen. Im Winter dagegen ist Sonnenwärme knapp und sie lässt sich generell schlecht speichern. Auch benötigt man relativ große Solaranlagen, also riesige Flächen, um die Energie zu sammeln.

Mod: Da werden sich sicherlich Lösungen finden...

WS: Ja natürlich. Die Ideen werden immer konkreter.

Mod: Auf Lösungsansätze möchte ich später genauer eingehen. Wir haben noch nicht über Wasser- und Windkraft gesprochen. Wo liegen die Vorteile?

WS: Wasserkraftwerke sind grundsätzlich umweltfreundlich, da Gewässer nicht mit Schadstoffen belastet werden. Im Gegenteil: sie bereichern die Gewässer mit Sauerstoff. Sie sind wegen ihrer einfachen Konstruktion, des geringen Wartungsaufwands und der langen Lebensdauer für den Einsatz im kleinen Maßstab besonders gut geeignet. Man muss sich klar machen: Wasserkraft erspart der Umwelt jährlich 20 Millionen Tonnen CO_2.

Mod: Also spricht alles für den weiteren Ausbau von Wasserkraftwerken und Stauseen?

WS: Da wäre ich vorsichtig. Nachteilig ist natürlich, dass unsere Wasservorräte immer knapper werden. Der 5. Klimareport zeigt dramatische Entwicklungen und daher muss auch die Nutzung der Wasserkraft ihre Grenzen haben. Sie ist außerdem abhängig von den örtlichen Gegebenheiten, man kann nun mal nicht einfach überall riesige Stauseen bauen. Das ist ökologisch betrachtet sehr bedenklich, weil es ein radikaler Eingriff in das Ökosystem darstellt. Für Pflanzen und Tiere hat das zum Teil schwerwiegende Konsequenzen. Und natürlich sind Wasserkraftwerke witterungsabhängig, das heißt im Winter ist die Wasserkraft nur bedingt einsetzbar.

Mod: Dann bleibt noch die Windkraft als Alternative. Windkraft gilt als billig, reichlich vorhanden, sauber und erneuerbar. Ist das die Lösung?

WS: In vielerlei Hinsicht schon, ja. Aber Wind ist eben auch keine zuverlässige Energiequelle. Er ist nicht immer am richtigen Ort und in der richtigen Stärke vorhanden. Wir haben zudem Wind in Küstennähe und auf Bergen, also genau dort, wo es schwer ist, Industrie anzusiedeln, die die Energie bräuchte. Und Wind lässt sich nicht speichern, also muss er vor Ort in transportfähigen elektrischen Strom umgewandelt werden.

Mod: Nicht zu vergessen die Effizienzfrage ...

WS: Genau. Gewaltige Windernergieanlagen werden heute als Versuchskraftwerke gebaut, doch trotz ihrer Größe können sie keine ganze Stadt mit Strom versorgen. Man bräuchte tausende dieser Anlagen, um die gleiche Leistung wie ein modernes Kraftwerk zu erzeugen. Und Anwohner haben meist ein Problem mit der Lautstärke.

Mod: Ja, man möchte einen sauberen, ökologischen Fußabdruck, aber natürlich auch keine Windkraftanlage hinter dem Haus ...

5 2

a)

Spr 1: Hier ist radio103.4 für Sie mit unserer „Auf der Straße nachgefragt"- Reihe. Wie immer waren wir für Sie unterwegs, diesmal in Köln, und haben Leute gefragt, was sie vom kollektiven Konsum halten. Hier einige Reaktionen.

Spr 2: Würden Sie Ihre Bohrmaschine, das Auto oder andere Gebrauchsgegenstände mit anderen teilen, damit Sie gemeinsam Ressourcen sparen, vielleicht auch Platz in der Garage haben und damit nachhaltiger leben – sozusagen auf einem etwas kleineren ökologischen Fußabdruck?

Frau: Warum soll ich denn meine Bohrmaschine jemandem verleihen? Ich bin doch froh, dass wir eine eigene haben und dass wir die immer nutzen können.

Mann: Ich würde meine Sachen niemals verleihen! Wer garantiert mir denn, dass ich die so ordentlich und gepflegt wieder zurückbekomme? Und ich gebe meiner Frau vollkommen Recht – was machen wir denn, wenn wir eine ausgeliehene Sache doch mal kurzfristig brauchen?

Spr 2: Das wäre ja kein Problem, Sie sind über eine Web-Seite oder eine App miteinander vernetzt. Ihre Bohrmaschine haben Sie also in wenigen Stunden zurück.

Frau: Na ja, wir sind da ja auch sehr skeptisch mit dem Internet, nech. Ich will doch niemandem meine Adresse geben und mit solchen komischen Web-Seiten kenne ich mich nicht aus.

Mann: Ich frage mal zurück: Was hab ich denn davon, wenn ich jemandem etwas ausleihe?

Spr 2: Nun ja, insbesondere wir reiche Nationen leben ja weit über unseren Verhältnissen. Wir konsumieren auf Kosten ärmerer Länder. Das ließe sich vermeiden.

Mann: Junger Mann, Sie sind ein Idealist. Wir leben nun aber in einer Marktwirtschaft!

Spr 1: Unser Reporter Luc Ehring stieß auf Skepsis, was sicherlich zu erwarten war. Es gab aber auch andere Rückmeldungen wie die Folgende.

Spr 2: Würden Sie Ihre Gebrauchsgegenstände mit anderen Menschen teilen, also Bohrmaschine, Auto und so, damit Sie Ressourcen sparen und nachhaltiger leben?

Frau 2: Da hab' ich noch gar nicht drüber nachgedacht. Also ich habe keine eigene Bohrmaschine und so gesehen wäre es doch echt super, wenn ich sie nicht kaufen, sondern leihen könnte. Was das Auto angeht, mache ich das sogar ab und zu. Ich kann mir kein eigenes Auto leisten, und ganz ehrlich, ich will es auch gar nicht, aber manchmal braucht man es doch und dann bin ich froh, dass ich mir eins ausleihen kann.

Spr 2: *Ja, gut, aber dann zahlen Sie bestimmt dafür?*
Frau 2: Ja, klar. Das ist gegen eine Leihgebühr.
Spr 2: *Ich beziehe mich aber auf kollektiven Konsum, das heißt ausleihen und verleihen, ohne das Geld eine Rolle spielt.*
Frau 2: Das klingt interessant. Also ich kann es mir nicht für alle Gebrauchsgegenstände vorstellen – meine Klamotten hab ich dann doch lieber für mich allein, aber vor allem bei Werkzeug und so ... ja, warum nicht? Gute Idee.

10 Kommunikation

1 3

a)
Int: *Frau Pfahl, Sie sind Kommunikationswissenschaftlerin. Jetzt wird ja Kommunikation, Sprache und Sprechen oft synonym gebraucht – kann man das eigentlich?*
Pfahl: Hier sollte man die Begriffe schon sauber voneinander trennen, statt alles zu vermischen. Schauen wir uns doch mal kurz den Begriff Kommunikation an. Kommunikation stammt aus dem Lateinischen und bedeutet „teilen, mitteilen oder auch etwas gemeinsam machen". Kommunikation ist also eine soziale Handlung, das heißt mehrere Menschen oder Lebewesen sind beteiligt. Wesentlich beim Mitteilen sind die Zeichen, die ausgetauscht werden. Die Kommunikationsteilnehmer müssen die Zeichen bzw. das Zeichensystem kennen und verstehen, um erfolgreich zu kommunizieren.
Int: *Aha, und das Zeichensystem ist dann also die Sprache?*
Pfahl: Ja, genau. Kommunikation findet im Austausch, in der Interaktion statt, d. h. mindestens zwei Gesprächspartner tauschen sich verbal durch sprachliche Zeichen oder und non-verbal durch Gestik oder Mimik aus. Damit Kommunikation funktioniert, beziehen sich Gesprächspartner auf Dinge, die beide kennen und nutzen, mündliche oder auch schriftliche Zeichen, wie z. B. ein Alphabet, das der andere verstehen kann.
Int: *Hm, haben dann Tiere nicht auch eine Sprache? Sie reagieren ja auch auf Zeichen?*
Pfahl: Freilich können auch viele Tierarten miteinander kommunizieren. Häufig geschieht dies nonverbal, wie z. B. durch den Schwänzeltanz der Bienen. Wenn aber Hunde bellen, Wale singen und Schweine grunzen, dann kommunizieren sie durch Töne, z. B. um einem Feind zu drohen oder vor Gefahr zu warnen. Diese Laute sind festgelegt und deshalb auch für alle Artgenossen gut zu verstehen.
Int: *Aber neue Worte zu erfinden – die Wortschöpfung – das können doch nur die Menschen?*
Pfahl: So dachte die Wissenschaft lange Zeit. Heute wissen wir: das stimmt so nicht ganz. Bei Delfinen sind sich Zoologen sicher, dass sie auf Pfeifen reagieren und individuelle „Namenspfiffe" haben. Tiere können also Worte bzw. Namen erfinden. Und es gibt sogar Dialekte. Man hat festgestellt, dass Vögel, vor allem Singvögel, regional unterschiedlich singen können. Zum Beispiel klingen die Amseln im Breisgau anders als die im Rhein-Main-Gebiet.
Int: *Und was heißt „anders"?*
Pfahl: Es kann vorkommen, dass die Melodien zwar ähnlich sind, die Vögel jedoch in der einen Gegend höher, in der anderen tiefer singen. Oder dass sie in Frankfurt lauter singen als in Freiburg, weil es in der Großstadt insgesamt lauter ist. Vögel passen sich nämlich dem Stadtlärm an.
Int: *Mit Ausnahme der Menschen ist jedoch kein anderes Lebewesen auf diesem Planeten in der Lage, sich auf so hohem Niveau mitzuteilen, also eine differenzierte Sprache zu nutzen.*
Pfahl: Stimmt, und die menschlichen Fähigkeiten im Umgang mit Sprache reichen sogar noch weiter. Wir sind nicht nur in der Lage zu sprechen, sondern darüber hinaus besitzen wir auch die Fähigkeit, über Sprache nachzudenken: Man spricht dann von der Metakommunikation.
Int: *Und über die Ergebnisse der Metakommunikation muss man dann wieder sprechen ...*
Pfahl: Klar, wie ich schon gesagt habe: Kommunikation stellt ein menschliches Grundbedürfnis dar. Wir kommunizieren ohne zu sprechen, nur durch unser Verhalten oder unsere Körpersprache. In kommunikativen Prozessen drücken Menschen ihre Persönlichkeit aus, dazu zählt auch ihr Wissen, ihre Erfahrungen und Erlebnisse. Und nur in der Kommunikation, also im Austausch mit anderen, bauen Menschen kommunikative Kompetenzen auf. Deshalb ist es wichtig, sich professionelle Hilfe zu suchen, wenn man Probleme mit der Stimme oder mit dem Sprechen hat. Denn sonst kann man unter Umständen an diesen wichtigen kommunikativen Prozessen nicht oder nur sehr begrenzt teilnehmen. Dies alles ist doch Grund genug, sich etwas intensiver mit Kommunikation und Sprache auseinanderzusetzen!

2 1

a)
Mann 1: Reden ist Silber, Schweigen ist Gold. Aber Reden lernt man nur durch Reden. Drum: Lass uns miteinander reden. Kommunikation ist, wenn man trotzdem lacht. Hörst du mir überhaupt zu?
Mann 2: Reden ist Silber, Schweigen ist Gold. Aber Reden lernt man nur durch Reden. Drum: Lass uns miteinander reden. Kommunikation ist, wenn man trotzdem lacht. Hörst du mir überhaupt zu?
Jugdliche: Reden ist Silber, Schweigen ist Gold. Aber Reden lernt man nur durch Reden. Drum: Lass uns miteinander reden. Kommunikation ist, wenn man trotzdem lacht. Hörst du mir überhaupt zu?
Frau: Reden ist Silber, Schweigen ist Gold. Aber Reden lernt man nur durch Reden. Drum: Lass uns miteinander reden. Kommunikation ist, wenn man trotzdem lacht. Hörst du mir überhaupt zu?

2 **2**

a)

Moderator: Traurig, fröhlich, ängstlich oder auch entspannt – so klingen Stimmen manchmal. Frau Tanzer, was meinen Sie als Stimmforscherin: Kann die menschliche Stimme eigentlich viel über eine Person, ihre Stimmung und ihren Charakter aussagen?

Tanzer: Ich glaube, jeder hat schon einmal die Erfahrung gemacht, dass die Art, wie ein Mensch spricht, Hinweise etwa auf sein Alter, sein Geschlecht oder seine Gefühlslage gibt. Frauen klingen anders als Männer oder Kinder. Und wenn Menschen zum Beispiel unsicher sind, dann ist die Stimme eher dünn. Klingt sie fest und voll, dann ist der Sprecher von etwas überzeugt. Kurz gesagt, erlaubt die Stimme einen Blick in sein Innerstes. Viele Emotionen wie Trauer, Freude oder Zweifel sind für andere hörbar.

M: Dann ist die Stimme, so gesehen, fast wie ein Fingerabdruck?

Tanzer: Während die Sprechweise durch die Sprechgeschwindigkeit, die Artikulation, die Rhythmik und Pausen geprägt wird, ist die Stimme durch Eigenschaften wie Tonhöhe, Satzmelodie und Stimmklang gekennzeichnet. Auf der Welt gibt es wahrscheinlich keine zwei Menschen, die genau gleich sprechen. Vor allem die Klangfarbe, die Melodie und die Lautstärke gehören zum charakteristischen Stimmprofil eines Menschen – oberflächlich betrachtet ist das wie ein Fingerabdruck, ja. Das nutzt auch die forensische Phonetik, die durch genaue Sprach- und Sprecheranalysen zur Aufklärung von Straftaten beiträgt.

M: Jetzt klingen ja manche Stimmen für andere eher unangenehm. Kann man seine Stimme eigentlich verändern, etwa durch Training?

Tanzer: Die Stimme wird beeinflusst durch Faktoren wie die Größe des Kehlkopfes und seiner Muskeln, aber auch durch das Umfeld, in dem jemand aufwächst. Eine hohe oder tiefe Stimme hängt von der Größe der Stimmlippen ab. Je kürzer und dünner die feinen Muskeln im Kehlkopf sind, desto häufiger schwingen sie pro Sekunde und desto höher ist die erzeugte Frequenz. Sind sie länger, dann ist auch die Stimme tiefer. Die Stimme ist also körperlich bedingt. Männer sprechen in der Regel tiefer als Frauen.

M: Ich habe gelesen, dass Europa verglichen mit dem 19. und der ersten Hälfte des 20. Jahrhunderts gerade stimmlich im Wandel sein soll. Kann die Zeit, in der jemand lebt, die Stimme beeinflussen?

Tanzer: Ja, Untersuchungen haben ergeben, dass die Stimmen der Frauen sich in den vergangenen Jahrzehnten im Schnitt um eine Terz, also um zwei bis drei Halbtöne, gesenkt haben, Frauen sprechen also eher tiefer.

M: Woran liegt das?

Tanzer: Soziologen vermuten darin eine Folge der Emanzipation. Eine hohe, piepsige oder eine helle, kindliche Stimme, ist mit dem Selbstbild moderner Frauen nicht mehr vereinbar. Stimmforscher fanden sogar Unterschiede zwischen einzelnen Ländern heraus. So sind etwa die Stimmen von Norwegerinnen tiefer als die der Italienerinnen, was möglicherweise mit der weiter fortgeschrittenen Emanzipation in Skandinavien zu erklären ist.

M: Dann hat eine männlich-tiefe Stimme Vorteile?

Tanzer: Auf den Vorteil einer tiefen Stimme, zumindest bei Männern, deuten einige Studien hin. Befragungen haben ergeben, dass Politiker mit tieferen Stimmen oft bessere Wahlchancen haben, weil sie durch ihre Stimme dominanter, attraktiver, kompetenter und vertrauenswürdiger wirken. Doch ob die Stimme tatsächlich Hinweise auf Führungsqualitäten geben kann, ist noch nicht bewiesen.

M: Eines ist jedoch unbestritten: Die Stimme offenbart Gefühle.

Tanzer: Genau genommen kann man beim Sprechen kaum verheimlichen, wie es einem geht. Nervöse, emotional instabile Personen sprechen mit einer weniger stabilen Stimme und klingen oft höher und brüchiger. Abgesehen von der momentanen Gefühlslage sprechen extrovertierte Menschen meist lauter und schneller, variieren die Satzmelodie stärker und betonen deutlicher als introvertierte.

M: Dann kann ich an der Stimme erkennen, mit wem ich es zu tun habe, also den Charakter des Menschen?

Tanzer: Eigentlich ja. Das Hauptproblem ist aus meiner Sicht, dass wir „Augenmenschen" sind. Wir sind gewohnt, visuellen Reizen zu folgen und schenken anderen Signalen nur wenig Aufmerksamkeit. Anstatt sich immer nur auf äußere Eindrücke wie Aussehen, Kleidung oder die Frisur zu verlassen, sollten wir stärker auf die Lautsignale unseres Kommunikationspartners achten. Ich halte dies vor allem bei zentralen Entscheidungen für besonders wichtig, etwa bei der Partnerwahl oder bei der Personalauswahl im Unternehmen. So könnte manche Enttäuschung vermieden werden.

M: Das heißt, Sie halten Äußerlichkeiten für belanglos?

Tanzer: Für mein Fach spielen sie keine Rolle und ich persönlich halte Äußerlichkeiten zumindest für nebensächlich. Anstatt dass wir einen Menschen sofort nach einem visuellen Eindruck beurteilen, sollten wir ruhig öfter mal die Augen schließen und die Stimme auf uns wirken lassen. Quasi Stimme statt Klamotte ...

M: Gibt es denn da noch keine App fürs Smartphone?

Tanzer: Ja, die Idee der Stimmanalyse statt vieler verschiedener Tests geht in die richtige Richtung. Derzeit arbeiten Forscherteams bereits an der Verbesserung der Stimmanalyse, z. B. um eine Depression frühzeitig zu erkennen. Oder auch, um in Zukunft Haushaltsgeräte, Computer und Autos über eine Sprachsteuerung bedienen zu können. Ein Computer, der die menschliche Stimme analysieren kann, wäre z. B. in der Lage, als Fahrassistent im Auto dem Fahrer eine Pause zu empfehlen, sobald er Anzeichen von Müdigkeit in seiner Stimme feststellt. Entscheidend ist hier für mich, dass Maschinen mittels Stimmanalyse empathischer werden könnten, sich also besser auf uns und unsere Stimmungen und Bedürfnisse einstellen könnten. Statt dass wir dem Computer Befehle erteilen, soll er an der Stimme erkennen, was wir wollen oder brauchen. Doch das ist noch Zukunftsmusik. Entscheidend sind hier für mich zwei Punkte: Worte allein können lügen, die Stimme nicht. Und – ganz wichtig: nicht die

Augen sind der Spiegel der Seele, wie oft gesagt wird, sondern die Stimme!

4 **2**

a)
LASS UNS REDEN

Sie kann Menschen auseinander- und zusammenbringen.
Sie kann Menschen zusammenführen, die anders sind.
Sie kann aufbauend, verletzend und stürmisch sein.
Sie kann gegen dich sein, setzt sich für dich ein.
Sie kann dich beeinflussen oder verzaubern.
Sie lässt dich fröhlich sein oder erschaudern.
Sie kann dir helfen und gut zureden.
Sie kann dir Zweifel, sie kann dir Mut geben.

Sie entwickelt sich weiter, weil sie durch die Jugend lebt.
Lehrer sehen rot, wenn was nicht im Duden steht.
Doch bei jeder E-Mail, jedem Memo oder Briefing,
jedem Liebeslied, das du hörst mit deinem Liebling,
hat sie noch ein Wörtchen mitzureden,
denn sonst würdest du einfach nichts verstehen.
Denn egal, ob wir sprechen oder was schreiben,
das Gegenteil von ihr ist Schweigen.

c)
LASS UNS REDEN

Sie kann Menschen auseinander- und zusammenbringen.
Sie kann Menschen zusammenführen, die anders sind.
Sie kann aufbauend, verletzend und stürmisch sein.
Sie kann gegen dich sein, setzt sich für dich ein.
Sie kann dich beeinflussen oder verzaubern.
Sie lässt dich fröhlich sein oder erschaudern.
Sie kann dir helfen und gut zureden.
Sie kann dir Zweifel, sie kann dir Mut geben.

Sie entwickelt sich weiter, weil sie durch die Jugend lebt.
Lehrer sehen rot, wenn was nicht im Duden steht.
Doch bei jeder E-Mail, jedem Memo oder Briefing,
jedem Liebeslied, das du hörst mit deinem Liebling,
hat sie noch ein Wörtchen mitzureden,
denn sonst würdest du einfach nichts verstehen.
Denn egal, ob wir sprechen oder was schreiben,
das Gegenteil von ihr ist Schweigen.

Du hast was zu sagen, doch gib acht,
wähl deine Worte mit Bedacht.
So, wie wir miteinander reden,
bestimmt, wie wir zusammen leben.
Denn Worte haben sehr viel Macht,
spenden Mut und neue Kraft.
Erzähl mir mehr aus deinem Leben.
Lass uns reden, lass uns reden!
Man kann mit ihr spielen, sie in Reime fassen,
doch viele MCs sollten dies lieber lassen.

Sie ist zu Hause in Geschichten und in Flüsterpost,
auf jedem Konzert hat sie mitgerockt.
Man hört sie im Radio und auch am Telefon,
in jeder Werbepause und fast in jedem Klingelton.
Ohne sie wären wir ratlos, planlos.
Ohne Sprache verstehen wir nur Bahnhof.
Sie ist Basis der Verständigung,
der Grundstein der Veränderung.
Wir benutzen sie tagein, tagaus.
Manchmal geht sie nur da rein, da raus.
Taubstumme benutzen sie allein mit den Händen.
Sie hilft uns dabei, unsere Zeit zu verschwenden.
Wir labern und quatschen, diskutieren und quasseln,
nur um das, was wir denken, in Worte zu fassen.

Du hast was zu sagen, doch gib acht,
wähl deine Worte mit Bedacht.
So, wie wir miteinander reden,
bestimmt, wie wir zusammen leben.
Denn Worte haben sehr viel Macht,
spenden Mut und neue Kraft.
Erzähl mir mehr aus deinem Leben.
Lass uns reden, lass uns reden!
Ich hoffe, dass ihr dies versteht:
Es ist die Sprache, um die es hier geht.
Ich hoffe, dass ihr dies versteht:
Es ist die Sprache, um die es hier geht.

Du hast was zu sagen, doch gib acht,
wähl deine Worte mit Bedacht.
So, wie wir miteinander reden,
bestimmt, wie wir zusammen leben.
Denn Worte haben sehr viel Macht,
spenden Mut und neue Kraft.
Erzähl mir mehr aus deinem Leben.
Lass uns reden, lass uns reden!

Kompetenztraining 2

1 **3**

a)
Wir setzen unsere Vortragsreihe zum Thema *Zukunft der Arbeit* fort und wollen uns heute mit der Frage beschäftigen, ob es eine neue Unternehmenskultur gibt, und was diese ausmacht. Diskutieren werde ich diese Frage am Beispiel der Veränderungen im Leitungs- und Führungsstil von Wirtschaftsunternehmen. Denn die Personalführung ist ein wichtiger Teil der Unternehmneskultur. Dabei beziehe ich mich auch auf den Vortrag zur Personalentwicklung, den Frau Dr. Rose von der Business School of Economics in Mannheim letzte Woche gehalten hat. Bei meinen Ausführungen greife ich auch auf meine Erfahrungen als Managementberater und Trainer in mittleren und großen Unternehmen zurück.

Folgende Punkte möchte ich ansprechen: die aus meiner Sicht wichtigsten Merkmale eines traditionellen Leitungs- und Führungsstils. Dabei erläutere ich auch den Begriff des autoritären Leitungsstils. Dann möchte ich Anforderungen moderner Gesellschaften an die Personalführung darstellen und an einem Beispiel deutlich machen, wie sich der Leitungsstil verändert hat. Im letzten Teil geht es um die Frage, welche Rolle Frauen bei der Entwicklung einer neuen Unternehmenskultur spielen.

Noch bis weit in die 90er Jahre es 20. Jahrhunderts herrschte weitgehend ein autoritärer Führungsstil vor, das hieß, der Chef allein gab Anweisungen. Von oben kamen die Vorgaben, unten wurden sie umgesetzt. Als Beleg dafür möchte ich die Globe-Studie anführen. Im Rahmen dieser Langzeitstudie aus dem Jahr 1991 wurden weltweit über 17.000 Führungskräfte nach ihrem Selbstverständnis befragt. Die Studie kam zu dem Ergebnis, dass besonders eine hohe Leistungsorientierung und Durchsetzungsfähigkeit zählen, soziale Kompetenzen hingegen als nicht so wichtig erachtet werden. Dieses Bild hat sich mittlerweile grundlegend gewandelt.

Welche Anforderungen stellen sich heute an Unternehmen? Ein traditionelles Führungsparadigma stößt immer öfter an seine Grenzen, weil Unternehmen zunehmend auf die Kreativität und das Innovationspotenzial ihrer Mitarbeiter angewiesen sind, um wettbewerbsfähig zu bleiben. Teamgeist und Transparenz sind Schlüsselwörter der neuen Unternehmenskultur. Deshalb vermittelt man heute den Führungskräften, dass und wie sie Teams leiten und Gespräche auf gleicher Augenhöhe führen sollen, statt Führung durch Autorität und Kontrolle zu beweisen.

Ich möchte diesen Veränderungsbedarf an einem Beispiel aus der Praxis veranschaulichen. Frau Grünert-Roth aus Stuttgart hat vor einigen Jahren die Firma ihres Vaters im Bereich der Metallverarbeitung übernommen. Sie erkannte sehr schnell, dass sie in diesem mittelständischen Unternehmen den patriarchalischen Stil ihres Vaters nicht fortsetzen, sondern einen anderen Führungsstil etablieren wollte, der das Potenzial der Mitarbeiter berücksichtigte. Das hieß für sie vor allem, auf ein starkes Team zu bauen. Ihr Vater war skeptisch, aber der Erfolg gab ihr Recht. Es ist ihr gelungen, ihre Rolle als Führungskraft neu zu definieren, indem sie einerseits auf eigenverantwortliche Mitarbeiter gesetzt hat, andererseits aber auch neue Führungskräfte aufgebaut und Verantwortungsbereiche abgegeben hat. Es gibt mehrere Faktoren, die den neuen Führungsstil begünstigen. Analysiert man erfolgreiche Unternehmen, dann wird schnell klar, dass es sowohl um harte als auch um weiche Faktoren, die sogenannten Softskills gehen muss. Dazu gehören hochqualifizierte Mitarbeiter, die mehr Mitsprache und Verantwortung einfordern und bekommen. Zu nennen sind aber auch Kommunikationswege, die Beteiligung an Entscheidungsprozessen ermöglichen und die Anerkennung weicher Faktoren wie emotionale Kompetenz und Empathiefähigkeit. Es gilt also, die Vorstellungen und Bedürfnisse der Mitarbeiter mit den Unternehmenszielen in Einklang zu bringen.

Ich komme nun zum letzten Teil meines Vortrags, in dem wir uns mit der Rolle von Frauen in diesem Prozess beschäftigen. Viele Experten sehen die Entwicklung einer neuen Unternehmenskultur untrennbar mit der Feminisierung der Arbeitswelt verbunden. Umgekehrt kommen offensichtlich die in den Unternehmen eingeforderte Transparenz und Kooperation den Frauen entgegen. Neuere Untersuchungen belegen, dass gemischte Teams aus Frauen und Männern erfolgreicher arbeiten, weil sie innovativer und kreativer sind. Aus den USA kommt der Beleg, dass Unternehmen mit mehr Frauen in Führungspositionen wirtschaftlich erfolgreicher sind und andere Unternehmen überholen. In Deutschland werden deshalb Forderungen nach mehr Frauen in Führungspositionen immer lauter. Denn trotz Gleichstellungsgesetz ist der Anteil von Frauen in Spitzenpositionen nach wie vor zu gering. So sind zum Beispiel in den 200 größten Unternehmen nur 3,2 Prozent Frauen in den Vorständen. Hier muss schnellstmöglich gehandelt werden. Durch Forderungen allein wird sich nicht viel verändern. Aber vielleicht durch eine Frauenquote, auf die Frau Dr. Rose letzte Woche ausführlicher eingegangen ist und auf deren Durchsetzung ich hier abschließend noch einmal mit Nachdruck hinweisen möchte.

Vielen Dank für Ihre Aufmerksamkeit. Bevor wir jetzt die Diskussion eröffnen, möchte ich noch darauf hinweisen, dass wir die Vortrags-Reihe *Zukunft der Arbeit* am 13. Juni fortsetzen.

2 2

b)

Janina: Entschuldigung, bin ich hier richtig bei der Beratungsstelle der Studienfinanzierung?

Lindner: Das sind Sie. Kommen Sie ruhig rein und setzen Sie sich. Wie kann ich Ihnen helfen?

Janina: Ich möchte studieren, bin mir aber nicht sicher, ob ich das finanziell schaffe. Meine Eltern werden mich nicht unterstützen können. Sie machen sich Sorgen, dass ich mich durch ein Studium verschulden könnte und wollen, dass ich lieber eine Ausbildung mache. Ich denke ja eher, dass sie Vorurteile haben, weil bisher niemand aus meiner Familie studiert hat.

2 3

c)

Lindner: Ein Studium ist mit Kosten verbunden, da haben Sie vollkommen Recht. Neben dem Lebensunterhalt sind Miete, Semesterbeitrag, Literatur und andere Studienmaterialien zu finanzieren. Dennoch sollten Sie sich nicht aus finanziellen Gründen davon abhalten lassen zu studieren. Es gibt viele Möglichkeiten der Finanzierung, zum Beispiel über das BaföG. Das ist eine staatliche Unterstützung, die vom Einkommen der Eltern abhängig ist. Käme das für Sie in Frage?

Janina: Vielleicht schon. Aber BaFöG ist zur Hälfte ein Darlehen und muss dann nach dem Studium zurückgezahlt werden. Was passiert, wenn es nicht gleich mit dem Berufseinstieg klappt? Da kann man ja heute überhaupt nicht mehr sicher sein. Und ich möchte mich auch nicht verschulden. Deshalb würde ich lieber neben dem Studium arbeiten und so meinen Lebensunterhalt finanzieren. Halten Sie das für realistisch?

Lindner: Das könnte klappen. Viele Studierende haben einen Studentenjob. Die Agentur für Arbeit vermittelt Beschäftigungen. Auch über die Jobbörsen können Sie gezielt nach Nebenjobs suchen. Aber: je mehr Sie arbeiten, umso weniger Zeit haben Sie für Ihr Studium, das sollten Sie immer mitbedenken.

Janina: Ich bin sehr unsicher, ob ich unter diesen Voraussetzungen überhaupt studieren sollte.

Lindner: Naja, Sie wären kein Einzelfall. Laut der jüngsten Sozialerhebung des Deutschen Studentenwerks finanzieren die meisten Studierenden ihr Studium mit Nebenjobs und BaföG . Und das sind noch nicht alle Möglichkeiten, die Sie haben. Sie können sich zum Beispiel auch um ein Stipendium bewerben. .

Janina: Achja? Ich dachte, dass Stipendien nur für Hochbegabte in Frage kommen.

Lindner: Grundsätzlich werden die Stipendien an Studierende vergeben, deren bisheriger Werdegang sehr gute Studienleistungen erwarten lässt und die sich gesellschaftlich engagieren, zum Beispiel in politischen oder sozialen Organisationen oder Stiftungen. Es handelt sich also nicht ausschließlich um Hochbegabtenförderung. Neben Geld bekommt man mit einem Stipendium oft auch eine ideelle Förderung. Die hilft zum Beispiel, Kontakte zu knüpfen und Wissen in Workshops und Akademien zu vertiefen.

Janina: Das ist ja interessant. Wie finde denn heraus, bei welcher Stiftung ich mich für ein Stipendium bewerben kann?

Lindner: Man muss die Anforderungen der einzelnen Stipendiengeber recherchieren und sich dann gezielt bewerben. Einige fördern Studierende aus bestimmten Regionen der Welt. Manchmal sind Schulnoten entscheidend, manchmal wird auf die Leistungen im ersten und zweiten Semester Wert gelegt. Immer öfter spielt auch ehrenamtliches Engagement bei der Auswahl eine große Rolle. „Stipendienlotse" ist zum Beispiel eine Datenbank, mit der Sie gezielt suchen können. Momentan sind dort ca. 800 Stipendiengeber erfasst. Vielleicht verschaffen Sie sich erst einmal einen Überblick?

Janina: Das mache ich auf jeden Fall. Ich würde mir gern den Namen der Datenbank notieren. Können Sie den bitte noch einmal wiederholen?

Lindner: Der Name ist „Stipendienlotse". Diese Datenbank wird vom Bundesministerium für Bildung und Forschung zur Verfügung gestellt.

Janina: Super, danke! Ich muss jetzt erst einmal die vielen Infos verarbeiten, um alles realistisch einschätzen zu können. Darf ich gleich einen neuen Termin mit Ihnen vereinbaren?

Lindner: Ja, das können wir machen. Wie wäre es am ...

Bildquellen

Cover *Zentrum Paul Klee, Bern* Fotolia / Simon Ebel – **U2** *Karte* Dr. Volkhard Binder **S. 4** *1* Mauritius images / Fancy; 2 Shutterstock / LoloStock; *3* Fotolia / doris oberfrank-list; *4* Cornelsen Schulverlage / Anna Koltermann; *5* Imago – **S. 6** *6* context verlag Augsburg / Martin Kluger; *7* Shutterstock / Alexey Boldin; *8* Fotolia / Kzenon; *9* Fotolia / contrastwerkstatt; *10* Fotolia / rupbilder – **S. 8 / 9** Fotolia / Harald Biebel; *Illus* Cornelsen Schulverlage / Maja Bohn – **S. 10** Fotolia / xy – **S. 11** Mauritius images / Fancy – **S. 12** *Klarinette* Shutterstock / Andrey_Popov; *Gitarre* Shutterstock / Melica; *Querflöte* Fotolia / Klaus Eppele; *Geige* Fotolia / awfoto – **S. 13** *oben* Shutterstock / Peter Bernik; *E-Bass* Shutterstock / Horiyan; *Schlagzeug* Shutterstock / Aleksandar Grozdanovski; *Klavier* Shutterstock / Be Good; *Saxophon* Shutterstock / moonfish8; *Illu* Cornelsen Schulverlage / Maja Bohn – **S. 14** Fotolia / Picture-Factory – **S. 15** Bundesverband Musikindustrie e. V. (BVMI) – **S. 16** akg-images / Imagno – **S. 17** Fotolia / Konstantin Yuganov – **S. 18** *1* Fotolia / Kzenon; *2* Shutterstock / Sergey Peterman; *3* action press – **S. 20** *Cover* Max Frisch: Stiller. © Suhrkamp Verlag, Frankfurt am Main; *Portrait* pa picture alliance / Keystone – **S. 24** Shutterstock / LoloStock – **S. 25** *links* Fotolia / vlam1; *rechts* Fotolia / benik.at – **S. 28** *1* Fotolia / S. Külcü; *2* Shutterstock / MANDY GODBEHEAR; *3* Shutterstock / DK.samco; *4* Fotolia / guruXOX – **S. 29** F1 online – **S. 32** Cornelsen Schulverlage / Hugo Herold – **S. 34** *oben* Shutterstock / eveleen; *unten* Fotolia / doris oberfrank-list – **S. 35** Cornelsen Schulverlage / Maja Bohn – **S. 38** *unten* Fotolia / digiimage – **S. 40** *oben* Cornelsen Schulverlage / Andrea Finster; *Mitte links* Fotolia / Milkovasa; *Mitte rechts* Fotolia / Rido – **S. 41** pa picture alliance / dpa / Tobias Kleinschmidt – **S. 42** *a* Shutterstock / Kati Neudert; *b* Shutterstock / E. Spek; *c* Shutterstock / ARENA Creative; *d* Shutterstock / Lorraine Swanson – **S. 44** bedesign / Prof. Dr. Uta Brandes & Prof. Dr. Michael Erlhoff – **S. 45** Ole Häntzschel – **S. 46** Cornelsen Schulverlage / Josef Fraško – **S. 49** Cornelsen Schulverlage / Anna Koltermann – **S. 52** *oben* Shutterstock / Stuart Jenner; *unten* Shutterstock / wavebreakmedia – **S. 53** *oben* Fotolia / Amir Kaljikovic; *M. Bentz* picture alliance / dpa / Melitta Archiv; *L. Meitner* akg-images / Science Photo Library; *K. Paulus* akg-images; *M. Faulstich* SCHOTT AG – **S. 54** myboshi GmbH – **S. 56** *links* pa picture alliance / dpa / Carsten_Rehder **56** *rechts: oben* picture alliance; *Mitte* Imago; *unten* action press / Kyodo Newsaction press – **S. 57** *oben* Fotolia / wildworx; *unten* Cornelsen Schulverlage / Maja Bohn – **S. 58** *oben* Shutterstock / Fouad A. Saad **58** *unten* akg-images – **S. 59** *links* Shutterstock / LiliGraphie; *rechts* Shutterstock / NatalieJean – **S. 60** *Emoticons* Shutterstock / Vertes Edmond Mihai; *unten: Mikroskop* Shutterstock / Alex Mit; *Fernglas* Shutterstock / Feng Yu; *Brille* Shutterstock / topseller; *Tachymeter* Fotolia / Jürgen Fälchle; *Teleskop* Shutterstock / Aleks vf – **S. 61** *oben* Cornelsen Schulverlage / Josef Fraško; *unten: Digitalkamera* Shutterstock / Skylines; *analoge Kamera* Shutterstock / Wire_man; *Bildsensor* Shutterstock / Talyzov Alexey; *Lupe* Shutterstock / Norman Chan; *Wechselobjektiv* Shutterstock / CobraCZ – **S. 65** *oben* asphericon GmbH; *unten* Cornelsen Schulverlage / Britta Winzer-Kiontke – **S. 66** Cornelsen Schulverlage / Maja Bohn – **S. 67** *oben* Imago; *Mitte* asphericon GmbH – **S. 68** *Flyer* Friedrich-Schiller-Universität Jena – **S. 73** Shutterstock / Monkey Business Images – **S. 74** *1, 2, 3* context verlag Augsburg / Martin Kluger – **S. 74 / 75** *goldene Rahmen* Shutterstock / sittipong – **S. 75** *4 Anton Fugger / Gem. v. Hans Maler* akg-images; *5* context verlag Augsburg / Martin Kluger; *6 Philipp II. von Spanien* akg-images – **S. 77** Shutterstock / Ioannis Pantzi – **S. 79** Shutterstock / nmedia – **S. 80** *oben* Shutterstock / Syda Productions; *Logos: 1* Shutterstock / wwwebmeister; *2, 3* Shutterstock / abdulsatarid; *4* Facebook; *5* Shutterstock / Rose Carson; *6* Shutterstock / dolphfyn – **S. 81** *1* Shutterstock / risteski goce; *2* Fotolia / Sergej Toporkov; *3* Shutterstock / ra2studio; *4* Fotolia / SDVIG; *5* Fotolia / stockphoto-graf; *6* Fotolia / Fatman73;

7 Fotolia / chickenstock – **S. 83** *oben* Cornelsen Schulverlage / Josef Fraško; *unten* Fotolia / lily – **S. 84** *unten* Cornelsen Schulverlage / Josef Fraško – **S. 85** Cornelsen Schulverlage / Josef Fraško – **S. 86** *Buchcover Karen Duve* Verlag Galiani Berlin; *Hot Stones* Fotolia / Voyagerix; *Uhr* Shutterstock / Alexey Boldin; *heiße Zitrone* Shutterstock / Ondrej83; *Apfel* Fotolia / Dionisvera – **S. 86 / 87** *isla moos* Engelhard Arzneimittel GmbH & Co. KG – **S. 87** *Arzeimittel* Shutterstock / Mostovyi Sergii Igorevich; *Tablet* Fotolia / sdecoret; *Somnomat* Technische Hochschule Zürich – **S. 88** *links* Fotolia / WavebreakMediaMicro; *rechts oben* Shutterstock / nexusby; *rechts unten* Shutterstock / Chesky – **S. 89** *links* Shutterstock / lenetstan; *rechts* Shutterstock / shipfactory – **S. 91** Cornelsen Schulverlage / Josef Fraško – **S. 92** *Karte* Shutterstock / Volina; *Flaggen: USA, Dänemark, Ägypten, Indien* Fotolia / mozZz; *Kongo* Shutterstock / Wasan Ritthawon; *Philippinen* Shutterstock / Carsten Reisinger – **S. 96** *a* Cornelsen Schulverlage / Sven Kiontke; *b* Fotolia / rodjulian; *c* Shutterstock / Jim David; *unten* Shutterstock / sanneberg – **S. 98** *links oben* Shutterstock / Professional Photography; *links Mitte* Imago; **98** *links unten* Fotolia / Banana Republic; *Vivian Westwood* pa picture alliance / abaca / Greg Demarque; *Mesut Özil* Topic Media / imagebroker.net / UWE KRAFT FOTOGRAFIE; *rechts 2. von unten* Fotolia / Kzenon; *rechts unten* Shutterstock / Orange Line Media – **S. 100** *Cover* Bundeszentrale für politische Bildung/bpb – **S. 102** Fotolia / contrastwerkstatt – **S. 103 / 104** Charta der Vielfalt e.V. – **S. 106** Fotolia / Halfpoint – **S. 108** action press / Michael Huebner / Future Image – **S. 110** *a* Fotolia / E. Schittenhelm; *b* Fotolia / Marina Lohrbach; *c* Fotolia / contrastwerkstatt – **S. 110 / 111** *Karte* Shutterstock / Vicente Barcelo Varona; *Flaggen: Amerika* Fotolia / DR; *Europa* Fotolia / DR; *Asien* Shutterstock / P.Burghardt – **S. 111** *d* Shutterstock / David Sprott; *e* Shutterstock / Matej Hudovernik; *f* Shutterstock / TebNad – **S. 115** Maria Pinke – **S. 117** *oben* Shutterstock / borzywoy; *unten* Imago / Photoshot / Construction Photography – **S. 118** Cornelsen Schulverlage / Josef Fraško – **S. 119** *oben* F1 online; *unten* Otto Wulff Bauunternehmung GmbH / schönknecht : kommunikation gmbh – **S. 120** Miro Poferl – **S. 122** *links* Fotolia / Dan Race; *rechts* Fotolia / Visions-AD – **S. 123** *oben* Werner König: dtv-Atlas Deutsche Sprache. Grafiken von Hans-Joachim Paul. © 1978, 1994, 2007 Deutscher Taschenbuch Verlag, München; *Mitte* Fotolia / rupbilder; *unten* Fotolia / Philippe Devanne – **S. 124** *oben* Shutterstock / Olesya Kuznetsova – **S. 124 / 125** *unten* Your photo today. A1 pix – superbild / PM – **S. 126** action press / REX FEATURES LTD. – **S. 129** Cornelsen Schulverlage / Josef Fraško – **S. 130** *links* Shutterstock / Alexander Raths; *Mitte* Shutterstock / Iakov Filimonov; *unten* Shutterstock / Antonio Guillem – **S. 131** *Tucholsky* akg-images; *Kipling* akg-images / bildwissedition; *Flügel* Shutterstock / Eky Studio; *Mauer* Shutterstock / yevgeniy11; *unten* Deutsche Welle, EINSHOCH6 – **S. 132** *Mark Twain* action press / EVERETT COLLECTION; *Löffel* Shutterstock / kritskaya; *Blasring* Shutterstock / milka-kotka; *Tippklemmer* Fotolia / FM2; *unten rechts* Shutterstock / eskay – **S. 133** *Aufheizsockel* Shutterstock / John Kasawa; *Warentrenner* picture alliance / Sueddeutsche; *Oberlippe* Shutterstock / Steve Heap; *Clipband* Fotolia / rdnzl – **S. 135** Fotolia / kasto – **S. 138** *links* Shutterstock / baki; *Icons: 1, 2, 5, 6* Shutterstock / graphixmania; *3* Shutterstock / Bakai; *4* Shutterstock / sabri deniz kizil; *rechts unten* Shutterstock / Andresr

Textquellen

S. 10 © Holger Fuß: „Diktatur der sanften Klänge. Im Supermarkt, im Fahrstuhl, im Hotel: Überall Gedudel. Ein Besuch bei der Firma Muzak." QUELLE: Gekürzte Textfassung aus ZEIT WISSEN Magazin, Heft 4/2005 (http://www.zeit.de/zeit-wissen/2005/04/Muzak.xml, 12.02.2012) – **S. 20 / 21** Textauszüge aus: Max Frisch, Stiller. © Suhrkamp Verlag, Frankfurt am Main 1954 – **S. 54** veränderter Textauszug aus: Merel Neuheuser: „Geschickt eingefädelt", UNICUM, Nr. 02/2013 – **S. 84** Ausschnitt der Seite „Bauer sucht Frau". In: Wikipedia, Die freie Enzyklopädie. Bearbeitungsstand: 29. Juni 2015, 06:15 UTC. URL: https://de.wikipedia.org/w/index.php?title=Bauer_sucht_Frau&oldid=143570039 (Abgerufen: 5. August 2015, 15:16 UTC) – **S. 92** Ausschnitt der Seite „Weltgesundheitsorganisation". In: Wikipedia, Die freie Enzyklopädie. Bearbeitungsstand: 21. Juli 2015, 11:28 UTC. URL: https://de.wikipedia.org/w/index.php?title=Weltgesundheitsorganisation&oldid=144231563 (Abgerufen: 5. August 2015, 17:06 UTC) – **S. 100** Katalogtext zum Themenblatt Nr. 75: „Bedrohte Vielfalt – Biodiversität". © Bundeszentrale für politische Bildung/bpb – **S. 103** „Die Charta im Wortlaut". © Charta der Vielfalt e.V. – **S. 108** Auszug aus: Katja Mitic: „Dunja Hayali, die volltätowierte ZDF-Moderatorin." © WeltN24 GmbH 2015. (http://www.welt.de/10210372, 11.10.2010) – **S. 119** Auszug aus: „Bioreaktor-Fassade als Energielieferant." © Colt International GmbH (http://www.colt-info.de/news-reader/items/bioreaktoren-fassade-als-energielieferant.html, 20.01.2014) – **S. 120** Textauszug aus: Simon Reichel: „Teilen, tauschen, leihen – das ist alternativer Konsum." © Utopia GmbH, www.utopia.de (http://www.utopia.de/magazin/kollektiver-konsum-teilen-tauschen-leihen, 03.07.2013) – **S. 122** Auszug aus: Johann Wolfgang von Goethe: „Mailied". Erschienen in: Johann Wolfgang von Goethe. Gesammelte Werke in sieben Bänden. Bertelsmann Lesering, Gütersloh. – **S. 126** Auszug aus: Kaspar Heinrich: „Übersetzer sollen Neues schaffen." Interview mit Adam Thirlwell. © ZEIT ONLINE GmbH, 2013. (http://www.zeit.de/kultur/literatur/2013-11/adam-thirlwell-interview-uebersetzung-sprache, 21.01.2014) – **S. 131** © Deutsche Welle, EINSHOCH6 – **S. 132** *oben* Mark Twain: „Die Schrecken der deutschen Sprache". Rede vom 21. November 1897. Originaltitel: „The Horrors of the German Language". Textausschnitt aus Glanz & Elend. Magazin für Literatur und Zeitkritik. – **S. 132** © Christian Lippuner: «fliegendes O». Konkrete Poesie, 1966. Entworfen im 5. Semester Kunstgewerbeschule St. Gallen, veröffentlicht im Harass Nr. 20; Verlag Signathur Schweiz.